Intermediate Traditional Chinese Vocabulary

Taiwan

台湾華語単語
つぎへの
1400

林 虹瑛
Lin Koei

ask

❊ は じ め に ❊

　前作『台湾華語単語 はじめの 1000』の出版後、友人や読者の方から多くの励ましやアドバイスをいただきました。これはとてもありがたく、その後のモチベーションにつながりました。

　言語と文化は密接に関係しており、国際化が進んだ現代社会において、外国語の能力と知識は世界に対する自分の見識を深められるすばらしいツールです。

　台湾の公用語である華語の習得を目的とした本書は、以下のような理念と考えをもとに制作しました。

1.「TOCFL（華語文能力測験）」進階級レベルに対応する中級単語 1419 語を網羅

本書は TOCFL 進階級の合格をめざす受験者や中級レベルの華語を学びたい方を対象としています。TOCFL 実施委員会が公表している「國教院三等七級詞表」4 級の単語を見出し語として採用し、品詞ごとに Step を分けて掲載しました。例文作成の際にはレベルに応じた語彙を使用しています。

2. 台湾教育部の標準字体と注音符号を使用

本書の見出し語と例文は、日本の文科省に相当する台湾教育部が定める標準字体（「正体字」、通称「繁体字」）で記載し、発音は注音符号で表しています。また、ピンインを併記し、簡体字と形が異なる字や発音が異なる単語に注を付けています。これにより、簡体字で中国語を学んだことのある方も学習しやすくなっています。

3. 積極的に台湾文化を紹介

学習者のみなさんが、華語のみならず台湾やそこで暮らす人々への理解も深められるよう、現地での生活習慣を反映した表現を例文に盛り込んでいます。さらにコラムでも台湾の日常に触れられる情報を紹介しています。日本で「台湾気分」を味わいたいときにはこれらを通して台湾要素を摂取し、恋しさを紛らわせてみてはいかがでしょうか。

4. 日常生活での自然な会話スピードで収録した音声

付属の音声は TOCFL Band B のリスニング試験を参考にしながら、日常生活での自然な会話スピードで収録しました。音声を聞いて速いなと感じる方は、再生速度を調整し、少しずつ耳をならしていってください。本書の発音表記は「教育部國語辭典 簡編本」を参照していますが、音声の収録時には一部自然な発音を採用している部分があります。

その他に、早口言葉を紹介しているページもあります。こちらは 2 種類の速度の音声を収録しておりますのでぜひ挑戦してみてください。

　最後に、本書を世に送り出すのに協力してくださったすべての方に感謝をお伝えします。編集の伊藤早紀さん、由利真美奈さん、日本語音声を担当した高野涼子さん、関係者のみなさん。そして中国語の音声を担当した親友の李多立先生。私を愛してくれる人たち、そして私が愛する人たちがお互いに支え合い、世界をよりすばらしいものにしてくれたことに感謝します。新型コロナウイルスが蔓延する時代、学びと人生の道のりにおいて、私たちはひとりではありません。

林 虹瑛

目次

Step 1

Step 2

見出し語

本書の見出し語は、台湾の國家華語測驗推動工作委員會が公開している「國教院三等七級詞表」をもとに選定しています。

チェック欄

★

華語と表記や発音、語彙が異なる場合の普通話を併記しています。
例：
★水准＜水平
→中国大陸では水平の方が多く使われる

品詞の表示

名…名詞
代…代詞
疑…疑問詞
量…量詞
形…形容詞
動…動詞
動[離]…離合動詞（離合詞）
助動…助動詞
副…副詞
前…前置詞
接…接続詞
助…助詞
感…感嘆詞
擬…擬態語・擬声語
成…成語
フ…フレーズ

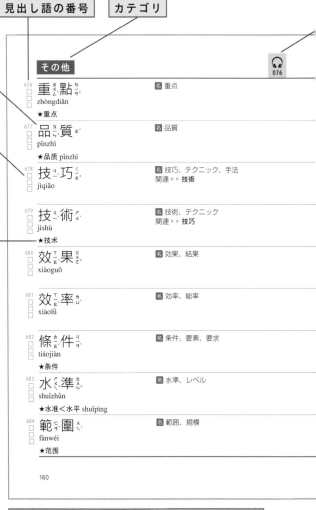

見出し語　見出し語の番号　カテゴリ

その他

🎧 076

676 □□□ 重點 ㄓㄨㄥˋ ㄉㄧㄢˇ
zhòngdiǎn
★重点
名 重点

677 □□□ 品質 ㄆㄧㄣˇ ㄓˊ
pǐnzhí
★品质 pǐnzhì
名 品質

678 □□□ 技巧 ㄐㄧˋ ㄑㄧㄠˇ
jìqiǎo
名 技巧、テクニック、手法
関連 ▶▶ 技術

679 □□□ 技術 ㄐㄧˋ ㄕㄨˋ
jìshù
★技术
名 技術、テクニック
関連 ▶▶ 技巧

680 □□□ 效果 ㄒㄧㄠˋ ㄍㄨㄛˇ
xiàoguǒ
名 効果、結果

681 □□□ 效率 ㄒㄧㄠˋ ㄌㄩˋ
xiàolǜ
名 効率、能率

682 □□□ 條件 ㄊㄧㄠˊ ㄐㄧㄢˋ
tiáojiàn
★条件
名 条件、要素、要求

683 □□□ 水準 ㄕㄨㄟˇ ㄓㄨㄣˇ
shuǐzhǔn
★水准＜水平 shuǐpíng
名 水準、レベル

684 □□□ 範圍 ㄈㄢˋ ㄨㄟˊ
fànwéi
★范围
名 範囲、規模

160

その他の表示

「関連 ▶▶」意味の近い単語や関連する表現／「＝」同義語
「←→」反義語／「(000)」参照となる見出し語の番号

音声

音声ファイルはページごとに区切っています。音声は「見出し語（華語）→ 意味（日本語）→ 見出し語（華語）→ 例文（華語）」という順番で収録しています。華語は実際に話すと発音が変わるケースが多く、本書の音声にはナレーターの自然な発音を採用している部分があります。

0	200	400	600	800	1000	1200	1400

你畫錯重點了。
Nǐ huàcuò zhòngdiǎn le.

あなたはポイントを間違えています。

品質管理也是一項很重要的工作。
Pǐnzhí guǎnlǐ yě shì yí xiàng hěn zhòngyào de gōngzuò.

品質管理も重要な仕事です。

曉風的寫作技巧真好。
Xiǎofēng de xiězuò jìqiǎo zhēn hǎo.

曉風の作文の技術は本当にすばらしいです。

他籃球技術不好。
Tā lánqiú jìshù bù hǎo.

彼はバスケットボールがへたです。

這個運動有減肥的效果。
Zhège yùndòng yǒu jiǎnféi de xiàoguǒ.

この運動はダイエット効果があります。

有時候讀書也需要效率。
Yǒushíhòu dúshū yě xūyào xiàolǜ.

読書も効率を求められることがあります。

他開出了許多條件。
Tā kāichūle xǔduō tiáojiàn.

彼は多くの条件を提示しました。

她加入國家隊以後水準提高不少。
Tā jiārù guójiāduì yǐhòu shuǐzhǔn tígāo bù shǎo.

彼女はナショナルチームに加入してからかなりレベルが上がりました。

這次期末考的考試範圍是哪裡？
Zhècì qímòkǎo de kǎoshì fànwéi shì nǎlǐ?

今回の期末試験の範囲はどこですか？

Step 1 ※ その他

注音符号・ピンイン

見出し語と例文すべてに注音符号（台湾で使われている発音記号）とピンインを記載しています。
※本書の注音符号・ピンインは「教育部國語辭典簡編本」および「解詞造句——華語文基礎詞語彙編」を参考にしています。

161

ダウンロードコンテンツ

🎧 音声

こちらのウェブサイトから無料でダウンロードできます。

アスク出版公式サイト本書紹介ページ➡
https://www.ask-books.com/
978-4-86639-441-1/

「Apple Podcast」、「Spotify」でもお聴きいただけます。

📥 ダウンロード方法等のお問い合わせ

音声ダウンロードの手段がない方も、こちらへご相談ください。

アスクユーザーサポートセンター
https://www.ask-books.com/support/
✉ support@ask-digital.co.jp

🔍 索引

見出し語とその意味、注音符号、ピンインを記載した索引を公開しています。
https://www.ask-books.com/pdata/
94411/ASK_Kagotan2_index.pdf

✏ 練習ドリル

本文の内容に対応した練習ドリルを PDF で公開しています。
学習内容の定着度の確認にぜひご活用ください。

いずれも上記アスク出版公式サイト本書紹介ページよりご利用いただけます。

Step 1

まずは名詞の学習から始めましょう。名詞は全部で692語あります。少し多いですが焦らずコツコツ覚えていきましょう。

1 妻ㄑ（子ㄗ˙）
qī(zi)

名 妻
関連 ▶▶ 老婆

2 丈ㄓㄤˋ夫ㄈㄨ
zhàngfū

名 夫
関連 ▶▶ 老公

3 老ㄌㄠˇ婆ㄆㄛˊ
lǎopó

名 妻
関連 ▶▶ 妻子

4 老ㄌㄠˇ公ㄍㄨㄥ
lǎogōng

名 夫
関連 ▶▶ 丈夫

5 年ㄋㄧㄢˊ齡ㄌㄧㄥˊ
niánlíng

名 年齢

★年龄

6 各ㄍㄜˋ自ㄗˋ
gèzì

代 それぞれ、各自

7 印ㄧㄣˋ象ㄒㄧㄤˋ
yìnxiàng

名 印象

8 說ㄕㄨㄛ法ㄈㄚˇ
shuōfǎ

名 言い方、意見

★说法

9 道ㄉㄠˋ理ㄌㄧˇ
dàolǐ

名 道理、法則、わけ

10

文正的妻子是他的小學同學。

Wénzhèng de qīzi shì tā de xiǎoxué tóngxué.

文正の奥さんは彼の小学校のクラスメートです。

丈夫要做多少家事，每個家庭不同。

Zhàngfū yào zuò duōshǎo jiāshì, měi ge jiātíng bùtóng.

夫がどのくらい家事をするかは家庭ごとに異なります。

你老婆還在醫學院教書嗎？

Nǐ lǎopó hái zài yīxuéyuàn jiāoshū ma?

あなたの奥さんはまだ医学部で教えていますか？

她老公喜歡吃香菜。

Tā lǎogōng xǐhuān chī xiāngcài.

彼女の夫はパクチーを食べるのが好きです。

請寫下你的年齡和職業。

Qǐng xiěxià nǐ de niánlíng hé zhíyè.

年齢と職業を書いてください。

大家各自整理行李準備回家。

Dàjiā gèzì zhěnglǐ xínglǐ zhǔnbèi huíjiā.

みなさんそれぞれ荷物を整理して家に帰る準備をしてください。

他對花東縱谷有很好的印象。

Tā duì Huādōng Zōnggǔ yǒu hěn hǎo de yìnxiàng.

彼は花東縦谷にとてもよい印象を持ちました。
※花東縦谷：花蓮と台東を縦断する山脈に囲まれた平原

換一個說法不是很好嗎？

Huàn yí ge shuōfǎ búshì hěn hǎo ma?

別の言い方をすればよいのではないですか？

你跟孩子一樣不講道理。

Nǐ gēn háizi yíyàng bù jiǎng dàolǐ.

あなたは子供と同じくらいわがままです。

10 □□□ **毛病** máobìng	名 故障、病気、間違い、欠点
11 □□□ **高鐵** gāotiě ★高铁	名 高速鉄道
12 □□□ **現金** xiànjīn ★现金	名 現金
13 □□□ **護照** hùzhào ★护照	名 パスポート
14 □□□ **帳號** zhànghào ★帐号	名 アカウント、口座番号
15 □□□ **密碼** mìmǎ ★密码	名 パスワード
16 □□□ **辣椒** làjiāo	名 唐辛子
17 □□□ **開水** kāishuǐ ★开水	名 お湯、熱湯
18 □□□ **隔壁** gébì	名 隣、隣家

老ㄌ了ㄌ多ㄉ多ㄉ少ㄕ少ㄕ身ㄕ體ㄊ都ㄉ有ㄧ毛ㄇ病ㄅ。

Lǎole duōduōshǎoshǎo shēntǐ dōu yǒu máobìng.

年を取ると多かれ少なかれ体に不具合が出てきます。

我ㄨ在ㄗ高ㄍ鐵ㄊ站ㄓ等ㄉ你ㄋ。

Wǒ zài gāotiězhàn děng nǐ.

私は高速鉄道の駅であなたを待っています。

現ㄒ金ㄐ還ㄏ是ㄕ刷ㄕ卡ㄎ？

Xiànjīn háishì shuākǎ?

（支払いは）現金ですか、それともカードですか？

你ㄋ申ㄕ請ㄑ護ㄏ照ㄓ了ㄌ嗎ㄇ？

Nǐ shēnqǐng hùzhào le ma?

パスポートを申請しましたか？

這ㄓ麼ㄇ多ㄉ帳ㄓ號ㄏ都ㄉ要ㄧ密ㄇ碼ㄇ。

Zhème duō zhànghào dōu yào mìmǎ.

こんなにたくさんのアカウントにはどれもパスワードが必要です。

哎ㄞ呀ㄧ，我ㄨ忘ㄨ了ㄌ這ㄓ個ㄍ帳ㄓ號ㄏ的ㄉ密ㄇ碼ㄇ。

Āiya, wǒ wàngle zhège zhànghào de mìmǎ.

しまった、このアカウントのパスワードを忘れた。

肉ㄖ羹ㄍ麵ㄇ要ㄧ不ㄅ要ㄧ加ㄐ辣ㄌ椒ㄐ？

Ròugēngmiàn yàobúyào jiā làjiāo?

肉羹麺に唐辛子を入れますか？

※肉羹麺：肉団子と麺の入ったとろみのあるスープ

可ㄎ以ㄧ給ㄍ我ㄨ一ㄧ杯ㄅ熱ㄖ開ㄎ水ㄕ嗎ㄇ？

Kěyǐ gěi wǒ yì bēi rèkāishuǐ ma?

お湯を1杯くれませんか？

隔ㄍ壁ㄅ的ㄉ貓ㄇ常ㄔ來ㄌ玩ㄨ。

Gébì de māo cháng lái wán.

お隣の猫はよく遊びに来ます。

19 夫ㄈㄨ 妻ㄑㄧ
□
□ fūqī
□

名 夫婦、夫と妻
関連 ▶ ▶ **夫婦**

---

20 夫ㄈㄨ 婦ㄈㄨ
□
□ fūfù
□

名 夫婦
関連 ▶ ▶ **夫妻**

---

21 子ㄗ 女ㄋㄩ
□
□ zǐnǚ
□

名 子供、息子と娘

---

22 祖ㄗㄨ 母ㄇㄨ
□
□ zǔmǔ
□

名 祖母
関連 ▶ ▶ **阿嬤**

---

23 祖ㄗㄨ 父ㄈㄨ
□
□ zǔfù
□

名 祖父
関連 ▶ ▶ **阿公**

---

24 阿ㄚ 嬤ㄇㄚ
□
□ āmà
□
★普通話ではなし

名 祖母、おばあさん
関連 ▶ ▶ **祖母**
阿嬤は台湾語由来の表現。話し言葉で使う。
阿媽とも書く。

---

25 阿ㄚ 公ㄍㄨㄥ
□
□ āgōng
□
★普通話ではなし

名 祖父、おじいさん
関連 ▶ ▶ **祖父**
阿公は台湾語由来の表現。話し言葉で使う。

---

26 婆ㄆㄛ 婆ㄆㄛ
□
□ pópo
□

名 しゅうとめ

---

27 兄ㄒㄩㄥ
□
□ xiōng
□

名 兄
関連 ▶ ▶ **哥哥**

兄は主に書き言葉や熟語で使われる。

有五十對的金婚夫妻來現場慶祝。

Yǒu wǔshí duì de jīnhūn fūqī lái xiànchǎng qìngzhù.

50組の金婚夫婦が会場に来てお祝いをします。

說到這對夫婦，大家有不同的意見。

Shuōdào zhè duì fūfù, dàjiā yǒu bùtóng de yìjiàn.

この夫婦についていうと、みんな異なる意見があります。

他的子女都在國外，不在身邊。

Tā de zǐnǚ dōu zài guówài, bú zài shēnbiān.

彼の子供はみんな海外にいて、そばにいません。

夏子的祖母是阿美族。

Xiàzǐ de zǔmǔ shì Āměizú.

夏子の祖母はアミ族です。

祖父總是喜歡坐在窗邊想事情。

Zǔfù zǒngshì xǐhuān zuòzài chuāngbiān xiǎng shìqíng.

祖父はいつも窓辺に座って考え事をするのが好きです。

我想念阿嬤做的菜。

Wǒ xiǎngniàn āmà zuò de cài.

私は祖母が作った料理が恋しいです。

阿公喜歡去公園下象棋。

Āgōng xǐhuān qù gōngyuán xià xiàngqí.

祖父は公園で将棋を指すのが好きです。

我婆婆喜歡用大同電鍋做菜。

Wǒ pópo xǐhuān yòng Dàtóng diànguō zuòcài.

しゅうとめはよく大同電鍋を使って料理をします。

移民社會的台灣，相信大家都是兄弟。

Yímín shèhuì de Táiwān, xiāngxìn dàjiā dōu shì xiōngdì.

移民社会の台湾は、みんな兄弟であると信じています。

004

28
嫂ㄙㄠ嫂ㄙㄠ
sǎosao

名 兄嫁

29
弟ㄉㄧ妹ㄇㄟ
dìmèi

名 弟の妻

30
表ㄅㄧㄠ哥ㄍㄜ
biǎogē

名 いとこ（父の姉妹または母の兄弟姉妹の
息子で自分より年上の場合）

31
表ㄅㄧㄠ妹ㄇㄟ
biǎomèi

名 いとこ（父の姉妹または母の兄弟姉妹の
娘で自分より年下の場合）

32
叔ㄕㄨ父ㄈㄨ
shúfù

★ shūfù

名 おじ（父親の弟）

33
舅ㄐㄧㄡ（舅ㄐㄧㄡ）
jiù(jiu)

名 おじ（母の兄弟）

34
舅ㄐㄧㄡ媽ㄇㄚ
jiùmā

★舅妈

名 おば、母方のおば（母の兄弟の妻）

35
姨ㄧ媽ㄇㄚ
yímā

★姨妈

名 （既婚の）母方のおば

36
新ㄒㄧㄣ娘ㄋㄧㄤ
xīnniáng

名 新婦、花嫁

嫂ᴗ嫂ᴗ 想ᴗ 在ᴗ 今ᴗ 年ᴗ 生ᴗ 一ᴗ 個ᴗ 寶ᴗ 寶ᴗ 。

Sǎosao xiǎng zài jīnnián shēng yí ge bǎobao.

兄嫁は今年中に赤ちゃんを1人産みたいと思っています。

她ᴗ 的ᴗ 弟ᴗ 妹ᴗ 是ᴗ 牙ᴗ 醫ᴗ 。

Tā de dìmèi shì yáyī.

彼女の弟の妻は歯科医です。

表ᴗ 哥ᴗ 很ᴗ 喜ᴗ 歡ᴗ 看ᴗ 布ᴗ 袋ᴗ 戲ᴗ 。

Biǎogē hěn xǐhuān kàn bùdàixì.

いとこは布袋劇を見るのが好きです。

表ᴗ 妹ᴗ 一ᴗ 直ᴗ 說ᴗ 一ᴗ 加ᴗ 一ᴗ 等ᴗ 於ᴗ 三ᴗ 。

Biǎomèi yìzhí shuō yī jiā yī děngyú sān.

いとこはずっと「1＋1＝3」だと言っています。

他ᴗ 的ᴗ 叔ᴗ 父ᴗ 是ᴗ 警ᴗ 察ᴗ 學ᴗ 校ᴗ 畢ᴗ 業ᴗ 的ᴗ 。

Tā de shúfù shì jǐngchá xuéxiào bìyè de.

彼のおじは警察学校の卒業生です。

舅ᴗ 舅ᴗ 年ᴗ 輕ᴗ 時ᴗ 長ᴗ 得ᴗ 很ᴗ 帥ᴗ 。

Jiùjiu niánqīng shí zhǎngde hěn shuài.

おじは若いころハンサムでした。

舅ᴗ 媽ᴗ 聽ᴗ 說ᴗ 是ᴗ 師ᴗ 大ᴗ 校ᴗ 花ᴗ 。

Jiùmā tīngshuō shì Shīdà xiàohuā.

おばは師範大学のマドンナだったそうです。

他ᴗ 說ᴗ 姨ᴗ 媽ᴗ 長ᴗ 得ᴗ 跟ᴗ 翁ᴗ 倩ᴗ 玉ᴗ 一ᴗ 樣ᴗ 漂ᴗ 亮ᴗ 。

Tā shuō yímā zhǎngde gēn Wēng Qiànyù yíyàng piàoliàng.

おばはジュディ・オングのようにきれいだと彼は言います。

小ᴗ 晴ᴗ 想ᴗ 當ᴗ 六ᴗ 月ᴗ 新ᴗ 娘ᴗ 。

Xiǎo Qíng xiǎng dāng liùyuè xīnniáng.

小晴は6月の花嫁になりたいと思っています。

37 新郎 シンラン
xīnláng

名 新郎、花婿

38 家長 ジャザン
jiāzhǎng

名 家長、保護者

★家长

39 親人 チンレン
qīnrén

名 肉親、身内、親しい人、身内のような人

★亲人

40 親戚 チンチー
qīnqī

名 親戚

★亲戚

41 全家 チュエンジャ
quánjiā

名 一家、家族全員

42 生肖 シェンシャオ
shēngxiào

名 十二支の生まれ年

43 嬰兒 インアル
yīng'ér

名 乳児、赤子

★婴儿

44 兒童 アルトン
értóng

名 子供、児童

★儿童

45 童年 トンニェン
tóngnián

名 幼年期、子供時代

新郎是法國人。

Xīnláng shì Fǎguórén.

新郎はフランス人です。
※"法國人"の"法"は4声
で発音されることが多い。

你找到這個學生的家長
了嗎？

Nǐ zhǎodào zhège xuéshēng de jiāzhǎng le ma?

この学生の保護者は見
つかりましたか？

小威的親人都在台灣。

Xiǎo Wēi de qīnrén dōu zài Táiwān.

小威の身内はみんな台
湾にいます。

他最近被親戚吵得心情
很複雜。

Tā zuìjìn bèi qīnqī chǎode xīnqíng hěn fùzá.

彼は最近親戚にうるさ
く言われて複雑な気持
ちです。

他們全家一起飛過來看
他比賽。

Tāmen quánjiā yìqǐ fēiguòlái kàn tā bǐsài.

彼らは家族そろって彼
の試合を見に飛んでき
ました。

你說得出十二生肖嗎？

Nǐ shuōdechū shí'èr shēngxiào ma?

十二支を言うことがで
きますか？

這首歌是為嬰兒做的。

Zhè shǒu gē shì wèi yīng'ér zuò de.

この歌は赤ん坊のため
に作られたものです。

兒童是國家未來的希望。

Értóng shì guójiā wèilái de xīwàng.

子供は国家の未来の希
望です。

他的童年在雲林的鄉下
度過。

Tā de tóngnián zài Yúnlín de xiāngxià dùguò.

彼は子供時代を雲林の
田舎で過ごしました。

006

46 □□□ 少ㄕㄠˋ年ㄋㄧㄢˊ
shàonián
名 少年

47 □□□ 少ㄕㄠˋ女ㄋㄩˇ
shàonǚ
名 少女

48 □□□ 青ㄑㄧㄥ少ㄕㄠˋ年ㄋㄧㄢˊ
qīngshàonián
名 青少年

49 □□□ 青ㄑㄧㄥ年ㄋㄧㄢˊ
qīngnián
名 青年

50 □□□ 成ㄔㄥˊ年ㄋㄧㄢˊ
chéngnián
名 成年
動 成年になる

51 □□□ 成ㄔㄥˊ人ㄖㄣˊ
chéngrén
名 成人、大人

52 □□□ 中ㄓㄨㄥ年ㄋㄧㄢˊ
zhōngnián
名 中年

53 □□□ 老ㄌㄠˇ年ㄋㄧㄢˊ
lǎonián
名 高齢者、老人

54 □□□ 男ㄋㄢˊ性ㄒㄧㄥˋ
nánxìng
名 男性
関連 ▶▶ 男士、男子

這是三個少年的旅行故事。

Zhè shì sān ge shàonián de lǚxíng gùshì.

これは3人の少年の旅行記です。

最好看的少女戀愛小說是哪一部？

Zuì hǎokàn de shàonǚ liàn'ài xiǎoshuō shì nǎ yí bù?

一番おもしろい少女向け恋愛小説はどれですか？

這個歌手很受青少年歡迎。

Zhège gēshǒu hěn shòu qīngshàonián huānyíng.

この歌手は青少年に人気です。

她是一個好青年。

Tā shì yí ge hǎo qīngnián.

彼女はすてきな若者です。

十八歲就成年了。

Shíbā suì jiù chéngnián le.

18歳はもう成人です。

成人的世界和小孩不同。

Chéngrén de shìjiè hàn xiǎohái bùtóng.

大人の世界は子供と違います。

人到了中年，很多想法都會改變。

Rén dàole zhōngnián, hěn duō xiǎngfǎ dōu huì gǎibiàn.

人は中年を迎えると考え方の多くが変わります。

這裡老年人口很多。

Zhèlǐ lǎonián rénkǒu hěn duō.

ここは高齢者の人口が多いです。

在台灣男性的平均年齡比女性低。

Zài Táiwān nánxìng de píngjūn niánlíng bǐ nǚxìng dī.

台湾では、男性の平均年齢は女性より低いです。

007

55 女性 <small>ㄋㄩˇ</small> <small>ㄒㄧㄥˋ</small>
nǚxìng

名 女性
関連 ▶▶ **女士、女子**

56 男士 <small>ㄋㄢˊ</small> <small>ㄕˋ</small>
nánshì

名 男性、殿方（男性に対する敬称）
関連 ▶▶ **男性、男子**

57 女士 <small>ㄋㄩˇ</small> <small>ㄕˋ</small>
nǚshì

名 （女性に対して）〜さん
女性、女史（女性に対する敬称）
関連 ▶▶ **女性、女子**

58 男子 <small>ㄋㄢˊ</small> <small>ㄗˇ</small>
nánzǐ

名 男子、男
関連 ▶▶ **男性、男士**

59 女子 <small>ㄋㄩˇ</small> <small>ㄗˇ</small>
nǚzǐ

名 女子、女
関連 ▶▶ **女性、女士**

60 婦女 <small>ㄈㄨˋ</small> <small>ㄋㄩˇ</small>
fùnǚ

名 婦人、女性

61 身分 <small>ㄕㄣ</small> <small>ㄈㄣˋ</small>
shēnfèn

名 身分、地位

★身份

身份とも書く。

62 職業 <small>ㄓˊ</small> <small>ㄧㄝˋ</small>
zhíyè

名 職業

★职业

63 上班族 <small>ㄕㄤˋ</small> <small>ㄅㄢ</small> <small>ㄗㄨˊ</small>
shàngbānzú

名 サラリーマン

女性不見得要做更多家事。

Nǚxìng bújiànde yào zuò gèng duō jiāshì.

女性がより多くの家事をしなければならないとはかぎりません。

這邊是男士更衣室。

Zhèbiān shì nánshì gēngyīshì.

こちらは男子更衣室です。

黃女士還沒結婚。

Huáng nǚshì hái méi jiéhūn.

黄さんはまだ結婚していません。

警察抓到了黑衣男子。

Jǐngchá zhuādàole hēiyī nánzǐ.

警察は黒服の男を捕まえました。

這次拿到女子羽球單打第二名的是誰？

Zhècì nádào nǚzǐ yǔqiú dāndǎ dì èr míng de shì shéi?

今回バドミントン女子シングルスで準優勝したのは誰ですか？

我姊姊想當職業婦女。

Wǒ jiějie xiǎng dāng zhíyè fùnǚ.

私の姉はキャリアウーマンになりたいと思っています。

專家們還在調查他的身分。

Zhuānjiāmen hái zài diàochá tā de shēnfèn.

専門家たちはまだ彼の身元を調べているところです。

她有三個職業，其中一個是醫生。

Tā yǒu sān ge zhíyè, qízhōng yí ge shì yīshēng.

彼女は3つの職業をかけ持っていて、そのうちのひとつは医者です。

他想做一個朝九晚五的上班族。

Tā xiǎng zuò yí ge zhāojiǔwǎnwǔ de shàngbānzú.

彼は朝9時から夕方5時まで働くサラリーマンになりたいと思っています。

64
□
□
□
律師_カ_ㄩ_ㄕ
lǜshī

★律师

名 弁護士

65
□
□
□
工程師_{ㄍㄨㄥ}_{ㄔㄥ}_ㄕ
gōngchéngshī

★工程师

名 エンジニア

66
□
□
□
郵差_{ㄧㄡ}_{ㄔㄞ}
yóuchāi

★邮差＜邮递员 yóudìyuán

名 郵便配達員

67
□
□
□
警察_{ㄐㄧㄥ}_{ㄔㄚ}
jǐngchá

名 警察

68
□
□
□
牙醫_{ㄧㄚ}_ㄧ
yáyī

★牙医

名 歯科医、歯医者

69
□
□
□
專家_{ㄓㄨㄢ}_{ㄐㄧㄚ}
zhuānjiā

★专家

名 専門家

70
□
□
□
博士_{ㄅㄛ}_ㄕ
bóshì

名 博士

71
□
□
□
音樂家_{ㄧㄣ}_{ㄩㄝ}_{ㄐㄧㄚ}
yīnyuèjiā

★音乐家

名 音楽家

72
□
□
□
歌手_{ㄍㄜ}_{ㄕㄡ}
gēshǒu

名 歌手

這ㄓ個ㄍ問ㄨ題ㄊ我ㄨ要ㄧ問ㄨ問ㄨ我ㄨ的ㄉ
律ㄌ師ㄕ。

Zhège wèntí wǒ yào wènwèn wǒ de lǜshī.

この問題は私の弁護士に聞いてみなければなりません。

科ㄎ學ㄒ園ㄩ區ㄑ有ㄧㄡ很ㄏ多ㄉ工ㄍ程ㄔ師ㄕ。

Kēxué yuánqū yǒu hěn duō gōngchéngshī.

科学工業団地には多くのエンジニアがいます。

他ㄊ家ㄐ的ㄉ黃ㄏ狗ㄍ常ㄔ追ㄓ著ㄓ郵ㄧㄡ差ㄔ
跑ㄆ。

Tā jiā de huánggǒu cháng zhuīzhe yóuchāi pǎo.

彼の家の茶色い犬はよく郵便配達員を追って走り回ります。

過ㄍ慣ㄍ了ㄌ警ㄐ察ㄔ生ㄕ活ㄏ，爸ㄅ爸ㄅ
今ㄐ天ㄊ退ㄊ休ㄒ了ㄌ。

Guòguànle jǐngchá shēnghuó, bàba jīntiān tuìxiū le.

警察としての生活に慣れた父は今日定年退職を迎えます。

你ㄋ認ㄖ識ㄕ會ㄏ說ㄕ日ㄖ文ㄨㄣ的ㄉ牙ㄧㄚ醫ㄧ
嗎ㄇ？

Nǐ rènshì huì shuō Rìwén de yáyī ma?

日本語を話せる歯科医を知っていますか？

他ㄊ訪ㄈ問ㄨ了ㄌ好ㄏ幾ㄐ個ㄍ專ㄓ家ㄐ。

Tā fǎngwènle hǎo jǐ ge zhuānjiā.

彼は何人もの専門家のもとを訪れました。

光ㄍ聽ㄊ她ㄊ說ㄕ話ㄏ，就ㄐ知ㄓ道ㄉ她ㄊ
有ㄧㄡ博ㄅ士ㄕ學ㄒ位ㄨ。

Guāng tīng tā shuōhuà, jiù zhīdào tā yǒu bóshì xuéwèi.

彼女の話を聞いただけで、彼女が博士の学位を持っていることがわかりました。

鄧ㄉ雨ㄩ賢ㄒ是ㄕ台ㄊ灣ㄨ有ㄧㄡ名ㄇ的ㄉ音ㄧ
樂ㄩ家ㄐ。

Dèng Yǔxián shì Táiwān yǒumíng de yīnyuèjiā.

鄧雨賢は台湾の有名な音楽家です。

她ㄊ唱ㄔ歌ㄍ唱ㄔ得ㄉ像ㄒ一ㄧ個ㄍ歌ㄍ手ㄕ。

Tā chànggē chàngde xiàng yí ge gēshǒu.

彼女はまるで歌手のように歌を歌います。

009

73 ☐☐☐	導演 dǎoyǎn ★导演	名 監督

74 ☐☐☐	演員 yǎnyuán ★演员	名 役者、俳優

75 ☐☐☐	角色 jiǎosè ★角色 juésè	名 役

76 ☐☐☐	主角 zhǔjiǎo ★主角 zhǔjué	名 主役、中心人物

77 ☐☐☐	明星 míngxīng	名 スター

78 ☐☐☐	記者 jìzhě ★记者	名 記者

79 ☐☐☐	作者 zuòzhě	名 作者

80 ☐☐☐	作家 zuòjiā	名 作家

81 ☐☐☐	讀者 dúzhě ★读者	名 読者

楊德昌導演的電影很有意思。

Yáng Déchāng dǎoyǎn de diànyǐng hěn yǒuyìsi.

エドワード・ヤン監督の映画はおもしろいです。

她女兒是一個演員。

Tā nǚ'ér shì yí ge yǎnyuán.

彼女の娘は俳優です。

花木蘭是一個女扮男裝的角色。

Huā Mùlán shì yí ge nǚ bàn nán zhuāng de jiǎosè.

花木蘭は男装する女性の役です。
※花木蘭：昔話や歌に登場する女性将軍で『ムーラン』のモデルにもなった

每個人都是自己故事的主角。

Měi ge rén dōu shì zìjǐ gùshì de zhǔjiǎo.

どの人もみな自分の物語の主人公です。

他是科學界的明星。

Tā shì kēxuéjiè de míngxīng.

彼は科学界のスターです。

記者有什麼社會責任？

Jìzhě yǒu shénme shèhuì zérèn?

記者にはどんな社会的責任がありますか？

這部卡通的作者是誰？

Zhè bù kǎtōng de zuòzhě shì shéi?

このアニメの作者は誰ですか？

台灣作家拿到了日本芥川文學獎。

Táiwān zuòjiā nádàole Rìběn Jièchuān Wénxuéjiǎng.

台湾の作家が日本の芥川賞を受賞しました。

這是讀者的來信。

Zhè shì dúzhě de láixìn.

これは読者からきた手紙です。

| 82 ☐☐☐ | 小 ㄒㄧㄠˇ 偷 ㄊㄡ
xiǎotōu | 名 泥棒 |

| 83 ☐☐☐ | 騙 ㄆㄧㄢˋ 子 ㄗ˙
piànzi
★骗子 | 名 詐欺師、ペテン師 |

| 84 ☐☐☐ | 王 ㄨㄤˊ
wáng | 名 王 |

| 85 ☐☐☐ | 人 ㄖㄣˊ 民 ㄇㄧㄣˊ
rénmín | 名 国民、人民、人々 |

| 86 ☐☐☐ | 人 ㄖㄣˊ 們 ㄇㄣ˙
rénmen
★人们 | 名 人々 |

| 87 ☐☐☐ | 人 ㄖㄣˊ 家 ㄐㄧㄚ
rénjia | 名 他の人、人さま |

| 88 ☐☐☐ | 人 ㄖㄣˊ 類 ㄌㄟˋ
rénlèi
★人类 | 名 人類 |

| 89 ☐☐☐ | 對 ㄉㄨㄟˋ 方 ㄈㄤ
duìfāng
★对方 | 名 相手、先方 |

| 90 ☐☐☐ | 雙 ㄕㄨㄤ 方 ㄈㄤ
shuāngfāng
★双方 | 名 双方、両方 |

他{tā}最{zuì}喜{xǐ}歡{huān}玩{wán}警{jǐng}察{chá}抓{zhuā}小{xiǎo}偷{tōu}。

Tā zuì xǐhuān wán jǐngchá zhuā xiǎotōu.

彼は警察が泥棒を捕まえる遊びが一番好きです。

那{nà}個{ge}演{yǎn}員{yuán}是{shì}個{ge}騙{piàn}子{zi}嗎{ma}？

Nàge yǎnyuán shì ge piànzi ma?

その俳優は詐欺師ですか？

你{nǐ}知{zhī}道{dào}《國{guó}王{wáng}的{de}新{xīn}衣{yī}》這{zhè}個{ge}故{gù}事{shì}嗎{ma}？

Nǐ zhīdào 《Guówáng de xīnyī》 zhège gùshì ma?

『裸の王様』という物語を知っていますか？

這{zhè}麼{me}說{shuō}你{nǐ}也{yě}認{rèn}為{wéi}人{rén}民{mín}的{de}意{yì}見{jiàn}很{hěn}重{zhòng}要{yào}。

Zhème shuō nǐ yě rènwéi rénmín de yìjiàn hěn zhòngyào.

というと、あなたも国民の意見が大切だと思っているんですね。

人{rén}們{men}都{dōu}在{zài}追{zhuī}求{qiú}什{shén}麼{me}樣{yàng}的{de}夢{mèng}想{xiǎng}呢{ne}？

Rénmen dōu zài zhuīqiú shénmeyàng de mèngxiǎng ne?

人々はみなどのような夢を追いかけているのでしょうか？

我{wǒ}一{yī}向{xiàng}不{bù}喜{xǐ}歡{huān}給{gěi}人{rén}家{jiā}添{tiān}麻{má}煩{fán}。

Wǒ yíxiàng bù xǐhuān gěi rénjia tiān máfán.

私はずっと人に迷惑をかけるのが好きではありません。

至{zhì}今{jīn}人{rén}類{lèi}還{hái}沒{méi}登{dēng}上{shàng}木{mù}星{xīng}。

Zhìjīn rénlèi hái méi dēngshàng mùxīng.

現在にいたるまで人類はまだ木星に着陸していません。

你{nǐ}跟{gēn}對{duì}方{fāng}說{shuō}了{le}什{shén}麼{me}？

Nǐ gēn duìfāng shuōle shénme?

先方には何と言いましたか？

他{tā}們{men}雙{shuāng}方{fāng}還{hái}在{zài}溝{gōu}通{tōng}當{dāng}中{zhōng}。

Tāmen shuāngfāng hái zài gōutōng dāngzhōng.

彼ら双方はまだ話し合ってる最中です。

011

91 ☐☐☐ **對手** ㄉㄨㄟˋ ㄕㄡˇ duìshǒu ★对手	名 （試合や競技などの）相手、ライバル
92 ☐☐☐ **本人** ㄅㄣˇ ㄖㄣˊ běnrén	名 本人、自分
93 ☐☐☐ **個人** ㄍㄜˋ ㄖㄣˊ gèrén ★个人	名 個人、自分、私
94 ☐☐☐ **團隊** ㄊㄨㄢˊ ㄉㄨㄟˋ tuánduì ★团队	名 団体、チーム
95 ☐☐☐ **團體** ㄊㄨㄢˊ ㄊㄧˇ tuántǐ ★团体	名 団体
96 ☐☐☐ **性別** ㄒㄧㄥˋ ㄅㄧㄝˊ xìngbié ★性别	名 性別、ジェンダー
97 ☐☐☐ **個性** ㄍㄜˋ ㄒㄧㄥˋ gèxìng ★个性	名 （人の）個性、（ものの）特性
98 ☐☐☐ **性格** ㄒㄧㄥˋ ㄍㄜˊ xìnggé	名 性格、気性
99 ☐☐☐ **脾氣** ㄆㄧˊ ㄑㄧˋ píqì ★脾气	名 気質、癖、性質、短気

下一個對手是世界第二名的。

Xià yí ge duìshǒu shì shìjiè dì èr míng de.

次の相手は世界第2位です。

這件事要問本人才知道。

Zhè jiàn shì yào wèn běnrén cái zhīdào.

このことは本人に聞かなければわかりません。

在公開媒體上發表個人資訊不安全。

Zài gōngkāi méitǐshàng fābiǎo gèrén zīxùn bù ānquán.

オープンなメディアに個人情報を掲載するのは安全ではありません。

張董有一個很棒的團隊。

Zhāng dǒng yǒu yí ge hěn bàng de tuánduì.

張社長にはすばらしいチームがあります。

這個團體有很多導演。

Zhège tuántǐ yǒu hěn duō dǎoyǎn.

この団体には多くの監督がいます。

職業跟性別有關嗎？

Zhíyè gēn xìngbié yǒuguān ma?

職業と性別は関係がありますか？

建良的個性很好，所以朋友很多。

Jiànliáng de gèxìng hěn hǎo, suǒyǐ péngyǒu hěn duō.

建良は性格がよいので多くの友人がいます。

每個人性格不同。

Měi ge rén xìnggé bùtóng.

どの人も性格が違います。

阿寶的脾氣很好。

Ā Bǎo de píqì hěn hǎo.

阿宝は気立てがいいです。

012

100 □□□
態度 タイ ドゥ
tàidù
★态度

名 態度、身ぶり、姿勢

101 □□□
自我 ッ ゴ
zìwǒ

名 自己、自我

102 □□□
感情 ガン チン
gǎnqíng

名 感情、気持ち、好感

103 □□□
内心 ネ シン
nèixīn

名 内心、心の内

104 □□□
勇氣 ヨン チ
yǒngqì
★勇气

名 勇気

105 □□□
期望 チ ワン
qíwàng
★ qīwàng

名 期待、望み
動 期待する

106 □□□
樂趣 ラ チュ
lèqù
★乐趣

名 喜び、楽しみ、楽しさ

107 □□□
自信 ッ シン
zìxìn

名 自信
形 自信がある
関連 ▶▶ 信心
自信は自分に対して使う。

108 □□□
信心 シン シン
xìnxīn

名 自信、信念、確信
関連 ▶▶ 自信

信心はものや人に対して使う。

32

他的態度說明了一切。
Tā de tàidù shuōmíngle yíqiè.

彼の態度がすべてを物語っていました。

認識自我很重要。
Rènshì zìwǒ hěn zhòngyào.

自己認識は重要です。

他還是沒有辦法忘記那段感情。
Tā háishì méiyǒu bànfǎ wàngjì nà duàn gǎnqíng.

彼はやはりそのときの感情を忘れられません。

心情不好，他內心不免有很多想法。
Xīnqíng bù hǎo, tā nèixīn bùmiǎn yǒu hěn duō xiǎngfǎ.

機嫌が悪く、彼は内心どうしても多くのことを考えてしまいます。

拒絕別人有時候也需要勇氣。
Jùjué biérén yǒushíhòu yě xūyào yǒngqì.

他人を拒絶するのは勇気がいることもあります。

人民對他有很高的期望。
Rénmín duì tā yǒu hěn gāo de qíwàng.

人々は彼にとても大きな期待を寄せています。

種菜帶給我很多樂趣。
Zhòng cài dàigěi wǒ hěn duō lèqù.

野菜の栽培は私に多くの楽しみをもたらしました。

阿皓的自信是從哪裡來的？
Ā Hào de zìxìn shì cóng nǎlǐ lái de?

阿皓の自信はどこからくるのですか？

不要傷心，我對你有信心。
Búyào shāngxīn, wǒ duì nǐ yǒu xìnxīn.

悲しまないで、私はあなたを信じています。

013

109
愛ㄞˋ心ㄒㄧㄣ
àixīn
★爱心

名 思いやり

110
決ㄐㄩㄝ心ㄒㄧㄣ
juéxīn
★决心

名 決心、決意
動 決意する

111
笨ㄅㄣˋ蛋ㄉㄢˋ
bèndàn

名 まぬけ、ばか

112
想ㄒㄧㄤˇ像ㄒㄧㄤˋ力ㄌㄧˋ
xiǎngxiànglì

名 想像力

113
主ㄓㄨˇ意ㄧˋ
zhǔyì

名 アイデア、意見、考え

114
觀ㄍㄨㄢ念ㄋㄧㄢˋ
guānniàn
★观念

名 観念、考え方、思想

115
記ㄐㄧˋ憶ㄧˋ
jìyì
★记忆

名 記憶
動 記憶する、書き留める

116
反ㄈㄢˇ應ㄧㄥˋ
fǎnyìng
★反应

名 反応、反響、手ごたえ、効き目
動 反応する

117
差ㄔㄚ別ㄅㄧㄝˊ
chābié
★差别

名 違い、差異、隔たり
関連 ▶▶ 差異

他是個很有愛心的老師。
Tā shì ge hěn yǒu àixīn de lǎoshī.

彼はとても思いやりのある先生です。

她下決心要考過這次的華測。
Tā xià juéxīn yào kǎoguò zhècì de Huácè.

彼女は今回の TOCFL に合格しようと決心しました。

我是笨蛋，怎麼沒想到這個方法。
Wǒ shì bèndàn, zěnme méi xiǎngdào zhège fāngfǎ.

私はばかだ。どうしてこの方法を思いつかなかったんだ。

學習也需要一些想像力。
Xuéxí yě xūyào yìxiē xiǎngxiànglì.

学習にもいくらかの想像が必要です。

這個主意倒是非常有創意。
Zhège zhǔyì dàoshì fēicháng yǒu chuàngyì.

そのアイデアは意外にとてもユニークですね。

你的觀念很正確。
Nǐ de guānniàn hěn zhèngquè.

あなたの考え方は正しいです。

他說他睡著了，沒有什麼記憶。
Tā shuō tā shuìzháo le, méiyǒu shénme jìyì.

彼は眠っていてあまり記憶がないと言いました。

怎麼了？ 叫他也沒有反應。
Zěnme le? Jiào tā yě méiyǒu fǎnyìng.

どうしたんだ？ 彼を呼んでも反応がない。

這兩幅畫的差別在哪裡？
Zhè liǎng fú huà de chābié zài nǎlǐ?

この2枚の絵の違いはどこにありますか？

---

118 差異
chāyì
★差异

名 差異、相違
関連 ▶▶ 差別

差異は書き言葉に使われることが多い。

---

119 對話
duìhuà
★对话

名 対話

---

120 會話
huìhuà
★会话

名 会話

---

121 話題
huàtí
★话题

名 話題、トピック

---

122 主題
zhǔtí
★主题

名 テーマ、主題

---

123 貴姓
guìxìng
★贵姓

名 お名前

---

124 大名
dàmíng

名 お名前

---

125 說明
shuōmíng
★说明

名 説明
動 説明する、〜ということを表す

---

126 笑話
xiàohuà
★笑话

名 笑い話

這個問題就是文化差異產生的。

Zhège wèntí jiùshì wénhuà chāyì chǎnshēng de.

この問題は文化の違いが生み出したものです。

他們的對話好像一對夫妻。

Tāmen de duìhuà hǎoxiàng yí duì fūqī.

彼らの会話はまるで夫婦のようです。

下午有英文會話課。

Xiàwǔ yǒu Yīngwén huìhuàkè.

午後に英会話の授業があります。

故宮的鄭問展帶出了很大的話題。

Gùgōng de Zhèng Wèn zhǎn dàichūle hěn dà de huàtí.

故宮の鄭問展は大きな話題を呼びました。

那個演講的主題是〈自我成長的方法〉。

Nàge yǎnjiǎng de zhǔtí shì ‹zìwǒ chéngzhǎng de fāngfǎ›.

その講演のテーマは「自己の成長法」です。

您貴姓？

Nín guìxìng?

お名前は何とおっしゃいますか？

先生，請問一下大名？

Xiānshēng, qǐngwèn yíxià dàmíng?

すみません、お名前をお伺いしてもよろしいですか？

你的說明不夠清楚。

Nǐ de shuōmíng búgòu qīngchǔ.

あなたの説明はあまりはっきりしていません。

把這件事當作一個笑話就好了。

Bǎ zhè jiàn shì dàngzuò yí ge xiàohuà jiù hǎo le.

このことは笑い話にすればそれでよいです。

127 氣く氛ㄈㄣ
qìfēn
★气氛

名 雰囲気、ムード

128 互ㄏ動ㄉㄨㄥ
hùdòng
★互动

名 相互作用、インタラクション

129 身ㄕㄣ
shēn

名 体、身体

130 全ㄑㄩㄢ身ㄕㄣ
quánshēn

名 全身、体全体

131 腦ㄋㄠ袋ㄉㄞ
nǎodài
★脑袋

名 頭、頭部、知能

132 腦ㄋㄠ（子ㄗ）
nǎo(zi)
★脑（子）

名 脳

133 耳ㄦ
ěr

名 耳

134 喉ㄏㄡ（嚨ㄌㄨㄥ）
hóu(long)
★喉（咙）

名 のど

135 脖ㄅㄛ（子ㄗ）
bó(zi)

名 首

這家咖啡廳的氣氛很棒。

Zhè jiā kāfēitīng de qìfēn hěn bàng.

この喫茶店の雰囲気はすばらしいです。

新舊貓咪之間的互動非常良好。

Xīn jiù māomī zhījiān de hùdòng fēicháng liánghǎo.

新しい猫と元からいた猫の関係はとてもよいです。

這輛車的車身很長。

Zhè liàng chē de chēshēn hěn cháng.

この車の車体は長いです。

昨天跑馬拉松，現在我全身痛。

Zuótiān pǎo mǎlāsōng, xiànzài wǒ quánshēn tòng.

昨日マラソンをして、今全身が痛いです。

你的腦袋想出答案了嗎？

Nǐ de nǎodài xiǎngchū dá'àn le ma?

頭に答えが浮かびましたか？

大家的腦子都轉得很快，尤其是黃蓉。

Dàjiā de nǎozi dōu zhuǎnde hěn kuài, yóuqí shì Huáng Róng.

みんな頭の回転が速く、とくに黄蓉はそうです。

這隻狗狗的耳朵很大。

Zhè zhī gǒugou de ěrduo hěn dà.

このワンワンの耳は大きいよ。

他清了清喉嚨，開始回答問題。

Tā qīngleqīng hóulong, kāishǐ huídá wèntí.

彼は咳ばらいをして、質問に答え始めました。

長頸鹿長得很高而且脖子很長。

Chángjǐnglù zhǎngde hěn gāo érqiě bózi hěn cháng.

キリンは背が高く、さらに首が長いです。

136
□
□ 腰 -ㄠ
yāo

名 腰

137
□
□ 脚 ㄐㄠˇ 步 ㄅㄨˋ
jiǎobù

名 歩み、足取り、歩幅

★脚步

138
□
□ 牙 ㄧㄚˊ （齒 ㄔˇ）
yá(chǐ)

名 歯

★牙（齿）

139
□
□ 手 ㄕㄡˇ 指 ㄓˇ 頭 ㄊㄡ
shǒuzhǐtou

名 指

★手指头

手指、指頭ともいう。

140
□
□ 皮 ㄆㄧˊ 膚 ㄈㄨ
pífū

名 皮膚

★皮肤

141
□
□ 口 ㄎㄡˇ 水 ㄕㄨㄟˇ
kǒushuǐ

名 よだれ

142
□
□ 哈 ㄏㄚ 欠 ㄑㄧㄢˋ
hāqiàn

名 あくび

143
□
□ 鼻 ㄅㄧˊ 涕 ㄊㄧˋ
bítì

名 鼻水

144
□
□ 汗 ㄏㄢˋ 水 ㄕㄨㄟˇ
hànshuǐ

名 汗

爺爺今天腰疼得厲害。
Yéye jīntiān yāo téngde lìhài.

祖父は今日腰がひどく痛みます。

客廳有腳步聲。
Kètīng yǒu jiǎobùshēng.

リビングで足音がします。

他牙疼，整晚睡不了覺。
Tā yáténg, zhěngwǎn shuìbùliǎojiào.

彼は歯が痛くて一晩中眠れませんでした。

鋼琴師的手指頭又長又好看。
Gāngqínshī de shǒuzhǐtou yòu cháng yòu hǎokàn.

ピアニストの指は長くてきれいです。

你的皮膚真好。
Nǐ de pífū zhēn hǎo.

お肌がきれいですね。

看著整桌台灣菜，我口水流出來了。
Kànzhe zhěng zhuō Táiwāncài, wǒ kǒushuǐ liúchūlái le.

テーブルいっぱいの台湾料理を見ていたらよだれが出てきました。

他今天一直打哈欠。
Tā jīntiān yìzhí dǎ hāqiàn.

彼は今日ずっとあくびをしています。

俊男的臉上掛著鼻涕。
Jùnnán de liǎnshàng guàzhe bítì.

俊男は鼻水をたらしています。

他臉上都是汗水。
Tā liǎnshàng dōu shì hànshuǐ.

彼は顔中汗まみれです。

145
血 ㄒㄧㄝˇ
xiě

名 血

★ xiě / xuè

146
血ㄒㄧㄝˇ型ㄒㄧㄥˊ
xiěxíng

名 血液型

★ xuèxíng

147
（眼ㄧㄢˇ）涙ㄌㄟˋ
(yǎn)lèi

名 涙

★（眼）泪

148
眼ㄧㄢˇ光ㄍㄨㄤ
yǎnguāng

名 視線、見識、見る目

149
外ㄨㄞˋ表ㄅㄧㄠˇ
wàibiǎo

名（人の）外見、見た目、（物事の）うわべ

150
動ㄉㄨㄥˋ作ㄗㄨㄛˋ
dòngzuò

名 動き、動作

★动作

151
表ㄅㄧㄠˇ情ㄑㄧㄥˊ
biǎoqíng

名 表情、顔つき

152
笑ㄒㄧㄠˋ容ㄖㄨㄥˊ
xiàoróng

名 笑顔

153
微ㄨㄟˊ笑ㄒㄧㄠˋ
wéixiào

名 ほほ笑み
動 ほほ笑む

★ wēixiào

小ㄒㄧㄠˇ孩ㄏㄞˊ要ㄧㄠˋ是ㄕˋ流ㄌㄧㄡˊ鼻ㄅㄧˊ血ㄒㄧㄝˇ，就ㄐㄧㄡˋ讓ㄖㄤˋ他ㄊㄚ先ㄒㄧㄢ休ㄒㄧㄡ息ㄒㄧˊ一ㄧˋ下ㄒㄧㄚˋ吧ㄅㄚˊ。

Xiǎohái yàoshì liú bíxiě, jiù ràng tā xiān xiūxí yíxià ba.

子供がもし鼻血を出したらまず少し休ませてください。

血ㄒㄧㄝˇ型ㄒㄧㄥˊ和ㄏㄢˋ性ㄒㄧㄥˋ格ㄍㄜˊ有ㄧㄡˇ關ㄍㄨㄢ係ㄒㄧˋ嗎ㄇㄚ？

Xiěxíng hàn xìnggé yǒu guānxì ma?

血液型と性格は関係がありますか？

受ㄕㄡˋ到ㄉㄠˋ電ㄉㄧㄢˋ影ㄧㄥˇ的ㄉㄜ影ㄧㄥˇ響ㄒㄧㄤˇ，他ㄊㄚ流ㄌㄧㄡˊ下ㄒㄧㄚˋ了ㄌㄜ眼ㄧㄢˇ淚ㄌㄟˋ。

Shòudào diànyǐng de yǐngxiǎng, tā liúxiàle yǎnlèi.

映画に影響されて、彼は涙を流しました。

您ㄋㄧㄣˊ選ㄒㄩㄢˇ了ㄌㄜ這ㄓㄜˋ輛ㄌㄧㄤˋ車ㄔㄜ真ㄓㄣ的ㄉㄜ有ㄧㄡˇ眼ㄧㄢˇ光ㄍㄨㄤ。

Nín xuǎnle zhè liàng chē zhēn de yǒu yǎnguāng.

この車を選ぶとは、あなたは本当に見る目がありますね。

不ㄅㄨˋ要ㄧㄠˋ只ㄓˇ看ㄎㄢˋ外ㄨㄞˋ表ㄅㄧㄠˇ選ㄒㄩㄢˇ男ㄋㄢˊ女ㄋㄩˇ朋ㄆㄥˊ友ㄧㄡˇ。

Búyào zhǐ kàn wàibiǎo xuǎn nánnǚpéngyǒu.

外見だけを見て彼氏、彼女を選んではいけません。

他ㄊㄚ的ㄉㄜ動ㄉㄨㄥˋ作ㄗㄨㄛˋ表ㄅㄧㄠˇ達ㄉㄚˊ了ㄌㄜ他ㄊㄚ的ㄉㄜ不ㄅㄨˋ安ㄢ全ㄑㄩㄢˊ感ㄍㄢˇ。

Tā de dòngzuò biǎodále tā de bù ānquángǎn.

彼の動きは不安を表していました。

豆ㄉㄡˋ豆ㄉㄡˋ先ㄒㄧㄢ生ㄕㄥ的ㄉㄜ表ㄅㄧㄠˇ情ㄑㄧㄥˊ很ㄏㄣˇ好ㄏㄠˇ玩ㄨㄢˊ。

Dòudòu xiānshēng de biǎoqíng hěn hǎowán.

ミスター・ビーンの表情はおもしろいです。

每ㄇㄟˇ個ㄍㄜˋ人ㄖㄣˊ都ㄉㄡ喜ㄒㄧˇ歡ㄏㄨㄢ她ㄊㄚ的ㄉㄜ笑ㄒㄧㄠˋ容ㄖㄨㄥˊ。

Měi ge rén dōu xǐhuān tā de xiàoróng.

みんな彼女の笑顔が好きです。

她ㄊㄚ的ㄉㄜ微ㄨㄟˊ笑ㄒㄧㄠˋ像ㄒㄧㄤˋ一ㄧˋ朵ㄉㄨㄛˇ小ㄒㄧㄠˇ花ㄏㄨㄚ。

Tā de wéixiào xiàng yì duǒ xiǎohuā.

彼女のほほ笑みは1輪の小さな花のようです。

154 帅哥 ㄕㄨㄞˋㄍㄜ
shuàigē

名 イケメン

★帅哥

155 髮型 ㄈㄚˇㄒㄧㄥˊ
fǎxíng

名 髪型

★发型 fàxíng

156 鬍（子）ㄏㄨˊ・ㄗ
hú(zi)

名 ひげ

★胡（子）

157 身材 ㄕㄣㄘㄞˊ
shēncái

名 体つき、体格、スタイル

158 胖子 ㄆㄤˋ・ㄗ
pàngzi

名 太っている人

159 個子 ㄍㄜˋ・ㄗ
gèzi

名 背丈

★个子

160 體重 ㄊㄧˇㄓㄨㄥˋ
tǐzhòng

名 体重

★体重

161 影（子）ㄧㄥˇ・ㄗ
yǐng(zi)

名 影、姿

162 力氣 ㄌㄧˋㄑㄧˋ
lìqì

名 力

★力气

阿ㄚ公ㄍㄨㄥ以ㄧ前ㄑㄧㄢ也ㄝ算ㄙㄨㄢ是ㄕ一一個ㄍㄜ帥ㄕㄨㄞ哥ㄍㄜ。

Āgōng yǐqián yě suànshì yí ge shuàigē.

祖父も昔はイケメンだったといえます。

你ㄋㄧ覺ㄐㄩㄝ得ㄉㄜ這ㄓㄜ個ㄍㄜ髮ㄈㄚ型ㄒㄧㄥ好ㄏㄠ不ㄅㄨ好ㄏㄠ看ㄎㄢ？

Nǐ juéde zhège fàxíng hǎobùhǎokàn?

この髪型はかっこいいと思いますか？

弟ㄉㄧ弟ㄉㄧ第ㄉㄧ一一次ㄘ刮ㄍㄨㄚ鬍ㄏㄨ子ㄗ。

Dìdi dì yī cì guā húzi.

弟ははじめてひげをそりました。

他ㄊㄚ不ㄅㄨ再ㄗㄞ擔ㄉㄢ心ㄒㄧㄣ身ㄕㄣ材ㄘㄞ不ㄅㄨ夠ㄍㄡ好ㄏㄠ的ㄉㄜ事ㄕ了ㄜ。

Tā bú zài dānxīn shēncái búgòu hǎo de shì le.

彼はもう体格があまりよくないことを心配しなくなりました。

你ㄋㄧ吃ㄔ那ㄋㄚ麼ㄇㄜ多ㄉㄨㄛ等ㄉㄥ一一下ㄒㄧㄚ變ㄅㄧㄢ成ㄔㄥ小ㄒㄧㄠ胖ㄆㄤ子ㄗ。

Nǐ chī nàme duō děng yíxià biànchéng xiǎopàngzi.

そんなに食べると少ししたら太っちょになるよ。

高ㄍㄠ個ㄍㄜ子ㄗ的ㄉㄜ女ㄋㄩ生ㄕㄥ越ㄩㄝ來ㄌㄞ越ㄩㄝ多ㄉㄨㄛ了ㄜ。

Gāogèzi de nǚshēng yuè lái yuè duō le.

背の高い女性がどんどん増えています。

除ㄔㄨ了ㄜ體ㄊㄧ重ㄓㄨㄥ和ㄏㄢ年ㄋㄧㄢ齡ㄌㄧㄥ以ㄧ外ㄨㄞ，你ㄋㄧ什ㄕ麼ㄇㄜ都ㄉㄡ可ㄎㄜ以ㄧ問ㄨㄣ。

Chúle tǐzhòng hàn niánlíng yǐwài, nǐ shénme dōu kěyǐ wèn.

年齢と体重以外なら何を聞いてもいいですよ。

樹ㄕㄨ的ㄉㄜ影ㄧㄥ子ㄗ越ㄩㄝ來ㄌㄞ越ㄩㄝ長ㄔㄤ。

Shù de yǐngzi yuè lái yuè cháng.

木の影がどんどん伸びています。

舉ㄐㄩ重ㄓㄨㄥ郭ㄍㄨㄛ婞ㄒㄧㄥ淳ㄔㄨㄣ力ㄌㄧ氣ㄑㄧ大ㄉㄚ技ㄐㄧ巧ㄑㄧㄠ也ㄝ好ㄏㄠ。

Jǔzhòng Guō Xìngchún lìqì dà jìqiǎo yě hǎo.

重量挙げの郭婞淳は力が強く、テクニックもあります。

019

163 活力 `ㄏㄨㄛˊ ㄌㄧˋ`
□
□ huólì
□
名 活力、元気、スタミナ

164 體力 `ㄊㄧˇ ㄌㄧˋ`
□
□ tǐlì
□
★体力
名 体力

165 傷 `ㄕㄤ`
□
□ shāng
□
★伤
名 傷、怪我
動 傷つける、いためる

166 過敏 `ㄍㄨㄛˋ ㄇㄧㄣˇ`
□
□ guòmǐn
□
★过敏
名 アレルギー
動 過敏である、アレルギーがある

167 病情 `ㄅㄧㄥˋ ㄑㄧㄥˊ`
□
□ bìngqíng
□
名 病状、症状

168 病房 `ㄅㄧㄥˋ ㄈㄤˊ`
□
□ bìngfáng
□
★病房
名 病室

169 手術 `ㄕㄡˇ ㄕㄨˋ`
□
□ shǒushù
□
★手术
名 手術

170 急診 `ㄐㄧˊ ㄓㄣˇ`
□
□ jízhěn
□
★急诊
名 急診
動 救急診療をする

171 救護車 `ㄐㄧㄡˋ ㄏㄨˋ ㄔㄜ`
□
□ jiùhùchē
□
★救护车
名 救急車

看你這麼有活力我就放心了。

Kàn nǐ zhème yǒu huólì wǒ jiù fàngxīn le.

あなたがこんなに元気なところを見て私は安心しました。

運動可以增強體力。

Yùndòng kěyǐ zēngqiáng tǐlì.

運動によって体力を強化することができます。

他出車禍，現在全身是傷。

Tā chū chēhuò, xiànzài quánshēn shì shāng.

彼は交通事故に遭い、今は全身傷だらけです。

花粉症是一種過敏反應。

Huāfěnzhèng shì yì zhǒng guòmǐn fǎnyìng.

花粉症は一種のアレルギー反応です。

你丈夫的病情怎麼樣了？

Nǐ zhàngfū de bìngqíng zěnmeyàng le?

旦那さんの病状はどうなりましたか？

手術完了，他被送進病房。

Shǒushù wán le, tā bèi sòngjìn bìngfáng.

手術が終わって彼は病室に運ばれてきました。

他明天要動牙齒的手術。

Tā míngtiān yào dòng yáchǐ de shǒushù.

彼は明日歯の手術をしなければなりません。

他因為呼吸困難掛急診。

Tā yīnwèi hūxī kùnnán guà jízhěn.

彼は呼吸困難で救急にかかりました。

車子都停下來讓救護車先過。

Chēzi dōu tíngxiàlái ràng jiùhùchē xiān guò.

どの車も止まって救急車を先に通らせました。

172
□
□
□
量 ㄌㄧㄤˊ
liàng

名 量、数量、重さ

173
□
□
□
數 ㄕㄨˋ 量 ㄌㄧㄤˊ
shùliàng

★数量

名 数量

174
□
□
□
人 ㄖㄣˊ 數 ㄕㄨˋ
rénshù

★人数

名 人数

175
□
□
□
少 ㄕㄠˇ 數 ㄕㄨˋ
shǎoshù

★少数

名 少数
⟷ 多數

176
□
□
□
多 ㄉㄨㄛ 數 ㄕㄨˋ
duōshù

★多数

名 多数
⟷ 少數

177
□
□
□
整 ㄓㄥˇ 體 ㄊㄧˇ
zhěngtǐ

★整体

名 全体、総体

178
□
□
□
最 ㄗㄨㄟˋ 初 ㄔㄨ
zuìchū

名 最初、はじめて

179
□
□
□
當 ㄉㄤ 初 ㄔㄨ
dāngchū

★当初

名 はじめ、以前、昔

180
□
□
□
初 ㄔㄨ
chū

名 はじめ、最初

他 畫 畫 是 重 質 不 重 量 。
Tā huàhuà shì zhòng zhí bú zhòng liàng.

> 彼は絵を描くのに量ではなく質を重視しています。

數 量 不 多 , 我 們 趕 緊 去 買 。
Shùliàng bù duō, wǒmen gǎnjǐn qù mǎi.

> 数が少ないので私たちは急いで買いに行きます。

你 知 道 後 天 教 學 會 議 的 參 加 人 數 嗎 ？
Nǐ zhīdào hòutiān jiàoxué huìyì de cānjiā rénshù ma?

> 明後日の教育会議の参加人数を知っていますか？

我 們 班 只 有 少 數 的 人 不 參 加 華 測 。
Wǒmen bān zhǐ yǒu shǎoshù de rén bù cānjiā Huácè.

> 私たちのクラスではごく少数の人だけがTOCFLを受けません。

多 數 的 父 母 都 希 望 小 孩 比 自 己 更 好 。
Duōshù de fùmǔ dōu xīwàng xiǎohái bǐ zìjǐ gèng hǎo.

> 多くの親は子供に自分よりもっと幸せになってほしいと願っています。

整 體 看 來 全 班 的 中 文 都 有 進 步 。
Zhěngtǐ kànlái quánbān de Zhōngwén dōu yǒu jìnbù.

> 全体的に見るとクラスの中国語は進歩しています。

我 最 初 對 他 沒 有 什 麼 印 象 。
Wǒ zuìchū duì tā méiyǒu shénme yìnxiàng.

> 私は最初彼への印象は特にありませんでした。

當 初 是 你 說 要 參 加 卡 拉 OK 大 賽 的 。
Dāngchū shì nǐ shuō yào cānjiā kǎlāOK dàsài de.

> はじめはあなたがカラオケ大会に参加したいと言ったのですよ。

〈初 次 見 面〉 也 開 始 在 華 語 中 使 用 了 。
〈Chūcì jiànmiàn〉 yě kāishǐ zài Huáyǔ zhōng shǐyòng le.

> "初次見面" は華語でも使われるようになりました。

181　末 ㄇㄛˋ
mò
名 終わり、最後、小さいもの

182　之 ㄓ 前 ㄑㄧㄢˊ
zhīqián
名 ～の前、これまで、以前
⟷ 之後

183　之 ㄓ 後 ㄏㄡˋ
zhīhòu
★之后
名 ～の後、～のうしろ、それから
⟷ 之前

184　之 ㄓ 間 ㄐㄧㄢ
zhījiān
★之间
名 ～の間

185　之 ㄓ 中 ㄓㄨㄥ
zhīzhōng
名 ～の中

186　以 ㄧˇ 來 ㄌㄞˊ
yǐlái
★以来
名 ～以来、～（して）からこのかた

187　近 ㄐㄧㄣˋ 年 ㄋㄧㄢˊ
jìnnián
名 近年、ここ数年

188　目 ㄇㄨˋ 前 ㄑㄧㄢˊ
mùqián
名 目下、現在

189　今 ㄐㄧㄣ 日 ㄖˋ
jīnrì
名 今日、現在

末班車已經走了。
Mòbānchē yǐjīng zǒu le.

終電はもう行ってしまいました。

結婚之前他從來沒有進過廚房。
Jiéhūn zhīqián tā cónglái méiyǒu jìnguò chúfáng.

結婚する前、彼は台所に立ったことがありませんでした。

自從第一個孩子出生之後，他就不抽菸了。
Zìcóng dì yī ge háizi chūshēng zhīhòu, tā jiù bù chōuyān le.

1人めの子供が生まれてから、彼はたばこを吸わなくなりました。

人跟人之間的距離各國不見得一樣。
Rén gēn rén zhījiān de jùlí gè guó bújiànde yíyàng.

人と人の距離は各国で同じとはかぎりません。

這麼多選擇之中，一時很難做決定。
Zhème duō xuǎnzé zhīzhōng, yìshí hěn nán zuò juédìng.

こんなに多くの選択肢の中から、すぐには決めがたいです。

自從退休以來，他開始專心寫書。
Zìcóng tuìxiū yǐlái, tā kāishǐ zhuānxīn xiě shū.

定年退職して以来、彼は本を書くことに専念し始めました。

近年來各國越來越重視環境問題。
Jìnnián lái gè guó yuè lái yuè zhòngshì huánjìng wèntí.

近年、各国はますます環境問題を重視しています。

目前我們還沒有打算開分店。
Mùqián wǒmen hái méiyǒu dǎsuàn kāi fēndiàn.

目下、私たちはまだ支店を開く予定はありません。

直到今日我還沒辦法忘記他。
Zhídào jīnrì wǒ hái méi bànfǎ wàngjì tā.

今でもまだ私は彼を忘れられません。

022

190 如今 rújīn
名 現在、今のところ、今頃

191 眼前 yǎnqián
名 目の前、当面、目先

192 今後 jīnhòu
名 今後、それから、以後
★今后

193 未來 wèilái
名 未来、将来
今から
★未来

194 將來 jiānglái
名 将来
★将来

195 一時 yìshí
名 しばらくの間、一時
★一时

196 一陣子 yízhènzi
名 ひとしきり、しばらく
★一阵子

197 半天 bàntiān
名 長い間、半日

198 整天 zhěngtiān
名 1日中

如今不用手機的人是少數。

Rújīn bú yòng shǒujī de rén shì shǎoshù.

現在、携帯電話を使わない人は少数です。

我只想把眼前的工作做好。

Wǒ zhǐ xiǎng bǎ yǎnqián de gōngzuò zuòhǎo.

私は目の前の仕事をやり遂げたいだけです。

天氣越來越熱，今後會有更多颱風。

Tiānqì yuè lái yuè rè, jīnhòu huì yǒu gèng duō táifēng.

どんどん暑くなって、今後はもっと多くの台風が発生するでしょう。

你想要什麼樣的未來？

Nǐ xiǎng yào shénmeyàng de wèilái?

あなたはどんな未来を望みますか？

佩玲將來想開一家自行車店。

Pèilíng jiānglái xiǎng kāi yì jiā zìxíngchēdiàn.

佩玲は将来サイクルショップを開きたいと思っています。

一時之間我不知道該說什麼。

Yìshí zhījiān wǒ bù zhīdào gāi shuō shénme.

しばらくの間、私は何と言うべきかわかりませんでした。

已經一陣子沒有寫新消息了。

Yǐjīng yízhènzi méiyǒu xiě xīn xiāoxi le.

もうしばらく新しい情報を書いていません。

我花了半天跟他說明這件事。

Wǒ huāle bàntiān gēn tā shuōmíng zhè jiàn shì.

私は長い時間を費やして彼にこのことを説明しました。

你整天打電腦不累嗎？

Nǐ zhěngtiān dǎ diànnǎo bú lèi ma?

1日中パソコンを使って疲れませんか？

023

199
平 ㄆㄧˊ 日 ㄖˋ
píngrì

名 平日、普段

200
平 ㄆㄧˊ 時 ㄕˊ
píngshí

★平时

名 普段、日頃

201
功 ㄍㄨㄥ 夫 ㄈㄨ
gōngfu

名 時間、暇、腕前、努力

202
時 ㄕˊ 期 ㄑㄧˊ
shíqí

★时期 shíqī

名 時期

203
日 ㄖˋ 期 ㄑㄧˊ
rìqí

★rìqī

名 期日、日付

204
期 ㄑㄧˊ 間 ㄐㄧㄢ
qíjiān

★期间 qījiān

名 期間

205
假 ㄐㄧㄚˋ 期 ㄑㄧˊ
jiàqí

★jiàqī

名 休暇期間

206
年 ㄋㄧㄢˊ 代 ㄉㄞˋ
niándài

名 年代、時代

207
時 ㄕˊ 代 ㄉㄞˋ
shídài

★时代

名 時代

這家店平日十點開門。

Zhè jiā diàn píngrì shí diǎn kāimén.

この店は、平日は10時にオープンします。

平時婆婆早上去公園打太極拳。

Píngshí pópo zǎoshàng qù gōngyuán dǎ tàijíquán.

義母は普段、朝公園に行って太極拳をします。

做出一桌子菜得花一些功夫。

Zuòchū yì zhuōzi cài děi huā yìxiē gōngfu.

テーブルいっぱいの料理を作るにはある程度の時間がかかります。

這個時期他的畫都是紅色的。

Zhège shíqí tā de huà dōu shì hóngsè de.

その時代彼の絵はすべて赤色でした。

你看一下這上面的日期。

Nǐ kàn yíxià zhè shàngmiàn de rìqí.

そこの日付を見てみてください。

打折期間商品不能退換。

Dǎzhé qíjiān shāngpǐn bùnéng tuìhuàn.

セール期間中、商品は返品できません。

趁著這次假期我們說走就走。

Chènzhe zhècì jiàqí wǒmen shuō zǒu jiù zǒu.

今回の休暇期間のうちに私たちは思いきって出かけましょう。

阿吉最喜歡唱八十年代的老歌。

Ā Jí zuì xǐhuān chàng bāshí niándài de lǎogē.

阿吉は80年代※の古い歌を歌うのが一番好きです。

什麼時代了，不准女孩穿牛仔褲。

Shénme shídài le, bùzhǔn nǚhái chuān niúzǎikù.

女の子がジーンズをはいてはならないなんていつの時代なんだ。

※ "八十年代" は "八零年代" ともいう。

208
古ㄍㄨˇ代ㄉㄞˋ
gǔdài

名 古代

209
世ㄕˋ紀ㄐㄧˋ
shìjì
★世纪

名 世紀

210
西ㄒㄧ元ㄩㄢˊ
xīyuán

名 西暦

211
農ㄋㄨㄥˊ曆ㄌㄧˋ
nónglì
★农历

名 旧暦

212
清ㄑㄧㄥ早ㄗㄠˇ
qīngzǎo

名 早朝、明け方

213
早ㄗㄠˇ晨ㄔㄣˊ
zǎochén

名 朝

214
深ㄕㄣ夜ㄧㄝˋ
shēnyè

名 深夜

215
當ㄉㄤ天ㄊㄧㄢ
dāngtiān
★当天

名 当日、その日

216
當ㄉㄤ年ㄋㄧㄢˊ
dāngnián
★当年

名 当時、その年、同じ年

古代沒有文字的時候只有口傳歷史。

Gǔdài méiyǒu wénzì de shíhòu zhǐ yǒu kǒuchuán lìshǐ.

古代に文字がなかったとき口伝の歴史しかありませんでした。

二十一世紀網路安全問題更重要了。

Èrshíyī shìjì wǎnglù ānquán wèntí gèng zhòngyào le.

21世紀、サイバーセキュリティの問題はより重要になりました。

民國 110 年就是西元 2021 年。

Mínguó yìbǎi yīshí nián jiùshì xīyuán èr líng èr yī nián.

民国 110 年は西暦 2021 年です。

奶奶都過農曆生日。

Nǎinai dōu guò nónglì shēngrì.

おばあちゃんは旧暦の誕生日を祝います。

他習慣在清早跑步。

Tā xíguàn zài qīngzǎo pǎobù.

彼は早朝にランニングをする習慣があります。

※よく"大清早""一大清早"ともいう。

早晨的空氣很新鮮。

Zǎochén de kōngqì hěn xīnxiān.

朝の空気は新鮮です。

他喜歡在深夜寫文章。

Tā xǐhuān zài shēnyè xiě wénzhāng.

彼は深夜に文章を書くのが好きです。

當天會有幾百個人參加。

Dāngtiān huì yǒu jǐ bǎi ge rén cānjiā.

当日は数百人の参加が見込まれます。

想當年我也參加了吉他社。

Xiǎng dāngnián wǒ yě cānjiāle jítāshè.

当時を振り返ると私もギターサークルに参加していました。

217 週年 ㄓㄡ ㄋㄧㄢˊ
□□□ zhōunián

★周年

名 丸1年、〜周年

周年とも書く。

218 元旦 ㄩㄢˊ ㄉㄢˋ
□□□ yuándàn

名 元旦、元日（新暦の1月1日を指す）

219 初一 ㄔㄨ ㄧ
□□□ chūyī

名 旧暦の1日
中学1年生

220 元宵 ㄩㄢˊ ㄒㄧㄠ
□□□ yuánxiāo

名 旧暦1月15日の夜
元宵節に食べる団子

221 節慶 ㄐㄧㄝˊ ㄑㄧㄥˋ
□□□ jiéqìng

★节庆

名 祝祭日、祝賀行事

222 紅包 ㄏㄨㄥˊ ㄅㄠ
□□□ hóngbāo

★红包

名 ご祝儀、お年玉、おひねり

223 春聯 ㄔㄨㄣ ㄌㄧㄢˊ
□□□ chūnlián

★春联

名 春聯
（春節を祝った文言を書いて貼るもの）

224 典禮 ㄉㄧㄢˇ ㄌㄧˇ
□□□ diǎnlǐ

★典礼

名 式典、儀式

225 位置 ㄨㄟˋ ㄓˋ
□□□ wèizhì

名 位置、地位、ポスト

今天是他們結婚週年。

Jīntiān shì tāmen jiéhūn zhōunián.

今日は彼らの結婚記念日です。

看今年元旦活動有多熱鬧啊！

Kàn jīnnián yuándàn huódòng yǒu duō rènào a!

ほら、今年の元旦のイベントはなんてにぎやかなんだ！

阿嬤初一、十五都要拜拜。

Āmà chūyī, shíwǔ dōu yào bàibài.

祖母はいつも旧暦の1日と15日にお祈りをします。

元宵節可以去看花燈。

Yuánxiāojié kěyǐ qù kàn huādēng.

元宵節にはランタンを見に行くことができます。

我喜歡到外國去參加各地的傳統節慶。

Wǒ xǐhuān dào wàiguó qù cānjiā gèdì de chuántǒng jiéqìng.

私は外国で各地の伝統的な祝賀行事に参加するのが好きです。

你從來沒領過紅包嗎？

Nǐ cónglái méi lǐngguò hóngbāo ma?

これまでご祝儀をもらったことがないのですか？

他春聯寫得很好。

Tā chūnlián xiěde hěn hǎo.

彼は春聯を書くのがじょうずです。

時間很快，明天就是畢業典禮了。

Shíjiān hěn kuài, míngtiān jiùshì bìyè diǎnlǐ le.

時間が過ぎるのは本当に早い、明日はもう卒業式です。

這家店的交通位置良好。

Zhè jiā diàn de jiāotōng wèizhì liánghǎo.

この店のアクセスはよいです。

026

226 一带 クㄞˋ
yídài
名 一帯
★一带

227 区 ㄑㄩ
qū
名 区域、地区
★区

228 区域 ㄑㄩㄩˋ
qūyù
名 区域
★区域

229 地区 ㄉㄧˋㄑㄩ
dìqū
名 地区
★地区

230 周围 ㄓㄡㄨㄟˊ
zhōuwéi
名 周囲、まわり
★周围

231 四周 ㄙˋㄓㄡ
sìzhōu
名 周囲、まわり

232 一旁 ㄧˋㄆㄤˊ
yìpáng
名 かたわら、そば

233 现场 ㄒㄧㄢˋㄔㄤˇ
xiànchǎng
名 現場
★现场

234 当地 ㄉㄤㄉㄧˋ
dāngdì
名 現地
★当地

60

墾丁一帶有許多熱門的水上活動。

Kěndīng yídài yǒu xǔduō rèmén de shuǐshàng huódòng.

墾丁一帶には人気の水上アクティビティがたくさんあります。

就是花錢也要修好這一區的老房子。

Jiùshì huā qián yě yào xiūhǎo zhè yì qū de lǎofángzi.

お金をかけてでもこの地区の古い家屋は修理しなければなりません。

前面的區域有鯊魚，不能游泳。

Qiánmiàn de qūyù yǒu shāyú, bùnéng yóuyǒng.

前方の区域にはサメがいるので泳ぐことはできません。

根據報告，這地區有許多海盜。

Gēnjù bàogào, zhè dìqū yǒu xǔduō hǎidào.

レポートによると、この地区には数多くの海賊がいます。

周圍的隊友都全力替他加油。

Zhōuwéi de duìyǒu dōu quánlì tì tā jiāyóu.

周りのチームメートは彼の代わりに全力でがんばりました。

從奇萊山山頂看四周的風景很美。

Cóng Qíláishān shāndǐng kàn sìzhōu de fēngjǐng hěn měi.

奇萊山の山頂からあたりを見渡した景色は美しいです。

這事想不出來就先放一旁吧。

Zhè shì xiǎngbùchūlái jiù xiān fàng yìpáng ba.

このことで考えが浮かばなければ、ひとまず脇に置いておきましょう。

這個現場照片很可怕。

Zhège xiànchǎng zhàopiàn hěn kěpà.

この現場写真は恐ろしいです。

當地的民眾非常熱情。

Dāngdì de mínzhòng fēicháng rèqíng.

現地の人々はたいへん親切です。

027

235 處 ㄔㄨˋ
chù
★处

名 場所、ところ
量 ～カ所、～戸（場所や家を数える）

236 面ㄇㄧㄢˋ前ㄑㄧㄢˊ
miànqián

名 目の前、～の前では

237 目ㄇㄨˋ的ㄉㄜˊ地ㄉㄧˋ
mùdìdì

名 目的地

238 空ㄎㄨㄥ中ㄓㄨㄥ
kōngzhōng

名 空中

239 空ㄎㄨㄥ間ㄐㄧㄢ
kōngjiān
★空间

名 空間、宇宙

240 背ㄅㄟˋ後ㄏㄡˋ
bèihòu
★背后

名 うしろ、背後、影、裏

241 國ㄍㄨㄛˊ内ㄋㄟˋ
guónèi
★国内

名 国内
⟷ 國外

242 國ㄍㄨㄛˊ外ㄨㄞˋ
guówài
★国外

名 国外
⟷ 國内

243 海ㄏㄞˇ外ㄨㄞˋ
hǎiwài

名 海外

玉山入口處有一個可以休息的地方。

Yùshān rùkǒuchù yǒu yí ge kěyǐ xiūxí de dìfāng.

玉山の入口のところには休憩できる場所があります。

面前就是大武山的山頂。

Miànqián jiùshì Dàwǔshān de shāndǐng.

目の前にあるのが大武山の山頂です。

我們離目的地還有六點五公里。

Wǒmen lí mùdìdì hái yǒu liù diǎn wǔ gōnglǐ.

目的地まであと6.5kmあります。

空中飄著炒米粉的香味。

Kōngzhōng piāozhe chǎo mǐfěn de xiāngwèi.

空中に焼きビーフンの香りがただよっています。

他心情不好，給他一些空間。

Tā xīnqíng bù hǎo, gěi tā yìxiē kōngjiān.

彼は落ち込んでいるから1人にしてあげて。

老師站在你背後。

Lǎoshī zhànzài nǐ bèihòu.

先生がうしろに立っているよ。

這個好消息還沒有傳回國內。

Zhège hǎo xiāoxí hái méiyǒu chuánhuí guónèi.

この吉報はまだ国内に伝わっていません。

這篇關於國外的消息不太正確。

Zhè piān guānyú guówài de xiāoxí bú tài zhèngquè.

海外に関するこの情報はあまり正確ではありません。

海外記者也寫了這個故事。

Hǎiwài jìzhě yě xiěle zhège gùshì.

海外の記者もこの話を書きました。

244
全球
quánqiú

名 地球全体、全世界

245
地球
dìqiú

名 地球

246
澳洲
Àozhōu

名 オーストラリア

★澳洲

247
西班牙
Xībānyá

名 スペイン

248
俄國
Éguó

名 ロシア

★俄国 / 俄罗斯　　俄羅斯ともいう。

249
印度
Yìndù

名 インド

250
加拿大
Jiānádà

名 カナダ

251
首都
shǒudū

名 首都

252
都市
dūshì

名 都市、都会

海洋汙染已經是全球性的問題。

Hǎiyáng wūrǎn yǐjīng shì quánqiúxìng de wèntí.

海洋汚染はすでに地球規模の問題となっています。

大家要用更多的愛來保護地球。

Dàjiā yào yòng gèng duō de ài lái bǎohù dìqiú.

みんなはもっと多くの愛で地球を保護しなければなりません。

澳洲的無尾熊太可愛了。

Àozhōu de wúwěixióng tài kě'ài le.

オーストラリアのコアラはかわいすぎます。

我想去西班牙，我對達利的畫有興趣。

Wǒ xiǎng qù Xībānyá, wǒ duì Dálì de huà yǒu xìngqù.

私はダリの絵に興味があるのでスペインに行きたいです。

自從去俄國留學以來，他每天練習鋼琴。

Zìcóng qù Éguó liúxué yǐlái, tā měitiān liànxí gāngqín.

ロシアへの留学以来、彼は毎日ピアノを練習します。

他喜歡看印度寶萊塢電影的歌舞劇。

Tā xǐhuān kàn Yìndù Bǎoláiwù diànyǐng de gēwǔjù.

彼はインドのボリウッド映画のミュージカルが好きです。

江老師的兒子住在加拿大。

Jiāng lǎoshī de érzi zhùzài Jiānádà.

江先生の息子はカナダに住んでいます。

日本的首都在哪裡？

Rìběn de shǒudū zài nǎlǐ?

日本の首都はどこにありますか？

都市的人口比較多。

Dūshì de rénkǒu bǐjiào duō.

都市の人口はかなり多いです。

253
□
□
□
郊区 ㄐㄠ 區 ㄑㄩ
jiāoqū

★郊区

名 近郊区域

254
□
□
□
郊 ㄐㄠ 外 ㄨㄞ
jiāowài

名 郊外

255
□
□
□
鄉 ㄒㄧㄤ 村 ㄘㄨㄣ
xiāngcūn

★乡村

名 田舎、農村

256
□
□
□
家 ㄐㄧㄚ 鄉 ㄒㄧㄤ
jiāxiāng

★家乡

名 故郷、ふるさと
関連 ▶ ▶ **故郷**

257
□
□
□
故 ㄍㄨ 鄉 ㄒㄧㄤ
gùxiāng

★故乡

名 故郷、ふるさと
関連 ▶ ▶ **家郷**

258
□
□
□
土 ㄊㄨ 地 ㄉㄧ
tǔdì

名 土地

259
□
□
□
田 ㄊㄧㄢ
tián

名 田んぼ

260
□
□
□
花 ㄏㄨㄚ 園 ㄩㄢ
huāyuán

★花园

名 庭園、花園

261
□
□
□
草 ㄘㄠ 地 ㄉㄧ
cǎodì

名 草地

因ㄧㄣ為ㄨㄟ想ㄒㄧㄤ住ㄓㄨ大ㄉㄚ房ㄈㄤ子ㄗ，所ㄙㄨㄛ以ㄧ
他ㄊㄚ搬ㄅㄢ去ㄑㄩ郊ㄐㄧㄠ區ㄑㄩ。

Yīnwèi xiǎng zhù dàfángzi, suǒyǐ tā bānqù jiāoqū.

大きな家に住みたかっ
たので、彼は郊外に
引っ越しました。

一ㄧ有ㄧㄡ空ㄎㄨㄥ她ㄊㄚ就ㄐㄧㄡ喜ㄒㄧ歡ㄏㄨㄢ到ㄉㄠ郊ㄐㄧㄠ外ㄨㄞ
走ㄗㄡ走ㄗㄡ。

Yì yǒu kòng tā jiù xǐhuān dào jiāowài zǒuzǒu.

少しでも暇があると彼
女は郊外を散策する
のが好きです。

鄉ㄒㄧㄤ村ㄘㄨㄣ生ㄕㄥ活ㄏㄨㄛ比ㄅㄧ較ㄐㄧㄠ慢ㄇㄢ。

Xiāngcūn shēnghuó bǐjiào màn.

田舎の生活は比較的
ゆったりしています。

台ㄊㄞ灣ㄨㄢ是ㄕ巴ㄅㄚ克ㄎㄜ禮ㄌㄧ的ㄉㄜ第ㄉㄧ二ㄦ個ㄍㄜ
家ㄐㄧㄚ鄉ㄒㄧㄤ。

Táiwān shì Bākèlǐ de dì èr ge jiāxiāng.

台湾はバークレーの第
二の故郷です。
※バークレー：台湾に移住
して布教を行ったイギリス
出身の宣教師

你ㄋㄧ的ㄉㄜ故ㄍㄨ鄉ㄒㄧㄤ在ㄗㄞ哪ㄋㄚ裡ㄌㄧ？

Nǐ de gùxiāng zài nǎlǐ?

あなたのふるさとはど
こですか？

這ㄓㄜ塊ㄎㄨㄞ土ㄊㄨ地ㄉㄧ原ㄩㄢ來ㄌㄞ是ㄕ農ㄋㄨㄥ地ㄉㄧ，
如ㄖㄨ今ㄐㄧㄣ蓋ㄍㄞ了ㄌㄜ大ㄉㄚ樓ㄌㄡ。

Zhè kuài tǔdì yuánlái shì nóngdì, rújīn gàile dàlóu.

この土地はもともと農
地でしたが、今はビル
が建ちました。

小ㄒㄧㄠ鴨ㄧㄚ在ㄗㄞ田ㄊㄧㄢ裡ㄌㄧ游ㄧㄡ泳ㄩㄥ。

Xiǎoyā zài tiánlǐ yóuyǒng.

アヒルの子が田んぼを
泳いでいます。

這ㄓㄜ照ㄓㄠ片ㄆㄧㄢ是ㄕ在ㄗㄞ士ㄕ林ㄌㄧㄣ的ㄉㄜ花ㄏㄨㄚ園ㄩㄢ
拍ㄆㄞ的ㄉㄜ。

Zhè zhàopiàn shì zài Shìlín de huāyuán pāi de.

この写真は士林の庭園
で撮ったものです。

好ㄏㄠ天ㄊㄧㄢ氣ㄑㄧ的ㄉㄜ話ㄏㄨㄚ，我ㄨㄛ們ㄇㄣ就ㄐㄧㄡ坐ㄗㄨㄛ
在ㄗㄞ草ㄘㄠ地ㄉㄧ上ㄕㄤ野ㄧㄝ餐ㄘㄢ。

Hǎotiānqì dehuà, wǒmen jiù zuòzài cǎodìshàng yěcān.

天気がよければ草地に
座ってピクニックをし
ましょう。

262
道路 ㄉㄠˋ ㄌㄨˋ
dàolù

名 道路

263
街道 ㄐㄧㄝ ㄉㄠˋ
jiēdào

名 通り、街路

264
巷 ㄒㄧㄤˋ
xiàng

名 路地、小路
＝ **巷子**

265
巷子 ㄒㄧㄤˋ ㄗ˙
xiàngzi

名 路地、横丁
＝ **巷**

266
巷口 ㄒㄧㄤˋ ㄎㄡˇ
xiàngkǒu

名 街角、路地の入口

267
人行道 ㄖㄣˊ ㄒㄧㄥˊ ㄉㄠˋ
rénxíngdào

名 歩道

268
橋 ㄑㄧㄠˊ
qiáo

★桥

名 橋

269
紅綠燈 ㄏㄨㄥˊ ㄌㄩˋ ㄉㄥ
hónglǜdēng

★红绿灯

名 信号

270
路線 ㄌㄨˋ ㄒㄧㄢˋ
lùxiàn

★路线

名 路線、経路、ルート、道筋

大雨沖壞了道路。

Dàyǔ chōnghuàile dàolù.

大雨で道路が決壊しました。

老街的街道還是一百年前的樣子。

Lǎojiē de jiēdào háishì yìbǎi nián qián de yàngzi.

下町の通りはあいかわらず100年前のままです。

請問鹿港九曲巷怎麼走？

Qǐngwèn Lùgǎng Jiǔqūxiàng zěnme zǒu?

すみません、鹿港の九曲巷にはどうやって行ったらよいですか？

這家餃子店是巷子裡的好味道。

Zhè jiā jiǎozidiàn shì xiàngzilǐ de hǎo wèidào.

この餃子店は路地裏の名店です。

巷口的麵店現在好多人。

Xiàngkǒu de miàndiàn xiànzài hǎo duō rén.

街角の麺屋さんには今たくさんの人がいます。

人行道上不可停機車。

Rénxíngdàoshàng bùkě tíng jīchē.

歩道にバイクを止めてはいけません。

過了這條橋就是新北市。

Guòle zhè tiáo qiáo jiùshì Xīnběishì.

この橋を過ぎたら新北市です。

過了紅綠燈請左轉。

Guò le hónglǜdēng qǐng zuǒ zhuǎn.

信号を過ぎたら左に曲がってください。

這條路線的公車可以到故宮。

Zhè tiáo lùxiàn de gōngchē kěyǐ dào Gùgōng.

この路線のバスで故宮に行くことができます。

031

271 □□□
鉄 _{ㄊㄧㄝˇ} 路 _{ㄌㄨˋ}
tiělù
名 鉄道
★铁路

272 □□□
班 _{ㄅㄢ} 機 _{ㄐㄧ}
bānjī
名 定期航空便
★班机

273 □□□
客 _{ㄎㄜˋ} 運 _{ㄩㄣˋ}
kèyùn
名 長距離バス
★客运

274 □□□
卡 _{ㄎㄚˇ} 車 _{ㄔㄜ}
kǎchē
名 トラック
★卡车

275 □□□
乘 _{ㄔㄥˊ} 客 _{ㄎㄜˋ}
chéngkè
名 乗客

276 □□□
車 _{ㄔㄜ} 禍 _{ㄏㄨㄛˋ}
chēhuò
名 交通事故
★车祸

277 □□□
建 _{ㄐㄧㄢˋ} 築 _{ㄓㄨˊ}
jiànzhú
名 建築
★建筑 jiànzhù

278 □□□
博 _{ㄅㄛˊ} 物 _{ㄨˋ} 館 _{ㄍㄨㄢˇ}
bówùguǎn
名 博物館
★博物馆

279 □□□
動 _{ㄉㄨㄥˋ} 物 _{ㄨˋ} 園 _{ㄩㄢˊ}
dòngwùyuán
名 動物園
★动物园

坐平溪線，吃鐵路便當，超讚！

Zuò Píngxīxiàn, chī tiělù biàndāng, chāo zàn!

平渓線に乗って駅弁を食べるのは最高だね！

班機晚了一個多小時左右。

Bānjī wǎnle yí ge duō xiǎoshí zuǒyòu.

定期便は１時間あまり遅れました。

你可以搭像是客運、高鐵什麼的去旅行。

Nǐ kěyǐ dā xiàng shì kèyùn, gāotiě shénme de qù lǚxíng.

長距離バスや高速鉄道などに乗って旅行することができます。

那輛卡車載滿了貨物。

Nà liàng kǎchē zàimǎnle huòwù.

あのトラックは貨物をいっぱいに積んでいます。

前往花蓮的乘客請在第一月台上車。

Qiánwǎng Huālián de chéngkè qǐng zài dì yī yuètái shàngchē.

花蓮行きのお客様は１番ホームからご乗車ください。

前面塞車是因為車禍。

Qiánmiàn sāichē shì yīnwèi chēhuò.

前方が渋滞しているのは事故のせいです。

他喜歡研究建築，將來想當建築師。

Tā xǐhuān yánjiù jiànzhú, jiānglái xiǎng dāng jiànzhúshī.

彼は建築の研究が好きで、将来は建築士になりたいと思っています。

你去過台南的奇美博物館嗎？

Nǐ qùguò Táinán de Qíměi Bówùguǎn ma?

台南の奇美博物館に行ったことがありますか？

他喜歡去壽山動物園看白老虎。

Tā xǐhuān qù Shòushān Dòngwùyuán kàn báilǎohǔ.

彼は寿山動物園に行ってホワイトタイガーを見るのが好きです。

280 教堂
jiàotáng
名 教会、礼拝堂

281 幼稚園
yòuzhìyuán
名 幼稚園

★幼儿园 yòu'éryuán
幼兒園ともいう。

282 美容院
měiróngyuàn
名 美容院

283 酒吧
jiǔbā
名 バー

284 民宿
mínsù
名 民宿

285 公寓
gōngyù
名 アパート

286 大廳
dàtīng
名 ロビー、ホール、大広間

★大厅

287 櫃檯
guìtái
名 カウンター

★柜台
櫃台、櫃臺とも書く。

288 窗口
chuāngkǒu
名 窓口、カウンター

★窗口

72

東海大學路思義教堂很有名。

Dōnghǎi Dàxué Lùsīyì jiàotáng hěn yǒumíng.

東海大学の路思義教会は有名です。
※路思義教会：著名な建築家によって建てられたキリスト教の教会

你讀哪一所幼稚園？

Nǐ dú nǎ yì suǒ yòuzhìyuán?

あなたはどこの幼稚園に通っているの？

媽媽去美容院洗頭。

Māma qù měiróngyuàn xǐtóu.

母は美容院に行ってシャンプーをします。

這家酒吧的酒保很有型。

Zhè jiā jiǔbā de jiǔbǎo hěn yǒuxíng.

このバーのバーテンダーはかっこいいです。

最近有不少有特色的民宿。

Zuìjìn yǒu bù shǎo yǒu tèsè de mínsù.

最近は特色ある民宿がいくつもあります。

我的薪水只能租這一間小小的公寓。

Wǒ de xīnshuǐ zhǐ néng zū zhè yí jiàn xiǎoxiǎo de gōngyù.

私の給料ではワンルームの小さなアパートを借りることしかできません。

明天早上我去飯店大廳接湯經理。

Míngtiān zǎoshàng wǒ qù fàndiàn dàtīng jiē Tāng jīnglǐ.

明日の朝、私はホテルのロビーに湯社長を迎えに行きます。

他負責櫃台的業務。

Tā fùzé guìtái de yèwù.

彼はカウンター業務を担当しています。

你可以去那邊的窗口買票。

Nǐ kěyǐ qù nàbiān de chuāngkǒu mǎi piào.

そこの窓口でチケットを買うことができます。

289 □□□
室内 shìnèi
ㄕ丶 ㄋㄟ丶

名 室内
⟷ **室外**

290 □□□
室外 shìwài
ㄕ丶 ㄨㄞ丶

名 室外
⟷ **室内**

291 □□□
戶外 hùwài
ㄏㄨ丶 ㄨㄞ丶

★戶外

名 野外、屋外、戸外

292 □□□
屋頂 wūdǐng
ㄨ ㄉㄧㄥˇ

★屋顶

名 屋上、屋根

293 □□□
陽台 yángtái
ㄧㄤˊ ㄊㄞˊ

★阳台

名 ベランダ、バルコニー

陽臺とも書く。

294 □□□
地下室 dìxiàshì
ㄉㄧ丶 ㄒㄧㄚ丶 ㄕ丶

名 地下室

295 □□□
地板 dìbǎn
ㄉㄧ丶 ㄅㄢˇ

名 床板、床

296 □□□
住戶 zhùhù
ㄓㄨ丶 ㄏㄨ丶

★住户

名 世帯、所帯、住民

297 □□□
居民 jūmín
ㄐㄩ ㄇㄧㄣˊ

名 住民

74

他家有室內溫水游泳池。

Tā jiā yǒu shìnèi wēnshuǐ yóuyǒngchí.

彼の家には屋内温水プールがあります。

室外有花園，各種小花朵朵開。

Shìwài yǒu huāyuán, gè zhǒng xiǎohuā duǒduǒ kāi.

室外には庭園があり、さまざまな花があちこちに咲いています。

你喜歡什麼戶外活動？

Nǐ xǐhuān shénme hùwài huódòng?

どんな野外活動が好きですか？

隔壁的伯伯在屋頂養雞種花。

Gébì de bóbo zài wūdǐng yǎng jī zhòng huā.

隣のおじさんは屋上でニワトリを飼ったり花を育てたりしています。

他在陽台泡茶。

Tā zài yángtái pào chá.

彼はベランダでお茶を入れています。

他把地下室改為家庭電影院。

Tā bǎ dìxiàshì gǎiwéi jiātíng diànyǐngyuàn.

彼は地下室をホームシアターに改造しました。

哥哥不高興的時候就開始擦地板。

Gēge bù gāoxìng de shíhòu jiù kāishǐ cā dìbǎn.

兄は不機嫌なとき床を拭き始めます。

今天這裡的住戶要開會嗎？

Jīntiān zhèlǐ de zhùhù yào kāihuì ma?

今日、ここの住民は会議をしますか？

昨晚附近的居民都聽到了奇怪的聲音。

Zuówǎn fùjìn de jūmín dōu tīngdàole qíguài de shēngyīn.

昨晩、付近の住民はみんなおかしな音を耳にしました。

298
社區
shèqū
★社区

名 コミュニティー、地域社会

299
收入
shōurù

名 収入、所得

300
收費
shōufèi
★收费

名 費用、料金
動 費用を徴収する ⟷ **免費**（843）

301
租金
zūjīn

名 賃貸料、貸し賃、借り賃

302
瓦斯
wǎsī
★煤气 méiqì / 天然气 tiānránqì

名 ガス

303
自來水
zìláishuǐ
★自来水

名 水道、水道水

304
睡眠
shuìmián

名 睡眠
動 眠る

305
家事
jiāshì

名 家事

306
包裹
bāoguǒ

名 小包、包み

這個社區很重視傳統活動。

Zhège shèqū hěn zhòngshì chuántǒng huódòng.

このコミュニティーは伝統的な活動を重視しています。

他的身分並不影響他的收入。

Tā de shēnfèn bìng bù yǐngxiǎng tā de shōurù.

彼の身分は収入に影響しませんでした。

春節期間收費不一樣。

Chūnjié qíjiān shōufèi bùyíyàng.

春節期間の料金は異なります。

這附近的租金非常貴。

Zhè fùjìn de zūjīn fēicháng guì.

この付近の賃貸料は非常に高いです。

你家有瓦斯爐嗎？

Nǐ jiā yǒu wǎsīlú ma?

家にガスコンロはありますか？

很難想像沒有自來水的生活。

Hěn nán xiǎngxiàng méiyǒu zìláishuǐ de shēnghuó.

水道のない生活は想像しがたいです。

秦博士一直睡眠不足。

Qín bóshì yìzhí shuìmián bùzú.

秦博士はずっと睡眠不足です。

他有一個會做家事的男朋友。

Tā yǒu yí ge huì zuò jiāshì de nánpéngyǒu.

彼には家事ができる彼氏がいます。

今天收到從小琉球寄來的包裹。

Jīntiān shōudào cóng Xiǎoliúqiú jìlái de bāoguǒ.

今日、小琉球から送られてきた小包を受け取りました。

035

307 信件 <small>T一ㄣ ㄐ一ㄢ</small>
□
□ xìnjiàn
□

名 手紙、郵便物

308 記録 <small>ㄐ一 ㄌㄨ</small>
□
□ jìlù
□
★记录

名 記録、メモ
動 記録する

309 線 <small>T一ㄢ</small>
□
□ xiàn
□
★线

名 線、筋、糸

310 玩具 <small>ㄨㄢ ㄐㄩ</small>
□
□ wánjù
□

名 おもちゃ

311 娃娃 <small>ㄨㄚ ㄨㄚ</small>
□
□ wáwa
□

名 人形、赤ん坊

312 用具 <small>ㄩㄥ ㄐㄩ</small>
□
□ yòngjù
□

名 用具、道具

313 用處 <small>ㄩㄥ ㄔㄨ</small>
□
□ yòngchù
□
★用处

名 使い道、用途

314 掃把 <small>ㄙㄠ ㄅㄚ</small>
□
□ sàobǎ
□
★扫把

名 ほうき

315 梯子 <small>ㄊ一 ㄗ</small>
□
□ tīzi
□

名 はしご

這些信件證明他們還保持聯絡。

Zhèxiē xìnjiàn zhèngmíng tāmen hái bǎochí liánluò.

これらの手紙は彼らがまだ連絡を取り合っていることを証明しています。

會議記錄差不多都在這裡。

Huìyì jìlù chābùduō dōu zài zhèlǐ.

会議の記録はほとんどがここにあります。

他在紙上畫了紅線。

Tā zài zhǐshàng huàle hóngxiàn.

彼は紙に赤線を引きました。

這隻玩具老鼠是喵喵的最愛。

Zhè zhī wánjù lǎoshǔ shì miāomiāo de zuì'ài.

このおもちゃのネズミは猫ちゃんの一番のお気に入りです。

妹妹一面抱著娃娃一面唱歌。

Mèimei yímiàn bàozhe wáwa yímiàn chànggē.

妹は人形を抱きながら、歌を歌っています。

她送許多用具給醫院。

Tā sòng xǔduō yòngjù gěi yīyuàn.

彼女は多くの用具を病院に送りました。

這個垃圾已經沒有用處。

Zhège lèsè yǐjīng méiyǒu yòngchù.

このごみはもう使い道がありません。

掃把在那裏，快拿過來。

Sàobǎ zài nàlǐ, kuài náguòlái.

ほうきがそこにあるから、早く持ってきて。

這個梯子不夠長。

Zhège tīzi búgòu cháng.

このはしごは長さが足りません。

316	表 ㄅㄧㄠˇ biǎo	名 時計、メーター、表
317	電池 ㄉㄧㄢˋㄔˊ diànchí ★电池	名 電池
318	電燈 ㄉㄧㄢˋㄉㄥ diàndēng ★电灯	名 電灯
319	文具 ㄨㄣˊㄐㄩˋ wénjù	名 文具
320	剪刀 ㄐㄧㄢˇㄉㄠ jiǎndāo	名 はさみ
321	鉛筆 ㄑㄧㄢㄅㄧˇ qiānbǐ ★铅笔	名 鉛筆
322	毛筆 ㄇㄠˊㄅㄧˇ máobǐ ★毛笔	名 筆
323	尺 ㄔˇ chǐ	名 定規、ものさし 量 (長さを表す)
324	膠帶 ㄐㄧㄠㄉㄞˋ jiāodài ★胶带	名 テープ

才要出門，就有人來檢查水表了。

Cái yào chūmén, jiù yǒu rén lái jiǎnchá shuǐbiǎo le.

ちょうど出かけようとしたところに水道のメーターを検査する人が来ました。

再說下去，電池就沒電了。

Zài shuōxiàqù, diànchí jiù méi diàn le.

さらに話し続けると、もう電池がなくなります。

天暗了，把電燈打開。

Tiān àn le, bǎ diàndēng dǎkāi.

暗くなったから明かりをつけて。

我喜歡逛博物館禮品店的文具。

Wǒ xǐhuān guàng bówùguǎn lǐpǐndiàn de wénjù.

私は博物館のミュージアムショップの文房具を物色するのが好きです。

大阿姨的剪刀在哪裡？

Dà āyí de jiǎndāo zài nǎlǐ?

大おばさんのはさみはどこですか？

這支鉛筆有她小時候的記憶。

Zhè zhī qiānbǐ yǒu tā xiǎoshíhòu de jìyì.

この鉛筆には彼女が小さなころの記憶があります。

他寫了一手漂亮的毛筆字。

Tā xiěle yìshǒu piàoliàng de máobǐ zì.

彼は美しい筆文字を書きました。

今天的數學考試要用到尺。

Jīntiān de shùxué kǎoshì yào yòngdào chǐ.

今日の数学のテストでは定規を使います。

有沒有銀色的膠帶？

Yǒuméiyǒu yínsè de jiāodài?

銀色のテープはありますか？

325 ☐ ☐ ☐ 塑ㄙㄨˋ膠ㄐㄧㄠ sùjiāo ★塑料 sùliào	名 プラスチック
326 ☐ ☐ ☐ 玻ㄅㄛ璃ㄌㄧˊ bōlí	名 ガラス
327 ☐ ☐ ☐ 鏡ㄐㄧㄥˋ（子ㄗ˙） jìng(zi) ★镜（子）	名 鏡
328 ☐ ☐ ☐ 梳ㄕㄨ子ㄗ˙ shūzi	名 くし
329 ☐ ☐ ☐ 口ㄎㄡˇ罩ㄓㄠˋ kǒuzhào	名 マスク
330 ☐ ☐ ☐ （香ㄒㄧㄤ）菸ㄧㄢ (xiāng)yān ★（香）烟	名 たばこ **香煙**とも書く。
331 ☐ ☐ ☐ 被ㄅㄟˋ子ㄗ˙ bèizi	名 布団
332 ☐ ☐ ☐ 電ㄉㄧㄢˋ子ㄗˇ diànzǐ ★电子	名 電子
333 ☐ ☐ ☐ 機ㄐㄧ器ㄑㄧˋ jīqì ★机器	名 機械

現在不能使用塑膠吸管。
Xiànzài bùnéng shǐyòng sùjiāo xīguǎn.

今はプラスチックのストローを使うことができません。

教堂的玻璃是他設計的。
Jiàotáng de bōlí shì tā shèjì de.

教会のガラスは彼がデザインしたものです。

你照鏡子看看自己是什麼身分。
Nǐ zhào jìngzi kànkàn zìjǐ shì shénme shēnfèn.

鏡を見て自分が誰なのか考えなさいよ（＝何様のつもりなの）。

這把梳子是桃花木做的。
Zhè bǎ shūzi shì táohuāmù zuò de.

このくしは桃の木で作ったものです。

你的口罩很好看。
Nǐ de kǒuzhào hěn hǎokàn.

あなたのマスクはすてきです。

他點了一支菸又叫了一杯酒。
Tā diǎnle yì zhī yān yòu jiàole yì bēi jiǔ.

彼はたばこを1本注文し、お酒も1杯注文しました。

小姊姊幫寶寶蓋被子。
Xiǎo jiějie bāng bǎobao gài bèizi.

幼い姉は赤ちゃんに布団をかけてあげます。

這本書也有電子版。
Zhè běn shū yě yǒu diànzǐbǎn.

この本は電子版もあります。

老薛很會修理各種機器。
Lǎo Xuē hěn huì xiūlǐ gè zhǒng jīqì.

老薛はさまざまな機械の修理が得意です。

038

334
☐
☐
☐
電ㄉㄧㄢˋ器ㄑㄧˋ
diànqì

★电器

名 家電製品、電気器具

335
☐
☐
☐
家ㄐㄧㄚ電ㄉㄧㄢˋ
jiādiàn

★家电

名 家電製品

336
☐
☐
☐
傳ㄔㄨㄢˊ真ㄓㄣ
chuánzhēn

★传真

名 ファックス

337
☐
☐
☐
電ㄉㄧㄢˋ風ㄈㄥ扇ㄕㄢˋ
diànfēngshàn

★电风扇 / 电扇

名 扇風機

電扇ともいう。

338
☐
☐
☐
暖ㄋㄨㄢˇ氣ㄑㄧˋ
nuǎnqì

★暖气

名 暖房、暖かい空気

339
☐
☐
☐
平ㄆㄧㄥˊ板ㄅㄢˇ電ㄉㄧㄢˋ腦ㄋㄠˇ
píngbǎn diànnǎo

★平板电脑

名 タブレットPC

340
☐
☐
☐
隨ㄙㄨㄟˊ身ㄕㄣ碟ㄉㄧㄝˊ
suíshēndié

★U盘 Upán

名 USBメモリー

341
☐
☐
☐
網ㄨㄤˇ
wǎng

★网

名 ネットワーク、網、ネット

342
☐
☐
☐
網ㄨㄤˇ友ㄧㄡˇ
wǎngyǒu

★网友

名 インターネットで知り合った友人、
ネットユーザー

我帶你去電器店。 Wǒ dài nǐ qù diànqìdiàn.	私はあなたを電気屋さんに連れて行きます。
家電產品在四樓。 Jiādiàn chǎnpǐn zài sì lóu.	家電製品は4階にあります。
不知道還有哪些人在使用傳真？ Bù zhīdào hái yǒu nǎxiē rén zài shǐyòng chuánzhēn?	どのような人がまだファックスを使っているんでしょう？
幫我開一下電風扇好嗎？ Bāng wǒ kāi yíxià diànfēngshàn hǎo ma?	扇風機をつけてくれませんか？
好冷！ 趕快把暖氣打開。 Hǎo lěng! Gǎnkuài bǎ nuǎnqì dǎkāi.	寒い！ 早く暖房をつけて。
這所學校每人一台平板電腦。 Zhè suǒ xuéxiào měi rén yì tái píngbǎn diànnǎo.	この学校では1人1台タブレット PC を持っています。
這個牌子的隨身碟又便宜又好用。 Zhège páizi de suíshēndié yòu piányí yòu hǎoyòng.	このメーカーの USB は安くて使いやすいです。
這個資料在網上很多。 Zhège zīliào zài wǎngshàng hěn duō.	この資料はネット上にたくさんあります。
說到台灣旅行，網友每次都講個不停。 Shuōdào Táiwān lǚxíng, wǎngyǒu měi cì dōu jiǎnggebùtíng.	台湾旅行の話となると、ネットの友人はいつも話が止まりません。

343
資ㄗ訊ㄒㄩㄣˋ
zīxùn

名 情報

★资讯＜信息 xìnxī

344
功ㄍㄨㄥ能ㄋㄥˊ
gōngnéng

名 機能、効用

345
畫ㄏㄨㄚˋ面ㄇㄧㄢˋ
huàmiàn

名 画面、画像

★画面

346
購ㄍㄡˋ物ㄨˋ
gòuwù

名 買い物
動 買い物をする

★购物

347
貨ㄏㄨㄛˋ
huò

名 商品、物品、もの

★货

348
門ㄇㄣˊ市ㄕˋ
ménshì

名 販売店

★门市＜门店 méndiàn

349
地ㄉㄧˋ攤ㄊㄢ
dìtān

名 露店
関連 ▶▶ 攤子

★地摊

350
攤ㄊㄢ子ㄗ
tānzi

名 屋台、露店
関連 ▶▶ 地攤

★摊子

351
攤ㄊㄢ販ㄈㄢˋ
tānfàn

名 露店商

★摊贩

他在大學讀的是資訊管理。

Tā zài dàxué dú de shì zīxùn guǎnlǐ.

彼が大学で学んでいるのは情報管理です。

手機有很多功能，你都會用嗎？

Shǒujī yǒu hěn duō gōngnéng, nǐ dōu huì yòng ma?

携帯電話には多くの機能がありますが、全部使いこなせますか？

嬰兒和小貓小狗的畫面太可愛。

Yīng'ér hé xiǎomāo xiǎogǒu de huàmiàn tài kě'ài.

赤ちゃんと子猫と子犬の画像はとてもかわいいです。

郊區蓋了一個大型購物中心。

Jiāoqū gàile yí ge dàxíng gòuwù zhōngxīn.

郊外に大型ショッピングセンターが建ちました。

公司的貨正在檢查當中。

Gōngsī de huò zhèngzài jiǎnchá dāngzhōng.

会社の商品は検査をしているところです。

義美門市可以買到有名的小泡芙。

Yìměi ménshì kěyǐ mǎidào yǒumíng de xiǎopàofú.

義美の販売店では有名なプチシュークリームを買うことができます。

他想要擺一個賣衣服的地攤。

Tā xiǎng yào bǎi yí ge mài yīfú de dìtān.

彼は衣類を売る露店を出したいと思っています。

我們去看看那幾個攤子。

Wǒmen qù kànkàn nà jǐ ge tānzi.

そこの屋台をいくつか見に行きましょう。

攤販們開始準備東西。

Tānfànmen kāishǐ zhǔnbèi dōngxi.

露店商たちは商品を準備し始めています。

040

352 □□□	小_{ㄒㄧㄠ}販_{ㄈㄢ} xiǎofàn ★小贩	名 物売り、行商人

353 □□□	攤_{ㄊㄢ}位_{ㄨㄟ} tānwèi ★摊位	名 売り場、ブース

354 □□□	價_{ㄐㄧㄚ}格_{ㄍㄜ} jiàgé ★价格	名 価格、値段 関連 ▶▶ **價錢**

355 □□□	價_{ㄐㄧㄚ}錢_{ㄑㄧㄢ} jiàqián ★价钱	名 価格、値段 関連 ▶▶ **價格**

356 □□□	費_{ㄈㄟ}用_{ㄩㄥ} fèiyòng ★费用	名 費用

357 □□□	折_{ㄓㄜ}扣_{ㄎㄡ} zhékòu	名 割引

358 □□□	愛_ㄞ好_{ㄏㄠ} àihào ★爱好	名 趣味、好み

359 □□□	熱_{ㄖㄜ}門_{ㄇㄣ} rèmén ★热门	名 人気のあるもの、注目されているもの 形 人気のある ⟷ **冷門**

360 □□□	冷_{ㄌㄥ}門_{ㄇㄣ} lěngmén ★冷门	名 人気のないもの 形 人気のない ⟷ **熱門**

賣菜小販的兒子竟然是太極拳老師。

Mài cài xiǎofàn de érzi jìngrán shì tàijíquán lǎoshī.

野菜売りの息子はなんと太極拳の先生です。

租一個攤位要多少錢？

Zū yí ge tānwèi yào duōshǎo qián?

売り場を1カ所借りるのにいくらかかりますか？

不要光看價格，價值才是更重要的。

Búyào guāng kàn jiàgé, jiàzhí cái shì gèng zhòngyào de.

価値こそがより重要なのだから、値段ばかりを見ないでください。

電腦有各種價錢，全看買家的需要。

Diànnǎo yǒu gè zhǒng jiàqián, quán kàn mǎijiā de xūyào.

パソコンの価格はピンからキリまであって、買い手のニーズ次第です。

修這台跑車的費用不便宜。

Xiū zhè tái pǎochē de fèiyòng bù piányí.

このスポーツカーの修理費は安くありません。

買兩件就能享受折扣。

Mǎi liǎng jiàn jiù néng xiǎngshòu zhékòu.

2つ買えば割引を受けられます。

這個大男生的愛好是打毛衣。

Zhège dànánshēng de àihào shì dǎ máoyī.

その若い男性の趣味はセーターを編むことです。

這個熱門樂團叫珂拉琪。

Zhège rèmén yuètuán jiào Kēlāqí.

この人気バンドは珂拉琪といいます。

你為什麼選這個冷門科系？

Nǐ wèishénme xuǎn zhège lěngmén kēxì?

どうしてこの人気のない学科を選んだのですか？

041

| 361 ☐☐☐ | 媒體 méitǐ | 名 メディア、媒体 |

★媒体

| 362 ☐☐☐ | 電視台 diànshìtái | 名 テレビ局 |

★电视台　　　　　　　　**電視臺**とも書く。

| 363 ☐☐☐ | 電視劇 diànshìjù | 名 テレビドラマ |

★电视剧

| 364 ☐☐☐ | 節目 jiémù | 名 番組、プログラム |

★节目

| 365 ☐☐☐ | 影像 yǐngxiàng | 名 映像、イメージ |

| 366 ☐☐☐ | 影片 yǐngpiàn | 名 映画、フィルム |

| 367 ☐☐☐ | 卡通 kǎtōng | 名 アニメーション |

| 368 ☐☐☐ | 字幕 zìmù | 名 字幕 |

| 369 ☐☐☐ | 舞台 wǔtái | 名 舞台、ステージ |

舞臺とも書く。

這個國家的媒體還有自由嗎？ Zhège guójiā de méitǐ hái yǒu zìyóu ma?	この国のメディアにはまだ自由がありますか？
台灣原本只有三個電視台。 Táiwān yuánběn zhǐ yǒu sān ge diànshìtái.	台湾にはもともと3つのテレビ局しかありませんでした。
媽媽每天準時收看八點的電視劇。 Māma měitiān zhǔnshí shōukàn bā diǎn de diànshìjù.	母は毎日8時のドラマを時間どおりに見ます。
這個節目很好，所以很受歡迎。 Zhège jiémù hěn hǎo, suǒyǐ hěn shòu huānyíng.	これはいい番組なのでとても人気です。
快公開影像證明你說的。 Kuài gōngkāi yǐngxiàng zhèngmíng nǐ shuō de.	早く映像を公開してあなたの言ったことを証明して。
我想看《看見台灣》這個影片。 Wǒ xiǎng kàn «Kànjiàn Táiwān» zhège yǐngpiàn.	私は『天空からの招待状』という映画を見たいです。
很多台灣人喜歡宮崎駿的卡通。 Hěn duō Táiwānrén xǐhuān Gōngqí Jùn de kǎtōng.	多くの台湾人は宮崎駿のアニメが好きです。
有的電影有字幕，有的沒有。 Yǒu de diànyǐng yǒu zìmù, yǒu de méiyǒu.	字幕がある映画もあれば、字幕がない映画もあります。
二二八紀念公園的舞台有音樂會。 Èr'èrbā Jìniàn Gōngyuán de wǔtái yǒu yīnyuèhuì.	二二八和平公園のステージで音楽会があります。

042

370
吉ㄐㄧ他ㄊㄚ
jítā
名 ギター

371
鋼ㄍㄤ琴ㄑㄧㄣ
gāngqín
★钢琴
名 ピアノ

372
小ㄒㄧㄠ提ㄊㄧ琴ㄑㄧㄣ
xiǎotíqín
名 バイオリン

373
樂ㄩㄝ團ㄊㄨㄢ
yuètuán
★乐团
名 楽団、バンド

374
歌ㄍㄜ詞ㄘ
gēcí
★歌词
名 歌詞

375
小ㄒㄧㄠ說ㄕㄨㄛ
xiǎoshuō
★小说
名 小説

376
藝ㄧ術ㄕㄨ
yìshù
★艺术
名 芸術

377
創ㄔㄨㄤ意ㄧ
chuàngyì
★创意
名 創造性、新しい思いつき、新しいコンセプト

378
廣ㄍㄨㄤ告ㄍㄠ
guǎnggào
★广告
名 広告

這把曾經是有名歌手的吉他。

Zhè bǎ céngjīng shì yǒumíng gēshǒu de jítā.

このギターはかつて有名な歌手のものでした。

你彈過馬水龍的鋼琴曲嗎？

Nǐ tánguò Mǎ Shuǐlóng de gāngqínqǔ ma?

馬水龍のピアノ曲を弾いたことがありますか？

他下午要練習拉小提琴。

Tā xiàwǔ yào liànxí lā xiǎotíqín.

彼は午後バイオリンを練習しなければなりません。

聽說有台灣的樂團要來日本。

Tīngshuō yǒu Táiwān de yuètuán yào lái Rìběn.

台湾のバンドが日本に来るそうです。

這首歌的歌詞很讓人感動。

Zhè shǒu gē de gēcí hěn ràng rén gǎndòng.

この歌の歌詞はとても感動的です。

晶晶很迷金庸的小說。

Jīngjīng hěn mí Jīn Yōng de xiǎoshuō.

晶晶は金庸の小説にはまっています。

不管父母怎麼說，阿燕只想學藝術。

Bùguǎn fùmǔ zěnme shuō, Ā Yàn zhǐ xiǎng xué yìshù.

両親が何と言おうと、阿燕は芸術しか学びたくありません。

他的創意都來自於日常生活的經驗。

Tā de chuàngyì dōu láizì yú rìcháng shēnghuó de jīngyàn.

彼のアイデアはどれも日常生活の経験によるものです。

這個廣告在一天之內有三萬人看。

Zhège guǎnggào zài yì tiān zhīnèi yǒu sānwàn rén kàn.

この広告は1日に3万人が見ました。

043

379 □□□	海報 _{ㄏㄞ ㄅㄠ} hǎibào ★海报	名 ポスター
380 □□□	設計 _{ㄕㄜ ㄐㄧ} shèjì ★设计	名 設計、デザイン 動 設計する、計画する
381 □□□	款式 _{ㄎㄨㄢ ㄕ} kuǎnshì	名 様式、格式、デザイン
382 □□□	展覽 _{ㄓㄢ ㄌㄢ} zhǎnlǎn ★展览	名 展覧、展示 動 展覧する、展示する
383 □□□	獎 _{ㄐㄧㄤ} jiǎng ★奖	名 褒賞、ほうび、賞品
384 □□□	氣功 _{ㄑㄧ ㄍㄨㄥ} qìgōng ★气功	名 気功
385 □□□	太極拳 _{ㄊㄞ ㄐㄧ ㄑㄩㄢ} tàijíquán ★太极拳	名 太極拳
386 □□□	排球 _{ㄆㄞ ㄑㄧㄡ} páiqiú	名 バレーボール
387 □□□	乒乓球 _{ㄆㄧㄥ ㄆㄤ ㄑㄧㄡ} pīngpāngqiú	名 卓球

兩_{ㄌ一ㄤ}個_{ㄍㄜ}學_{ㄒㄩㄝ}生_{ㄕㄥ}得_{ㄉㄜ}了_{ㄌㄜ}海_{ㄏㄞ}報_{ㄅㄠ}設_{ㄕㄜ}計_{ㄐ一}獎_{ㄐ一ㄤ}。

Liǎng ge xuéshēng déle hǎibào shèjìjiǎng.

2人の学生がポスターデザイン賞を受賞しました。

關_{ㄍㄨㄢ}於_ㄩ這_{ㄓㄜ}次_ㄘ新_{ㄒ一ㄣ}設_{ㄕㄜ}計_{ㄐ一}，我_{ㄨㄛ}們_{ㄇㄣ}可_{ㄎㄜ}以_一一_一起_{ㄑ一}討_{ㄊㄠ}論_{ㄌㄨㄣ}討_{ㄊㄠ}論_{ㄌㄨㄣ}。

Guānyú zhècì xīnshèjì, wǒmen kěyǐ yìqǐ tǎolùntǎolùn.

今回の新しいデザインについて私たちは一緒に議論することができます。

這_{ㄓㄜ}裡_{ㄌ一}有_{一ㄡ}這_{ㄓㄜ}種_{ㄓㄨㄥ}款_{ㄎㄨㄢ}式_ㄕ的_{ㄉㄜ}耳_ㄦ機_{ㄐ一}嗎_{ㄇㄚ}？

Zhèlǐ yǒu zhè zhǒng kuǎnshì de ěrjī ma?

ここにこのようなデザインのイヤホンはありますか？

你_{ㄋ一}要_{一ㄠ}參_{ㄘㄢ}加_{ㄐ一ㄚ}這_{ㄓㄜ}次_ㄘ的_{ㄉㄜ}展_{ㄓㄢ}覽_{ㄌㄢ}嗎_{ㄇㄚ}？

Nǐ yào cānjiā zhècì de zhǎnlǎn ma?

今回の展示に参加しますか？

他_{ㄊㄚ}因_{一ㄣ}為_{ㄨㄟ}這_{ㄓㄜ}首_{ㄕㄡ}歌_{ㄍㄜ}得_{ㄉㄜ}獎_{ㄐ一ㄤ}。

Tā yīnwèi zhè shǒu gē déjiǎng.

彼はこの曲で賞を取りました。

爺_{一ㄝ}爺_{一ㄝ}每_{ㄇㄟ}天_{ㄊ一ㄢ}都_{ㄉㄡ}練_{ㄌ一ㄢ}氣_{ㄑ一}功_{ㄍㄨㄥ}。

Yéye měitiān dōu liàn qìgōng.

祖父は毎日気功をします。

她_{ㄊㄚ}學_{ㄒㄩㄝ}太_{ㄊㄞ}極_{ㄐ一}拳_{ㄑㄩㄢ}比_{ㄅ一}其_{ㄑ一}他_{ㄊㄚ}人_{ㄖㄣ}來_{ㄌㄞ}得_{ㄉㄜ}快_{ㄎㄨㄞ}。

Tā xué tàijíquán bǐ qítā rén láide kuài.

彼女は他の人と比べて太極拳の習得が早いです。

他_{ㄊㄚ}最_{ㄗㄨㄟ}近_{ㄐ一ㄣ}竟_{ㄐ一ㄥ}然_{ㄖㄢ}打_{ㄉㄚ}起_{ㄑ一}排_{ㄆㄞ}球_{ㄑ一ㄡ}來_{ㄌㄞ}了_{ㄌㄜ}。

Tā zuìjìn jìngrán dǎqǐ páiqiú lái le.

なんと彼は最近バレーボールを始めました。

今_{ㄐ一ㄣ}天_{ㄊ一ㄢ}由_{一ㄡ}廖_{ㄌ一ㄠ}老_{ㄌㄠ}師_ㄕ來_{ㄌㄞ}教_{ㄐ一ㄠ}大_{ㄉㄚ}家_{ㄐ一ㄚ}乒_{ㄆ一ㄥ}乓_{ㄆㄤ}球_{ㄑ一ㄡ}。

Jīntiān yóu Liào lǎoshī lái jiāo dàjiā pīngpāngqiú.

今日は廖先生がみなさんに卓球を教えます。

044

388 球賽 くゑ ムメ
qiúsài
★球赛
名 球技の試合

389 球隊 くゑ ㄉㄨㄟ
qiúduì
★球队
名 球技のチーム

390 紀錄 ㄐㄧ ㄌㄨ
jìlù
★纪录
名 記録、最高記録

391 旗子 くㄧ ㄗ
qízi
名 旗

392 觀眾 ㄍㄨㄢ ㄓㄨㄥ
guānzhòng
★观众
名 観客、観衆

393 觀光客 ㄍㄨㄢ ㄍㄨㄤ ㄎㄜ
guānguāngkè
★游客 yóukè
名 観光客

394 煙火 ㄧㄢ ㄏㄨㄛ
yānhuǒ
★烟火
名 花火

395 景色 ㄐㄧㄥ ㄙㄜ
jǐngsè
名 景色、風景

396 飲食 ㄧㄣ ㄕ
yǐnshí
★饮食
名 飲食

他ㄊㄚ 明ㄇㄧㄥ 天ㄊㄧㄢ 還ㄏㄞ 有ㄧㄡ 兩ㄌㄧㄤ 場ㄔㄤ 球ㄑㄧㄡ 賽ㄙㄞ 。

Tā míngtiān hái yǒu liǎng chǎng qiúsài.

彼は明日球技の試合が
2ゲームあります。

小ㄒㄧㄠ 謝ㄒㄧㄝ 是ㄕ 哪ㄋㄚ 個ㄍㄜ 球ㄑㄧㄡ 隊ㄉㄨㄟ 的ㄉㄜ ？

Xiǎo Xiè shì nǎge qiúduì de?

小謝はどの（球技の）
チームですか？

破ㄆㄛ 了ㄌㄜ 世ㄕ 界ㄐㄧㄝ 紀ㄐㄧ 錄ㄌㄨ ， 他ㄊㄚ 高ㄍㄠ 興ㄒㄧㄥ
極ㄐㄧ 了ㄌㄜ 。

Pòle shìjiè jìlù, tā gāoxìng jí le.

世界記録を破り、彼は
嬉しくてしかたありま
せん。

大ㄉㄚ 家ㄐㄧㄚ 搖ㄧㄠ 著ㄓㄜ 旗ㄑㄧ 子ㄗ 為ㄨㄟ 他ㄊㄚ 加ㄐㄧㄚ 油ㄧㄡ 。

Dàjiā yáozhe qízi wèi tā jiāyóu.

みんなは旗を振って彼
に声援を送っています。

觀ㄍㄨㄢ 眾ㄓㄨㄥ 很ㄏㄣ 喜ㄒㄧ 歡ㄏㄨㄢ 這ㄓㄜ 一ㄧ 次ㄘ 的ㄉㄜ 作ㄗㄨㄛ
品ㄆㄧㄣ 。

Guānzhòng hěn xǐhuān zhè yí cì de zuòpǐn.

観客は今回の作品をと
ても気に入っています。

巴ㄅㄚ 士ㄕ 裡ㄌㄧ 坐ㄗㄨㄛ 滿ㄇㄢ 了ㄌㄜ 觀ㄍㄨㄢ 光ㄍㄨㄤ 客ㄎㄜ 。

Bāshìlǐ zuòmǎnle guānguāngkè.

バスには観光客がいっ
ぱい乗っています。

我ㄨㄛ 們ㄇㄣ 除ㄔㄨ 夕ㄒㄧ 夜ㄧㄝ 去ㄑㄩ 101 看ㄎㄢ 煙ㄧㄢ 火ㄏㄨㄛ
好ㄏㄠ 不ㄅㄨ 好ㄏㄠ ？

Wǒmen chúxìyè qù Yī líng yī kàn yānhuǒ, hǎobùhǎo?

私たちで大みそかの夜
に 101 に行って花火
を見るのはどうです
か？

第ㄉㄧ 一ㄧ 次ㄘ 看ㄎㄢ 到ㄉㄠ 這ㄓㄜ 樣ㄧㄤ 的ㄉㄜ 景ㄐㄧㄥ 色ㄙㄜ 。

Dì yī cì kàndào zhèyàng de jǐngsè.

はじめてこのような景
色を見ました。

台ㄊㄞ 灣ㄨㄢ 的ㄉㄜ 捷ㄐㄧㄝ 運ㄩㄣ 不ㄅㄨ 能ㄋㄥ 飲ㄧㄣ 食ㄕ 。

Táiwān de jiéyùn bùnéng yǐnshí.

台湾の MRT は飲食が
できません。

397 ☐☐☐	餐ㄘㄢ 點ㄉㄧㄢˇ cāndiǎn ★餐点	名 食べ物、料理とおやつ
398 ☐☐☐	美ㄇㄟˇ 食ㄕˊ měishí	名 おいしい食べ物
399 ☐☐☐	口ㄎㄡˇ 味ㄨㄟˋ kǒuwèi	名 味、（食べ物に対する）好み
400 ☐☐☐	原ㄩㄢˊ 味ㄨㄟˋ yuánwèi	名 もともとの味、プレーン、持ち味
401 ☐☐☐	米ㄇㄧˇ 飯ㄈㄢˋ mǐfàn ★米饭	名 ごはん
402 ☐☐☐	米ㄇㄧˇ 粉ㄈㄣˇ mǐfěn	名 ビーフン、米の粉
403 ☐☐☐	玉ㄩˋ 米ㄇㄧˇ yùmǐ	名 トウモロコシ
404 ☐☐☐	麥ㄇㄞˋ mài ★麦	名 麦、小麦
405 ☐☐☐	粉ㄈㄣˇ fěn	名 粉

您_{ㄋㄧㄣ} 滿_{ㄇㄢ} 意_ㄧ 今_{ㄐㄧㄣ} 天_{ㄊㄧㄢ} 的_{ㄉㄜ} 餐_{ㄘㄢ} 點_{ㄉㄧㄢ} 嗎_{ㄇㄚ}？
Nín mǎnyì jīntiān de cāndiǎn ma?

今日のお食事にご満足いただけましたか？

這_{ㄓㄜ} 麼_{ㄇㄜ} 多_{ㄉㄨㄛ} 美_{ㄇㄟ} 食_ㄕ，你_{ㄋㄧ} 想_{ㄒㄧㄤ} 吃_ㄔ 什_{ㄕㄣ} 麼_{ㄇㄜ} 就_{ㄐㄧㄡ} 吃_ㄔ 什_{ㄕㄣ} 麼_{ㄇㄜ}。
Zhème duō měishí, nǐ xiǎng chī shénme jiù chī shénme.

たくさんおいしい食べ物があるから、食べたいものを食べて。

這_{ㄓㄜ} 冰_{ㄅㄧㄥ} 棒_{ㄅㄤ} 的_{ㄉㄜ} 藍_{ㄌㄢ} 莓_{ㄇㄟ} 巧_{ㄑㄧㄠ} 克_{ㄎㄜ} 力_{ㄌㄧ} 口_{ㄎㄡ} 味_{ㄨㄟ} 很_{ㄏㄣ} 好_{ㄏㄠ} 吃_ㄔ。
Zhè bīngbàng de lánméi qiǎokèlì kǒuwèi hěn hǎochī.

このアイスキャンディーのブルーベリーチョコレート味はおいしいです。

這_{ㄓㄜ} 個_{ㄍㄜ} 牌_{ㄆㄞ} 子_ㄗ 的_{ㄉㄜ} 原_{ㄩㄢ} 味_{ㄨㄟ} 優_{ㄧㄡ} 格_{ㄍㄜ} 很_{ㄏㄣ} 好_{ㄏㄠ} 吃_ㄔ。
Zhège páizi de yuánwèi yōugé hěn hǎochī.

このメーカーのプレーンヨーグルトはおいしいです。

他_{ㄊㄚ} 從_{ㄘㄨㄥ} 小_{ㄒㄧㄠ} 就_{ㄐㄧㄡ} 喜_{ㄒㄧ} 歡_{ㄏㄨㄢ} 吃_ㄔ 米_{ㄇㄧ} 飯_{ㄈㄢ}。
Tā cóngxiǎo jiù xǐhuān chī mǐfàn.

彼は小さいころからごはんを食べるのが好きです。

這_{ㄓㄜ} 盤_{ㄆㄢ} 炒_{ㄔㄠ} 麵_{ㄇㄧㄢ} 沒_{ㄇㄟ} 有_{ㄧㄡ} 炒_{ㄔㄠ} 米_{ㄇㄧ} 粉_{ㄈㄣ} 那_{ㄋㄚ} 麼_{ㄇㄜ} 好_{ㄏㄠ} 吃_ㄔ。
Zhè pán chǎomiàn méiyǒu chǎo mǐfěn nàme hǎochī.

この焼きそばは焼きビーフンほどおいしくありません。

水_{ㄕㄨㄟ} 果_{ㄍㄨㄛ} 玉_ㄩ 米_{ㄇㄧ} 可_{ㄎㄜ} 以_ㄧ 生_{ㄕㄥ} 吃_ㄔ。
Shuǐguǒ yùmǐ kěyǐ shēng chī.

フルーツコーンは生で食べることができます。

他_{ㄊㄚ} 不_{ㄅㄨ} 吃_ㄔ 小_{ㄒㄧㄠ} 麥_{ㄇㄞ} 製_ㄓ 品_{ㄆㄧㄣ}。
Tā bù chī xiǎomài zhìpǐn.

彼は小麦製品を食べません。

回_{ㄏㄨㄟ} 家_{ㄐㄧㄚ} 前_{ㄑㄧㄢ} 不_{ㄅㄨ} 要_{ㄧㄠ} 忘_{ㄨㄤ} 記_{ㄐㄧ} 買_{ㄇㄞ} 奶_{ㄋㄞ} 粉_{ㄈㄣ}。
Huíjiā qián búyào wàngjì mǎi nǎifěn.

家に帰る前に粉ミルクを買うのを忘れないで。

046

| 406 | 麵粉 ㄇㄧㄢˋㄈㄣˇ
miànfěn | 名 小麦粉 |
| | ★面粉 | |

| 407 | 肉類 ㄖㄡˋㄌㄟˋ
ròulèi | 名 肉類 |
| | ★肉类 | |

| 408 | 羊肉 ㄧㄤˊㄖㄡˋ
yángròu | 名 ヤギ肉、羊肉 |
| | | 台湾ではヤギ肉を指すことが多い。 |

| 409 | 蝦(子) ㄒㄧㄚ(ㄗ˙)
xiā(zi) | 名 エビ |
| | ★虾(子) | |

| 410 | 素食 ㄙㄨˋㄕˊ
sùshí | 名 肉類を使わない食べもの、
ベジタリアンフード |

| 411 | 蔬菜 ㄕㄨㄘㄞˋ
shūcài | 名 野菜 |

| 412 | 高麗菜 ㄍㄠㄌㄧˋㄘㄞˋ
gāolìcài | 名 キャベツ |
| | ★卷心菜 juǎnxīncài / 包菜 bāocài | |

| 413 | 花生 ㄏㄨㄚㄕㄥ
huāshēng | 名 ピーナッツ |

| 414 | 檸檬 ㄋㄧㄥˊㄇㄥˊ
níngméng | 名 レモン |
| | ★柠檬 | |

做饅頭要選對麵粉。

Zuò mántou yào xuǎnduì miànfěn.

マントーを作るときは
きちんと小麦粉を選ば
ないといけません。

他什麼肉類都吃，就是
不吃鴨肉。

Tā shénme ròulèi dōu chī, jiùshì bù chī yāròu.

彼はどんな肉も食べま
すが、アヒルの肉だけ
は食べません。

除了羊肉以外，他也喜
歡吃牛肉。

Chúle yángròu yǐwài, tā yě xǐhuān chī niúròu.

ヤギ肉以外に彼は牛肉
も好きです。

你看到河裡有好幾隻蝦
子嗎？

Nǐ kàndào hélǐ yǒu hǎo jǐ zhī xiāzi ma?

川にエビが何匹もいる
のが見えますか？

這附近有素食餐廳嗎？

Zhè fùjìn yǒu sùshí cāntīng ma?

この近くにベジタリア
ンレストランはありま
すか？

來，多吃一點蔬菜。

Lái, duō chī yìdiǎn shūcài.

ほら、もっと野菜を食
べて。

好想吃台灣的炒高麗菜。

Hǎo xiǎng chī Táiwān de chǎo gāolìcài.

台湾のキャベツ炒めが
とても食べたいです。

花生湯和油條一起非常
好吃。

Huāshēngtāng hé yóutiáo yìqǐ fēicháng hǎochī.

花生湯に油条を合わせ
るととてもおいしいで
す。　※花生湯：ピーナッ
ツを甘く煮たスープ

早上喝一杯檸檬汁很不
錯。

Zǎoshàng hē yì bēi níngméngzhī hěn búcuò.

朝にレモンジュースを
飲むのはよいです。

047

415 蒜 ㄙㄨㄢˋ
suàn
名 ニンニク

416 奶ㄋㄞˇ油ㄧㄡˊ
nǎiyóu
名 バター

417 胡ㄏㄨˊ椒ㄐㄧㄠ
hújiāo
名 胡椒

418 醋ㄘㄨˋ
cù
名 酢

419 醬ㄐㄧㄤˋ油ㄧㄡˊ
jiàngyóu
名 醤油

★酱油

420 材ㄘㄞˊ料ㄌㄧㄠˋ
cáiliào
名 材料、原料、資料

421 零ㄌㄧㄥˊ食ㄕˊ
língshí
名 おやつ

422 消ㄒㄧㄠ夜ㄧㄝˋ
xiāoyè
名 夜食
動 夜食を食べる

★消夜＜宵夜　　　宵夜とも書く。

423 年ㄋㄧㄢˊ糕ㄍㄠ
niángāo
名 餅

天冷了，來一碗蒜頭雞湯。

Tiān lěng le, lái yì wǎn suàntóu jītāng.

寒くなった、蒜頭雞湯をください。
※蒜頭雞湯：ニンニクの入った鶏のスープ

這是蒜香奶油杏鮑菇的食譜。

Zhè shì suàn xiāng nǎiyóu xìngbàogū de shípǔ.

これはエリンギのガーリックバター炒めのレシピです。

米粉湯加一點胡椒很好吃。

Mǐfěntāng jiā yìdiǎn hújiāo hěn hǎochī.

米粉湯は胡椒を少し入れるとおいしいです。
※米粉湯：ビーフンの入ったスープ

大腸麵線加一點醋更美味。

Dàcháng miànxiàn jiā yìdiǎn cù gèng měiwèi.

モツ麺線は少し酢を足すとよりおいしいです。
※麺線：かつおだし風味のとろみのある煮込み麺

紅燒就是用醬油煮的。

Hóngshāo jiùshì yòng jiàngyóu zhǔ de.

"紅燒"というのは醤油で煮るものです。

這是什麼材料做的？

Zhè shì shénme cáiliào zuò de?

これはどんな材料で作ったのですか？

光吃零食不吃飯不會長高。

Guāng chī língshí bù chī fàn búhuì zhǎnggāo.

お菓子ばかり食べてごはんを食べないと背が伸びませんよ。

走！我們去夜市吃消夜。

Zǒu! Wǒmen qù yèshì chī xiāoyè.

さあ！　夜市へ夜食を食べに行こう。

這家的年糕比隔壁貴。

Zhè jiā de niángāo bǐ gébì guì.

この店の餅は隣より高いです。

103

048

424
☐
☐
☐
棕子
ㄗㄨㄥ ㄗ
zòngzi

名 ちまき

425
☐
☐
☐
湯圓
ㄊㄤ ㄩㄢ
tāngyuán

★汤圆

名 スープに入った団子

426
☐
☐
☐
月餅
ㄩㄝ ㄅㄥ
yuèbǐng

★月饼

名 月餅

427
☐
☐
☐
茶葉
ㄔㄚ ㄧㄝ
cháyè

★茶叶

名 茶葉

428
☐
☐
☐
鍋（子）
ㄍㄨㄛ ㄗ
guō(zi)

★锅（子）

名 鍋

429
☐
☐
☐
蓋子
ㄍㄞ ㄗ
gàizi

★盖子

名 ふた

430
☐
☐
☐
罐子
ㄍㄨㄢ ㄗ
guànzi

名 缶

431
☐
☐
☐
熱量
ㄖㄜ ㄌㄧㄤ
rèliàng

★热量

名 カロリー、熱量

432
☐
☐
☐
服裝
ㄈㄨ ㄓㄨㄤ
fúzhuāng

★服装

名 服装、身なり

我們一起包粽子，好嗎？
Wǒmen yìqǐ bāo zòngzi, hǎo ma?

私たちで一緒にちまき
を作りませんか？

元宵和湯圓不一樣嗎？
Yuánxiāo hé tāngyuán bùyíyàng ma?

"元宵"と"湯圓"は違う
ものですか？

你知道中秋節吃月餅的
故事嗎？
Nǐ zhīdào Zhōngqiūjié chī yuèbǐng de gùshì ma?

中秋節に月餅を食べる
故事を知っています
か？

來台灣就應該試試台灣
的上等茶葉。
Lái Táiwān jiù yīnggāi shìshì Táiwān de shàngděng cháyè.

台湾に来たのなら台湾
の高級茶を試してみる
べきです。

這家店有個人火鍋。
Zhè jiā diàn yǒu gèrén huǒguō.

この店には一人火鍋が
あります。

蓋子怎麼不見了。
Gàizi zěnme bú jiàn le.

どうしてふたがなく
なったんだ。

這個罐子可以裝餅乾還
有糖果等。
Zhège guànzi kěyǐ zhuāng bǐnggān hái yǒu tángguǒ děng.

この缶にはビスケット
やキャンディを詰める
ことができます。

泡麵的熱量其實很高。
Pàomiàn de rèliàng qíshí hěn gāo.

インスタントラーメン
のカロリーは実際かな
り高いです。

這是她的服裝品牌。
Zhè shì tā de fúzhuāng pǐnpái.

これは彼女のファッ
ションブランドです。

049

433
□
□
□
名ㄇㄥˊ牌ㄆㄞˊ
míngpái

名 有名ブランド

434
□
□
□
品ㄆㄧㄣˇ牌ㄆㄞˊ
pǐnpái

名 ブランド、ブランド品

435
□
□
□
牌ㄆㄞˊ（子ㄗ）
pái(zi)

名 掲示板、ブランド、商標

436
□
□
□
內ㄋㄟˋ衣ㄧ
nèiyī

名 下着

437
□
□
□
內ㄋㄟˋ褲ㄎㄨˋ
nèikù

★内裤

名 パンツ、ショーツ

438
□
□
□
牛ㄋㄧㄡˊ仔ㄗㄞˇ褲ㄎㄨˋ
niúzǎikù

★牛仔裤

名 ジーンズ

439
□
□
□
西ㄒㄧ裝ㄓㄨㄤ
xīzhuāng

★西装

名 スーツ、背広

440
□
□
□
襯ㄔㄣˋ衫ㄕㄢ
chènshān

★衬衫

名 ワイシャツ、ブラウス

441
□
□
□
背ㄅㄟˋ心ㄒㄧㄣ
bèixīn

名 タンクトップ、ベスト、チョッキ

老闆身上總是少不了名牌服裝。

Lǎobǎn shēnshàng zǒngshì shǎobùliǎo míngpái fúzhuāng.

社長はいつもかかさず
ブランド服を身に着け
ています。

他想做自己的品牌。

Tā xiǎng zuò zìjǐ de pǐnpái.

彼は自分のブランドを
つくりたいと思ってい
ます。

商店的牌子上寫〈七折起〉。

Shāngdiàn de páizishàng xiě ‹qīzhé qǐ›.

店の看板には「3割引
から」と書いてありま
す。

不管你有多累，洗澡前
內衣不要亂脫。

Bùguǎn nǐ yǒu duō lèi, xǐzǎo qián nèiyī búyào luàn tuō.

どれだけ疲れていよう
と、お風呂に入る前に
下着を脱ぎ散らかさな
いで。

爸爸在家常常穿著內褲
走來走去。

Bàba zài jiā chángcháng chuānzhe nèikù zǒu lái zǒu qù.

父は家でよくパンツを
はいたまま歩き回りま
す。

你穿的牛仔褲是什麼牌
子的？

Nǐ chuān de niúzǎikù shì shénme páizi de?

あなたがはいている
ジーンズはどこのブラ
ンドのものですか？

夏天穿西裝太熱了。

Xiàtiān chuān xīzhuāng tài rè le.

夏にスーツを着るのは
暑すぎます。

我買不起這件名牌襯衫。

Wǒ mǎibùqǐ zhè jiàn míngpái chènshān.

このブランドのシャツ
は（お金がなくて）買
えません。

酒吧的酒保穿一件黑色
背心。

Jiǔbā de jiǔbǎo chuān yí jiàn hēisè bèixīn.

バーのバーテンダーは
黒いベストを着ていま
す。

442
扣子 ㄎㄡˋ ㄗ
kòuzi

名 ボタン

443
拉鍊 ㄌㄚ ㄌㄧㄢˋ
lāliàn
★拉链

名 ファスナー、ジッパー

444
香水 ㄒㄧㄤ ㄕㄨㄟˇ
xiāngshuǐ

名 香水

445
皮帶 ㄆㄧˊ ㄉㄞˋ
pídài
★皮带

名 ベルト

446
皮 ㄆㄧˊ
pí

名 皮、皮膚、毛皮

447
布 ㄅㄨˋ
bù

名 布

448
絲 ㄙ
sī
★丝

名 絹

449
洞 ㄉㄨㄥˋ
dòng

名 穴、洞穴

450
一生 ㄧˋ ㄕㄥ
yìshēng

名 一生

你襯衫的扣子掉了一顆。
Nǐ chènshān de kòuzi diàole yì kē.

シャツのボタンが1つ取れています。

你褲子的拉鍊沒拉好。
Nǐ kùzi de lāliàn méi lāhǎo.

ズボンのファスナーがちゃんと上がっていませんよ。

他身上有淡淡的香水味。
Tā shēnshàng yǒu dàndàn de xiāngshuǐ wèi.

彼の体はわずかに香水の香りがします。

我找不到那條皮帶。
Wǒ zhǎobúdào nà tiáo pídài.

私はあのベルトを探し出せません。

這是真皮的。
Zhè shì zhēnpí de.

これは本革製です。

永樂市場有很多布店。
Yǒnglè Shìchǎng yǒu hěn duō bùdiàn.

永樂市場には生地屋さんがたくさんあります。

哇！ 這件襯衫是真絲的嗎？
Wa! Zhè jiàn chènshān shì zhēnsī de ma?

わあ！ このシャツはシルクでできているの？

啊，這帽子破了一個洞。
Ā, zhè màozi pòle yí ge dòng.

あれ、この帽子は穴が開いている。

他的一生充滿了各種傳說。
Tā de yìshēng chōngmǎnle gè zhǒng chuánshuō.

彼の一生はさまざまな伝説にあふれています。

451 人ㅁㄣ生ㄕㄥ
□ rénshēng
□
□

名 人生

452 生ㄕㄥ命ㅁㄥ
□ shēngmìng
□
□

名 生命、命

453 命ㅁㄥ運ㄩㄣ
□ mìngyùn
□
□

名 運命、定め、命運

★命运

454 運ㄩㄣ氣ㄑㄧ
□ yùnqi
□
□

名 運気

★运气

455 好ㄏㄠ運ㄩㄣ
□ hǎoyùn
□
□

名 幸運、好機

★好运

456 夢ㄇㄥ想ㄒㄧㄤ
□ mèngxiǎng
□
□

名 夢、幻想
動 夢を見る、空想する

★梦想

457 理ㄌㄧ想ㄒㄧㄤ
□ lǐxiǎng
□
□

名 理想
形 理想的である

458 願ㄩㄢ望ㄨㄤ
□ yuànwàng
□
□

名 願い、望み

★愿望

459 目ㄇㄨ標ㄅㄠ
□ mùbiāo
□
□

名 目標

★目标

不要老是覺得別人的人生比較好。

Búyào lǎoshì juéde biérén de rénshēng bǐjiào hǎo.

いつも他人の人生の方がよいと思わないで。

不要拿生命開玩笑。

Búyào ná shēngmìng kāi wánxiào.

命をおろそかにしてはいけません。

因為命運的關係，他們又見面了。

Yīnwèi mìngyùn de guānxì, tāmen yòu jiànmiàn le.

運命によって彼らはまた出会いました。

看到時候運氣怎麼樣再說吧。

Kàndào shíhòu yùnqi zěnmeyàng zài shuō ba.

そのときの運気がどうかを見てからまた考えましょう。

他穿黃色衣服希望帶來好運。

Tā chuān huángsè yīfú xīwàng dàilái hǎoyùn.

彼は黄色い服を着ることで幸運ももたらされることを望んでいます。

阿良從小的夢想就是當歌手。

Ā Liáng cóngxiǎo de mèngxiǎng jiùshì dāng gēshǒu.

阿良の小さいころからの夢は歌手になることです。

你理想中的男朋友是怎麼樣的呢？

Nǐ lǐxiǎng zhōng de nánpéngyǒu shì zěnmeyàng de ne?

あなたの理想の彼氏はどんな人なの？

大牛終於實現了他的願望。

Dà Niú zhōngyú shíxiànle tā de yuànwàng.

大牛はついに彼の願いを実現しました。

新學期的目標是進到前三名。

Xīnxuéqí de mùbiāo shì jìndào qián sān míng.

新学期の目標はトップスリーに入ることです。

460 　**現**ㄒㄧㄢˋ**實**ㄕˊ
xiànshí

★现实

名 現実
形 現実的である

461 　**事**ㄕˋ**實**ㄕˊ
shìshí

★事实

名 事実

462 　**金**ㄐㄧㄣ**錢**ㄑㄧㄢˊ
jīnqián

★金钱

名 金銭

463 　**價**ㄐㄧㄚˋ**值**ㄓˊ
jiàzhí

★价值

名 価値、値打ち、意味

464 　**寶**ㄅㄠˇ
bǎo

★宝

名 宝

465 　**成**ㄔㄥˊ**就**ㄐㄧㄡˋ
chéngjiù

名 成就、達成、業績

466 　**成**ㄔㄥˊ**果**ㄍㄨㄛˇ
chéngguǒ

名 成果、結果

467 　**後**ㄏㄡˋ**果**ㄍㄨㄛˇ
hòuguǒ

★后果

名 （悪い）結果

468 　**錯**ㄘㄨㄛˋ**誤**ㄨˋ
cuòwù

★错误

名 間違い、誤り
形 間違っている ⟷ **正確**

讓我們面對現實吧。

Ràng wǒmen miànduì xiànshí ba.

私たちを現実と向き合わせてください。

學習用事實來說明事情很重要。

Xuéxí yòng shìshí lái shuōmíng shìqíng hěn zhòngyào.

事実によって物事を説明することを学ぶのは重要です。

有人說金錢可以買時間。

Yǒurén shuō jīnqián kěyǐ mǎi shíjiān.

お金で時間を買えるという人がいます。

找到生活的價值才不會找不到自己。

Zhǎodào shēnghuó de jiàzhí cái búhuì zhǎobúdào zìjǐ.

生きる意味を見つけないと自分を見いだすことはできません。

校狗小白是學校的寶。

Xiàogǒu Xiǎobái shì xuéxiào de bǎo.

学校で飼っている犬、小白は学校の宝です。

他的成就可不是普通人做得到的。

Tā de chéngjiù kě búshì pǔtōngrén zuòdedào de.

彼の業績は、普通の人にはなしえないものです。

這本書是他努力三年的成果。

Zhè běn shū shì tā nǔlì sān nián de chéngguǒ.

この本は彼の3年の努力の成果です。

請先想想後果再做決定。

Qǐng xiān xiǎngxiǎng hòuguǒ zài zuò juédìng.

まず結果を考えてみてから決定してください。

這首歌說戀愛是美麗的錯誤。

Zhè shǒu gē shuō liàn'ài shì měilì de cuòwù.

この歌は、恋愛は美しい間違いだといっています。

053

469 ☐☐☐	壓力 ㄧㄚ ㄌㄧˋ yālì ★压力	名 圧力、ストレス、負担
470 ☐☐☐	愛情 ㄞˋ ㄑㄧㄥˊ àiqíng ★愛情	名 愛情
471 ☐☐☐	戀愛 ㄌㄧㄢˋ ㄞˋ liàn'ài ★恋愛	名 恋愛 動 恋をする、恋愛する
472 ☐☐☐	婚姻 ㄏㄨㄣ ㄧㄣ hūnyīn	名 婚姻
473 ☐☐☐	婚禮 ㄏㄨㄣ ㄌㄧˇ hūnlǐ ★婚礼	名 結婚式
474 ☐☐☐	喜事 ㄒㄧˇ ㄕˋ xǐshì	名 めでたいこと、祝い事、結婚
475 ☐☐☐	喜酒 ㄒㄧˇ ㄐㄧㄡˇ xǐjiǔ	名 結婚披露宴、結婚の祝い酒
476 ☐☐☐	喜帖 ㄒㄧˇ ㄊㄧㄝˇ xǐtiě	名 結婚式の招待状
477 ☐☐☐	對象 ㄉㄨㄟˋ ㄒㄧㄤˋ duìxiàng ★対象	名 対象、（恋愛や結婚の）相手

114

不要給自己太多壓力。
Búyào gěi zìjǐ tài duō yālì.

自分にプレッシャーを
かけすぎないでくださ
い。

年齡不同對愛情的想法
也不同。
Niánlíng bùtóng duì àiqíng de xiǎngfǎ yě bùtóng.

年齢が異なると愛の考
え方も異なります。

我不懂他的戀愛觀。
Wǒ bù dǒng tā de liàn'àiguān.

私は彼の恋愛観がわか
りません。

婚姻是需要夫妻共同努
力的。
Hūnyīn shì xūyào fūqī gòngtóng nǔlì de.

婚姻には夫婦がともに
努力することが必要で
す。

艾美的婚禮既熱鬧又讓
人感動。
Àiměi de hūnlǐ jì rènào yòu ràng rén gǎndòng.

艾美の結婚式はにぎや
かで感動的でした。

看你一直笑，有什麼喜
事嗎？
Kàn nǐ yìzhí xiào, yǒu shénme xǐshì ma?

ずっと笑っているけど、
何かおめでたいことで
もあるの？

兩位什麼時候請我們喝
喜酒啊？
Liǎng wèi shénme shíhòu qǐng wǒmen hē xǐjiǔ a?

2人はいつ結婚披露宴
をするの？

台灣的喜帖大部分是紅
色的。
Táiwān de xǐtiě dàbùfèn shì hóngsè de.

台湾の結婚式の招待状
の多くは赤色です。

這樣的對象適合你嗎？
Zhèyàng de duìxiàng shìhé nǐ ma?

そのような相手はあな
たにふさわしいです
か？

054

478 英雄 Tー∠ / Tロ∠ ′
yīngxióng
名 ヒーロー、英雄

479 傳説 イメ号 / アメモ
chuánshuō
名 伝説、噂、言い伝え
動 言い伝える、噂する

★传说

480 鬼 《メㇸ
guǐ
名 幽霊

481 人口 ロㇰ ′ ㇿㇹ
rénkǒu
名 人口、人

482 民族 ㇴㇵ ′ アㇲ ′
mínzú
名 民族

483 移民 ー ′ ㇴㇵ ′
yímín
名 移民
動 移民する、移住する

484 （宗）教 アメ∠ / ㇯㇘ ′
(zōng)jiào
名 宗教

485 神 アㇴ ′
shén
名 神、精神

486 上帝 アㇶ ′ ㇅ー ′
shàngdì
名 神（キリスト教の神を指すことが多い）

她^{ㄊㄚ}才^{ㄘㄞˊ}六^{ㄌㄧㄡˋ}歲^{ㄙㄨㄟˋ}就^{ㄐㄧㄡˋ}是^{ㄕˋ}一^ㄧ個^{ㄍㄜ˙}環^{ㄏㄨㄢˊ}保^{ㄅㄠˇ}小^{ㄒㄧㄠˇ}英^{ㄧㄥ}雄^{ㄒㄩㄥˊ}。

Tā cái liù suì jiùshì yí ge huánbǎo xiǎo yīngxióng.

彼女はたった6歳で環境保護の小さなヒーローです。

有^{ㄧㄡˇ}些^{ㄒㄧㄝ}都^{ㄉㄨ}市^{ㄕˋ}傳^{ㄔㄨㄢˊ}說^{ㄕㄨㄛ}很^{ㄏㄣˇ}難^{ㄋㄢˊ}分^{ㄈㄣ}出^{ㄔㄨ}真^{ㄓㄣ}假^{ㄐㄧㄚˇ}。

Yǒuxiē dūshì chuánshuō hěn nán fēnchū zhēnjiǎ.

いくつかの都市伝説は真偽を見極めるのが難しいです。

你^{ㄋㄧˇ}也^{ㄧㄝˇ}怕^{ㄆㄚˋ}鬼^{ㄍㄨㄟˇ}啊^{ㄚ˙}！

Nǐ yě pà guǐ a!

あなたも幽霊が怖いんだ！

地^{ㄉㄧˋ}理^{ㄌㄧˇ}老^{ㄌㄠˇ}師^ㄕ常^{ㄔㄤˊ}常^{ㄔㄤˊ}拿^{ㄋㄚˊ}台^{ㄊㄞˊ}灣^{ㄨㄢ}的^{ㄉㄜ˙}人^{ㄖㄣˊ}口^{ㄎㄡˇ}做^{ㄗㄨㄛˋ}例^{ㄌㄧˋ}子^{ㄗ˙}。

Dìlǐ lǎoshī chángcháng ná Táiwān de rénkǒu zuò lìzi.

地理の先生はよく台湾の人口を例にします。

聽^{ㄊㄧㄥ}說^{ㄕㄨㄛ}她^{ㄊㄚ}男^{ㄋㄢˊ}朋^{ㄆㄥˊ}友^{ㄧㄡˇ}是^{ㄕˋ}少^{ㄕㄠˇ}數^{ㄕㄨˋ}民^{ㄇㄧㄣˊ}族^{ㄗㄨˊ}。

Tīngshuō tā nánpéngyǒu shì shǎoshù mínzú.

彼女の彼氏は少数民族だそうです。

台^{ㄊㄞˊ}灣^{ㄨㄢ}是^{ㄕˋ}一^ㄧ個^{ㄍㄜ˙}移^{ㄧˊ}民^{ㄇㄧㄣˊ}社^{ㄕㄜˋ}會^{ㄏㄨㄟˋ}。

Táiwān shì yí ge yímín shèhuì.

台湾は移民社会です。

你^{ㄋㄧˇ}相^{ㄒㄧㄤ}信^{ㄒㄧㄣˋ}任^{ㄖㄣˋ}何^{ㄏㄜˊ}宗^{ㄗㄨㄥ}教^{ㄐㄧㄠˋ}嗎^{ㄇㄚ˙}？

Nǐ xiāngxìn rènhé zōngjiào ma?

あなたは何かしら宗教を信じていますか？

人^{ㄖㄣˊ}們^{ㄇㄣ˙}對^{ㄉㄨㄟˋ}神^{ㄕㄣˊ}有^{ㄧㄡˇ}不^{ㄅㄨˋ}同^{ㄊㄨㄥˊ}的^{ㄉㄜ˙}想^{ㄒㄧㄤˇ}法^{ㄈㄚˇ}。

Rénmen duì shén yǒu bùtóng de xiǎngfǎ.

人々は神に対して異なる考えを持っています。

小^{ㄒㄧㄠˇ}時^{ㄕˊ}候^{ㄏㄡˋ}父^{ㄈㄨˋ}母^{ㄇㄨˇ}可^{ㄎㄜˇ}算^{ㄙㄨㄢˋ}是^{ㄕˋ}孩^{ㄏㄞˊ}子^{ㄗ˙}們^{ㄇㄣ˙}的^{ㄉㄜ˙}上^{ㄕㄤˋ}帝^{ㄉㄧˋ}。

Xiǎoshíhòu fùmǔ kě suànshì háizimen de shàngdì.

小さいころ、親は子供たちにとって神様だということができます。

487 □□□	和平 hépíng	名 平和 形 穏やかである、落ち着いている
488 □□□	幸福 xìngfú	名 幸福、幸せ 形 幸福である、幸せである
489 □□□	道德 dàodé	名 道徳
490 □□□	政治 zhèngzhì	名 政治
491 □□□	政府 zhèngfǔ	名 政府
492 □□□	政策 zhèngcè	名 政策
493 □□□	官員 guānyuán ★官员	名 政府関係者、役人、官僚
494 □□□	總統 zǒngtǒng ★总统	名 総統、大統領
495 □□□	總統府 Zǒngtǒngfǔ ★总统府	名 総統府

希望每個人的心都充滿
和平。

Xīwàng měi ge rén de xīn dōu chōngmǎn hépíng.

一人ひとりの心が平和
で満たされますように。

幸福是什麼？

Xìngfú shì shénme?

幸福とは何ですか？

法律和道德不總是一樣。

Fǎlǜ hé dàodé bù zǒngshì yíyàng.

法律と道徳はいつも同
じではありません。

她從小就對政治感興趣。

Tā cóngxiǎo jiù duì zhèngzhì gǎn xìngqù.

彼女は小さいころから
政治に興味がありまし
た。

政府就是要為人民服務。

Zhèngfǔ jiùshì yào wèi rénmín fúwù.

政府というのは国民の
ために働くものです。

最近大家一直討論這個
政策。

Zuìjìn dàjiā yìzhí tǎolùn zhège zhèngcè.

近頃みんなはこの政策
についてずっと討論し
ています。

政府官員坐直升機去災
區調查。

Zhèngfǔ guānyuán zuò zhíshēngjī qù zāiqū diàochá.

政府関係者はヘリコプ
ターで被災地へ調査に
行きました。

下一次總統大選你要選
誰？

Xià yí cì zǒngtǒng dàxuǎn nǐ yào xuǎn shéi?

次の総統選では誰を選
びますか？

平日只要帶護照去，就
可以參觀總統府。

Píngrì zhǐyào dài hùzhào qù, jiù kěyǐ cānguān Zǒngtǒngfǔ.

平日はパスポートを
持っていくだけで総統
府を見学することがで
きます。

| 496 □□□ | 民主
mínzhǔ | 名 民主、デモクラシー |

| 497 □□□ | 民众
mínzhòng
★民众 | 名 民衆 |

| 498 □□□ | 民间
mínjiān
★民间 | 名 民間 |

| 499 □□□ | 竞争
jìngzhēng
★竞争 | 名 競争
動 競争する、競う |

| 500 □□□ | 胜利
shènglì
★胜利 | 名 勝利、成功
動 勝つ、目標を達成する
⟷ 失敗 |

| 501 □□□ | 失败
shībài
★失败 | 名 失敗
動 負ける、失敗する
⟷ 勝利 |

| 502 □□□ | 危机
wéijī
★危机 wēijī | 名 危機、恐慌、パニック |

| 503 □□□ | 战争
zhànzhēng
★战争 | 名 戦争 |

| 504 □□□ | 军队
jūnduì
★军队 | 名 軍隊 |

他的演講題目是二十世紀的民主化。

Tā de yǎnjiǎng tímù shì èrshí shìjì de mínzhǔhuà.

彼の講演テーマは20世紀の民主化です。

民眾熱情地給運動員加油。

Mínzhòng rèqíngde gěi yùndòngyuán jiāyóu.

民衆は熱心にスポーツ選手に声援を届けました。

拜拜是一種民間活動。

Bàibài shì yì zhǒng mínjiān huódòng.

お参りはある種の民間活動です。

從歷史來看，這兩個地區的競爭很激烈。

Cóng lìshǐ láikàn, zhè liǎng ge dìqū de jìngzhēng hěn jīliè.

歴史から見ると、この2つの地域の争いは激しかったです。

這一次的勝利是下一次的起跑點。

Zhè yí cì de shènglì shì xià yí cì de qǐpǎodiǎn.

今回の勝利は次へのスタート地点です。

她不怕失敗，終於打贏了比賽。

Tā bú pà shībài, zhōngyú dǎyíngle bǐsài.

彼女は失敗を恐れず、ついに試合に勝ちました。

這件事對他來說是一個危機。

Zhè jiàn shì duì tā lái shuō shì yí ge wéijī.

そのできごとは彼にとっての危機でした。

這場戰爭造成了很大的傷害。

Zhè chǎng zhànzhēng zàochéngle hěn dà de shānghài.

この戦争は大きなダメージをもたらしました。

軍隊是國家的不是個人的。

Jūnduì shì guójiā de búshì gèrén de.

軍隊は国家のものであり、個人ものではありません。

121

社会・経済

057

505 槍 ㄑㄧㄤ
qiāng

★枪

名 銃、槍

506 地ㄉㄧ位ㄨㄟ
dìwèi

名 地位、立場、（人やものが占める）位置

507 權ㄑㄩㄢ利ㄌㄧ
quánlì

★权利

名 権利

508 制ㄓ度ㄉㄨ
zhìdù

名 制度

509 經ㄐㄧㄥ濟ㄐㄧ
jīngjì

★经济

名 経済
形 経済的である

510 （新ㄒㄧㄣ）台ㄊㄞ幣ㄅㄧ
(xīn)táibì

★（新）台币

名 新台湾ドル

（新）**臺幣**とも書く。

511 日ㄖ圓ㄩㄢ
rìyuán

★日元

名 日本円

512 美ㄇㄟ元ㄩㄢ
měiyuán

名 アメリカドル

513 美ㄇㄟ金ㄐㄧㄣ
měijīn

名 アメリカドル

122

忠烈祠可以看到操槍表演。

Zhōnglièci kěyǐ kàndào cāoqiāng biǎoyǎn.

忠烈祠では銃のパフォーマンスを見ることができます。

他努力了一生才有今天的地位。

Tā nǔlìle yìshēng cái yǒu jīntiān de dìwèi.

彼は生涯努力してきたからこそ今の地位があります。

人人都有追求幸福的權利。

Rénrén dōu yǒu zhuīqiú xìngfú de quánlì.

誰にもみな幸福を追求する権利があります。

和外面比起來，這個公司制度不完全。

Hé wàimiàn bǐqǐlái, zhège gōngsī zhìdù bù wánquán.

よそと比べてこの会社の制度は不完全です。

經濟再加上政治理由讓他離開家鄉。

Jīngjì zài jiāshàng zhèngzhì lǐyóu ràng tā líkāi jiāxiāng.

経済的さらに政治的理由で彼は故郷を離れました。

我想要日幣換新台幣。

Wǒ xiǎng yào rìbì huàn xīntáibì.

私は日本円を新台湾ドルに両替したいです。

這本論文集要一萬日圓。

Zhè běn lùnwénjí yào yíwàn rìyuán.

この論文集は1万円します。

這一條名牌絲巾要兩百五十美元。

Zhè yì tiáo míngpái sījīn yào liǎngbǎi wǔshí měiyuán.

この有名ブランドのシルクのスカーフは250ドルします。

你想要用美金還是台幣付錢？

Nǐ xiǎng yào yòng měijīn háishì táibì fùqián?

お支払いはアメリカドルですか、それとも台湾ドルですか？

058

514
□
□
□
歐ㄡ元ㄩㄢ
ōuyuán
名 ユーロ
★欧元

515
□
□
□
企ㄑˇ業ㄧㄝˋ
qìyè
名 企業
★企业 qǐyè

516
□
□
□
事ㄕˋ業ㄧㄝˋ
shìyè
名 事業
★事业

517
□
□
□
業ㄧㄝˋ務ㄨˋ
yèwù
名 業務
★业务

518
□
□
□
任ㄖㄣˋ務ㄨˋ
rènwù
名 任務、役目、仕事
★任务

519
□
□
□
活ㄏㄨㄛˊ
huó
名 仕事、作業

520
□
□
□
案ㄢˋ（子ㄗ˙）
àn(zi)
名 案件、プロジェクト、事件

521
□
□
□
責ㄗㄜˊ任ㄖㄣˋ
zérèn
名 責任
★责任

522
□
□
□
貿ㄇㄠˋ易ㄧˋ
màoyì
名 貿易
★贸易

你ㄋ有ㄧㄡ歐ㄡ元ㄩ嗎ㄇ？

Nǐ yǒu ōuyuán ma?

ユーロを持っています
か？

這ㄓ家ㄐ企ㄑ業ㄧ給ㄍ地ㄉ方ㄈ帶ㄉ來ㄌ很ㄏ
多ㄉ工ㄍ作ㄗ機ㄐ會ㄏ。

Zhè jiā qìyè gěi dìfāng dàilái hěn duō gōngzuò jīhuì.

この企業は地方に多く
の就業機会をもたらし
ました。

電ㄉ動ㄉ車ㄔ是ㄕ他ㄊ們ㄇ公ㄍ司ㄙ的ㄉ新ㄒ
事ㄕ業ㄧ。

Diàndòngchē shì tāmen gōngsī de xīnshìyè.

電気自動車は彼らの会
社の新事業です。

今ㄐ天ㄊ的ㄉ業ㄧ務ㄨ很ㄏ多ㄉ。

Jīntiān de yèwù hěn duō.

今日の業務は多いです。

我ㄨ今ㄐ天ㄊ的ㄉ任ㄖ務ㄨ就ㄐ是ㄕ帶ㄉ狗ㄍ
去ㄑ打ㄉ預ㄩ防ㄈ針ㄓ。

Wǒ jīntiān de rènwù jiùshì dài gǒu qù dǎ yùfángzhēn.

私の今日の役目は犬を
予防接種に連れていく
ことです。

這ㄓ個ㄍ活ㄏ是ㄕ老ㄌ闆ㄅ給ㄍ的ㄉ。

Zhège huó shì lǎobǎn gěi de.

この仕事は社長から与
えられたものです。

這ㄓ個ㄍ案ㄢ子ㄗ不ㄅ單ㄉ純ㄔ。

Zhège ànzi bù dānchún.

このプロジェクトは簡
単ではありません。

別ㄅ再ㄗ說ㄕ沒ㄇ有ㄧ責ㄗ任ㄖ的ㄉ話ㄏ了ㄌ。

Bié zài shuō méiyǒu zérèn de huà le.

無責任な話をもう二度
としないで。

澎ㄆ哥ㄍ是ㄕ貿ㄇ易ㄧ公ㄍ司ㄙ經ㄐ理ㄌ。

Péng gē shì màoyì gōngsī jīnglǐ.

澎さんは貿易会社の経
営者です。

523 ☐☐☐	買賣 ㄇㄞˇㄇㄞˋ mǎimài ★买卖	名 商売、取引
524 ☐☐☐	資本 ㄗㄅㄣˇ zīběn ★资本	名 資本、資本金、元手
525 ☐☐☐	薪水 ㄒㄧㄣㄕㄨㄟˇ xīnshuǐ	名 給料
526 ☐☐☐	會議 ㄏㄨㄟˋㄧˋ huìyì ★会议	名 会議
527 ☐☐☐	部門 ㄅㄨˋㄇㄣˊ bùmén ★部门	名 部門、（政府の）機関
528 ☐☐☐	辦事處 ㄅㄢˋㄕˋㄔㄨˋ bànshìchù ★办事处	名 事務所、オフィス
529 ☐☐☐	工廠 ㄍㄨㄥㄔㄤˇ gōngchǎng ★工厂	名 工場
530 ☐☐☐	設備 ㄕㄜˋㄅㄟˋ shèbèi ★设备	名 設備、備品
531 ☐☐☐	人才 ㄖㄣˊㄘㄞˊ réncái	名 人材、器量

公平買賣可以幫助一些人。

Gōngpíng mǎimài kěyǐ bāngzhù yìxiē rén.

フェアトレードは一部の人を助けることができます。

他想開一個小資本的公司。

Tā xiǎng kāi yí ge xiǎozīběn de gōngsī.

彼は小資本の会社を作りたいと思っています。

只有拿固定薪水，才能過好生活嗎？

Zhǐyǒu ná gùdìng xīnshuǐ, cái néng guò hǎo shēnghuó ma?

安定した給料をもらいさえすればいい暮らしができますか？

這個會議沒有討論出什麼結果。

Zhège huìyì méiyǒu tǎolùnchū shénme jiéguǒ.

この会議ではこれといった結論は出ませんでした。

政府部門的反應不夠快。

Zhèngfǔ bùmén de fǎnyìng búgòu kuài.

政府機関のレスポンスはあまり早くありません。

台灣在立陶宛有辦事處了。

Táiwān zài Lìtáowǎn yǒu bànshìchù le.

台湾はリトアニアに事務所を設置することになりました。

對面是一家汽車工廠。

Duìmiàn shì yì jiā qìchē gōngchǎng.

向かいは自動車工場です。

工廠的設備要換新了。

Gōngchǎng de shèbèi yào huànxīn le.

工場の設備はもうすぐ新しくなります。

這樣的人才好得沒話說。

Zhèyàng de réncái hǎode méi huà shuō.

このような人材はとにかくすばらしいです。

532
yuángōng
員工　ㄐㄩㄢˊ ㄍㄨㄥ

名 従業員、スタッフ

★员工

533
jīnglǐ
經理　ㄐㄧㄥ ㄌㄧˇ

名 経営者、社長、常務、マネジャー

★经理

534
zhǔrèn
主任　ㄓㄨˇ ㄖㄣˋ

名 主任、担任（仕事や組織の責任者）

535
zhǔguǎn
主管　ㄓㄨˇ ㄍㄨㄢˇ

名 責任者、主管者

536
tóngshì
同事　ㄊㄨㄥˊ ㄕˋ

名 同僚

537
gùkè
顧客　ㄍㄨˋ ㄎㄜˋ

名 顧客、得意先

★顾客

538
kèhù
客戶　ㄎㄜˋ ㄏㄨˋ

名 取引先、得意先

★客户

539
wénjiàn
文件　ㄨㄣˊ ㄐㄧㄢˋ

名 文書、公文書、文献

540
héyuē
合約　ㄏㄜˊ ㄩㄝ

名 契約、契約書

★合约＜合同 hétong / hétóng

谷歌有多少員工？

Gǔgē yǒu duōshǎo yuángōng?

グーグルには従業員が何人いますか？

經理叫我們去開會。

Jīnglǐ jiào wǒmen qù kāihuì.

社長は私たちに会議に行くよう言いました。

看樣子今年法律系的主任是她。

Kàn yàngzi jīnnián fǎlǜxì de zhǔrèn shì tā.

どうやら今年の法律学科の主任は彼女のようです。

我哪裡知道這個部門換了新的主管。

Wǒ nǎlǐ zhīdào zhège bùmén huànle xīn de zhǔguǎn.

この部署が新しい責任者に変わったなんて知りませんでした。

他的同事來自世界各國。

Tā de tóngshì láizì shìjiè gè guó.

彼の同僚は世界各国から来ています。

顧客越滿意，生意就越好。

Gùkè yuè mǎnyì, shēngyì jiù yuè hǎo.

顧客が満足するほどビジネスはうまくいきます。

我今天要帶日本客戶去拜訪。

Wǒ jīntiān yào dài Rìběn kèhù qù bàifǎng.

今日私は日本の取引先を連れて訪問します。

我想找日治時期的文件。

Wǒ xiǎng zhǎo rìzhì shíqí de wénjiàn.

私は日本統治時代の文書を探したいです。

簽名之前要先看好合約的內容。

Qiānmíng zhīqián yào xiān kànhǎo héyuē de nèiróng.

サインの前にきちんと契約内容を見なければなりません。

061

541 **帳ㄓㄤˋ單ㄉㄢ**
zhàngdān
★帐单

名 請求書、計算書、勘定書き

542 **名ㄇㄧㄥˊ片ㄆㄧㄢˋ**
míngpiàn

名 名刺

543 **學ㄒㄩㄝˊ問ㄨㄣˋ**
xuéwèn
★学问

名 学問

544 **教ㄐㄧㄠˋ學ㄒㄩㄝˊ**
jiàoxué
★教学

名 教育、教学、教えることと学ぶこと

545 **教ㄐㄧㄠˋ師ㄕ**
jiàoshī
★教师

名 教師
関連 ▶ ▶ **老師**

546 **校ㄒㄧㄠˋ長ㄓㄤˇ**
xiàozhǎng
★校长

名 校長、学長

547 **初ㄔㄨ中ㄓㄨㄥ**
chūzhōng

名 初級中学校

548 **國ㄍㄨㄛˊ中ㄓㄨㄥ**
guózhōng
★国中

名 国民中学校

549 **學ㄒㄩㄝˊ院ㄩㄢˋ**
xuéyuàn
★学院

名 （3学部以下の）大学、学部

信用卡的帳單來了。
Xìnyòngkǎ de zhàngdān lái le.

クレジットカードの請求書がきました。

你的名片很有創意。
Nǐ de míngpiàn hěn yǒu chuàngyì.

あなたの名刺は独創的です。

做學問一定要花功夫。
Zuò xuéwèn yídìng yào huā gōngfu.

学問を修めるには必ず時間がかかります。

我想參加網路教學會議。
Wǒ xiǎng cānjiā wǎnglù jiàoxué huìyì.

私はオンラインの教育会議に参加したいです。

教師的薪水需要提高。
Jiàoshī de xīnshuǐ xūyào tígāo.

教師の給料は引き上げなければなりません。

我們請校長說幾句話。
Wǒmen qǐng xiàozhǎng shuō jǐ jù huà.

校長先生に少しお話していただきます。

初中和國中是差不多一樣的意思。
Chūzhōng hàn guózhōng shì chābùduō yíyàng de yìsi.

"初中" と "國中" はほとんど同じ意味です。

他一方面讀國中一方面參加滑板比賽。
Tā yìfāngmiàn dú guózhōng yìfāngmiàn cānjiā huábǎn bǐsài.

彼は中学校に通う一方でスケートボードの試合に出場します。

他在神學院學世界宗教史。
Tā zài shénxuéyuàn xué shìjiè zōngjiàoshǐ.

彼は神学部で世界の宗教史を学びます。

131

550

研究所
yánjiùsuǒ

★ yánjiūsuǒ

名 大学院、研究所

普通話で「大学院」は**研究生院**という。

551

系
xì

名 学部

552

科系
kēxì

名 学科

553

中文系
Zhōngwénxì

名 中国語学科

554

課程
kèchéng

★课程

名 課程

555

課堂
kètáng

★课堂

名 教室

556

操場
cāochǎng

★操场

名 運動場、グラウンド

557

學位
xuéwèi

★学位

名 学位

558

學費
xuéfèi

★学费

名 学費

他的大女兒還在研究所上課。

Tā de dànǚ'ér hái zài yánjiùsuǒ shàngkè.

彼の長女はまだ大学院に通っています。

你大學是什麼系的？

Nǐ dàxué shì shénme xì de?

大学は何学部ですか？

你想讀什麼科系？

Nǐ xiǎng dú shénme kēxì?

あなたは何学科で学びたいですか？

你為什麼讀中文系？

Nǐ wèishénme dú Zhōngwénxì?

どうして中国語学科を専攻しているのですか？

教育課程都學什麼？

Jiàoyù kèchéng dōu xué shénme?

教育課程では何を学びますか？

不要在課堂上睡覺。

Búyào zài kètángshàng shuìjiào.

教室で寝ないでください。

操場有人在打籃球。

Cāochǎng yǒu rén zài dǎ lánqiú.

運動場でバスケットボールをしている人がいます。

伯恩有文學和語言學兩個學位。

Bó'ēn yǒu wénxué hé yǔyánxué liǎng ge xuéwèi.

伯恩は文学と言語学、2つの学位を持っています。

阿超沒有辦法付大學學費。

Ā Chāo méiyǒu bànfǎ fù dàxué xuéfèi.

阿超には大学の学費を払うすべがありません。

559
奨學金
jiǎngxuéjīn
★奖学金

名 奨学金

560
測驗
cèyàn
★测验

名 テスト、測定
関連 ▶▶ **考試**

561
分數
fēnshù
★分数

名 (成績の) 点数、分数

562
考卷
kǎojuàn

名 試験の答案、解答用紙

563
格子
gézi

名 枠、ます、罫

564
表格
biǎogé

名 表、フォーム

565
補習班
bǔxíbān
★补习班

名 学習塾、予備校

566
家教
jiājiào

名 家庭教師

567
數學
shùxué
★数学

名 数学

我想申請全額獎學金。
Wǒ xiǎng shēnqǐng quán'é jiǎngxuéjīn.

私は全額奨学金を申請
したいです。

離英文測驗的日子只剩下兩天了。
Lí Yīngwén cèyàn de rìzi zhǐ shèngxià liǎng tiān le.

英語のテストの日まで
残すところ2日だけに
なりました。

娜娜這次期末考的分數不理想。
Nànà zhècì qímòkǎo de fēnshù bù lǐxiǎng.

娜娜は今回の期末試験
の点数が思ったほどよ
くありませんでした。

明天發考卷。
Míngtiān fā kǎojuàn.

明日答案を配ります。

請把答案寫在格子裡。
Qǐng bǎ dá'àn xiězài gézilǐ.

答えを枠内に書いてく
ださい。

你說一定要寫，那這個表格怎麼填呢？
Nǐ shuō yídìng yào xiě, nà zhège biǎogé zěnme tián ne?

絶対に記入しなければ
ならないというなら、
この表はどうやって記
入するの？

她從來沒有上過補習班。
Tā cónglái méiyǒu shàngguò bǔxíbān.

彼女はこれまで学習塾
に通ったことがありま
せん。

我兒子想找一個西班牙語家教。
Wǒ érzi xiǎng zhǎo yí ge Xībānyáyǔ jiājiào.

私の息子はスペイン語
の家庭教師を探したい
と思っています。

她喜歡數學不喜歡歷史。
Tā xǐhuān shùxué bù xǐhuān lìshǐ.

彼女は数学が好きで歴
史が嫌いです。

064

568
數字
shùzì
★数字

名 数字、数量

569
圓形
yuánxíng
★圆形

名 円形

570
三角形
sānjiǎoxíng
★三角形

名 三角形

571
方形
fāngxíng

名 四角形、方形

572
地理
dìlǐ

名 地理

573
國語
guóyǔ
★国语

名 国語

普通話では科目の「国語」は**语文** yǔwén という。

574
外語
wàiyǔ
★外语

名 外国語

575
漢語
Hànyǔ
★汉语

名 中国語

576
生詞
shēngcí
★生词

名 新しい単語、知らない単語

這邊的數字代表什麼意思？

Zhèbiān de shùzì dàibiǎo shénme yìsi?

ここの数字は何を表していますか？

圓形常常代表完美或完全。

Yuánxíng chángcháng dàibiǎo wánměi huò wánquán.

円形はよく完璧であることや完全であることを表します。

便利商店賣的日式飯糰是三角形的。

Biànlì shāngdiàn mài de rìshì fàntuán shì sānjiǎoxíng de.

コンビニで売っている日本式おにぎりは三角形です。

他有一個方形臉。

Tā yǒu yí ge fāngxíng liǎn.

彼は四角い顔をしています。

弟弟寧願選地理課也不要選外語課。

Dìdi níngyuàn xuǎn dìlǐkè yě búyào xuǎn wàiyǔkè.

弟は外国語の授業よりも地理の授業を選択したいです。

這是妹妹的國語課本。

Zhè shì mèimei de guóyǔ kèběn.

これは妹の国語の教科書です。

阿丹會說五種外語，你呢？

Ā Dān huì shuō wǔ zhǒng wàiyǔ, nǐ ne?

阿丹は5つの外国語を話すことができます。あなたは？

他大學學過兩年漢語。

Tā dàxué xuéguò liǎng nián Hànyǔ.

彼は大学で2年間中国語を勉強しました。

這個生詞我都記不住。

Zhège shēngcí wǒ dōu jìbúzhù.

私はこの新出単語をまったく覚えられません。

065

577 □□□
聲調 ㄕㄥ ㄉㄧㄠˋ
shēngdiào
★声调

名 声調

578 □□□
口音 ㄎㄡˇ ㄧㄣ
kǒuyīn

名 なまり、発声、話し声

579 □□□
課文 ㄎㄜˋ ㄨㄣˊ
kèwén
★课文

名 教科書の本文

580 □□□
文字 ㄨㄣˊ ㄗˋ
wénzì

名 文字、言葉、文章

581 □□□
文（章） ㄨㄣˊ（ㄓㄤ）
wén(zhāng)

名 文章、文

582 □□□
文學 ㄨㄣˊ ㄒㄩㄝˊ
wénxué
★文学

名 文学

583 □□□
名詞 ㄇㄧㄥˊ ㄘˊ
míngcí
★名词

名 名詞

584 □□□
代名詞 ㄉㄞˋ ㄇㄧㄥˊ ㄘˊ
dàimíngcí
★代名词

名 代名詞

585 □□□
形容詞 ㄒㄧㄥˊ ㄖㄨㄥˊ ㄘˊ
xíngróngcí
★形容词

名 形容詞

把华语的声调学好很重要。

Bǎ Huáyǔ de shēngdiào xuéhǎo hěn zhòngyào.

華語の声調をマスターすることは重要です。

説外語時，口音是多少都會有的。

Shuō wàiyǔ shí, kǒuyīn shì duōshǎo dōu huì yǒu de.

外国語を話すとき、多少のなまりはあるものです。

這篇課文一共分為六段。

Zhè piān kèwén yígòng fēnwéi liù duàn.

この教科書の本文は合わせて6つの段落に分けられています。

這段文字在説什麼？

Zhè duàn wénzì zài shuō shénme?

この文は何といっていますか？

這篇文章在寫小時候的事情。

Zhè piān wénzhāng zài xiě xiǎoshíhòu de shìqíng.

この文章には小さいころのできごとが書いてあります。

這幾年台灣文學吸引了不少外國讀者。

Zhè jǐ nián Táiwān wénxué xīyǐnle bù shǎo wàiguó dúzhě.

ここ数年、台湾文学は多くの外国の読者を魅了しています。

中文有時候會把動詞當名詞使用。

Zhōngwén yǒushíhòu huì bǎ dòngcí dàng míngcí shǐyòng.

中国語は動詞を名詞として使うことがあります。

一提起代名詞，你想到什麼？

Yì tíqǐ dàimíngcí, nǐ xiǎngdào shénme?

代名詞といったら何が思い浮かぶ？

她就代表了美這個形容詞。

Tā jiù dàibiǎole měi zhège xíngróngcí.

彼女は「美」という形容詞を体現しています。

586 ☐☐☐	動_{ㄉㄨㄥ}詞_ㄘ dòngcí ★动词	名 動詞
587 ☐☐☐	問_{ㄨㄣ}號_{ㄏㄠ} wènhào ★问号	名 疑問符、クエスチョンマーク、疑問
588 ☐☐☐	哲_{ㄓㄜ}學_{ㄒㄩㄝ} zhéxué ★哲学	名 哲学
589 ☐☐☐	醫_一學_{ㄒㄩㄝ} yīxué ★医学	名 医学
590 ☐☐☐	科_{ㄎㄜ}學_{ㄒㄩㄝ} kēxué ★科学	名 科学
591 ☐☐☐	科_{ㄎㄜ}技_{ㄐ一} kējì	名 科学技術
592 ☐☐☐	圖_{ㄊㄨ}書_{ㄕㄨ} túshū ★图书	名 図書、書籍
593 ☐☐☐	圖_{ㄊㄨ}畫_{ㄏㄨㄚ} túhuà ★图画	名 図画、絵
594 ☐☐☐	工_{ㄍㄨㄥ}具_{ㄐㄩ} gōngjù	名 工具、道具、手段、方法

你ⁿ說ˢ愛ⁿ是ˢ名ᵐ詞ˢ還ʰ是ˢ動ᵈ詞ⁿ
呢ⁿ？

Nǐ shuō ài shì míngcí háishì dòngcí ne?

"愛" は名詞だと思う？
それとも動詞だと思
う？

他ᵗ的ᵈ臉ˡ上ˢ充ᶜ滿ᵐ問ʷ號ʰ。

Tā de liǎnshàng chōngmǎn wènhào.

彼の顔は疑問だらけで
す。

有ʸ人ʳ研ʸ究ʲ村ᶜ上ˢ春ᶜ樹ˢ的ᵈ人ʳ
生ˢ哲ᶻ學ˣ。

Yǒurén yánjiù Cūnshàng Chūnshù de rénshēng zhéxué.

村上春樹の人生哲学を
研究している人がいま
す。

他ᵗ在ᶻ醫ⁱ學ˣ中ᶻ心ˣ工ᵍ作ᶻ半ᵇ年ⁿ
了ˡ。

Tā zài yīxué zhōngxīn gōngzuò bànnián le.

彼は医学センターで働
いて半年になります。

這ᶻ是ˢ科ᵏ學ˣ的ᵈ問ʷ題ᵗ，跟ᵍ政ᶻ
治ᶻ沒ᵐ有ʸ關ᵍ係ˣ。

Zhè shì kēxué de wèntí, gēn zhèngzhì méiyǒu guānxì.

これは科学の問題で
あって、政治とは関係
がありません。

科ᵏ技ʲ讓ʳ生ˢ活ʰ更ᵍ方ᶠ便ᵇ。

Kējì ràng shēnghuó gèng fāngbiàn.

科学技術は生活をより
便利にしてくれます。

校ˣ長ᶻ送ˢ圖ᵗ書ˢ禮ˡ券ʲ給ᵍ表ᵇ現ˣ
好ʰ的ᵈ學ˣ生ˢ。

Xiàozhǎng sòng túshū lǐquàn gěi biǎoxiàn hǎo de xuéshēng.

校長は優秀な生徒に図
書券を贈ります。

這ᶻ幅ᶠ圖ᵗ畫ʰ表ᵇ達ᵈ了ˡ他ᵗ浪ˡ漫ᵐ
的ᵈ夢ᵐ想ˣ。

Zhè fú túhuà biǎodále tā làngmàn de mèngxiǎng.

この絵は彼のロマン
チックな夢を表現して
います。

這ᶻ是ˢ什ˢ麼ᵐ工ᵍ具ʲ？

Zhè shì shénme gōngjù?

これは何の道具です
か？

067

595
□
□
□
筆ㄅㄧˇ記ㄐㄧˋ
bǐjì
★笔记

名 筆記、メモ

596
□
□
□
筆ㄅㄧˇ記ㄐㄧˋ本ㄅㄣˇ
bǐjìběn
★笔记本

名 ノート

597
□
□
□
學ㄒㄩㄝˊ者ㄓㄜˇ
xuézhě
★学者

名 学者

598
□
□
□
學ㄒㄩㄝˊ會ㄏㄨㄟˋ
xuéhuì
★学会

名 学会
動 習って自分のものにする、マスターする

599
□
□
□
論ㄌㄨㄣˋ文ㄨㄣˊ
lùnwén
★论文

名 論文

600
□
□
□
色ㄙㄜˋ彩ㄘㄞˇ
sècǎi

名 色、色彩、傾向

601
□
□
□
粉ㄈㄣˇ紅ㄏㄨㄥˊ
fěnhóng
★粉红

名 ピンク

602
□
□
□
紫ㄗˇ
zǐ

名 紫

603
□
□
□
銀ㄧㄣˊ
yín
银

名 銀

拿全班來說，他的筆記非常完整。

Ná quánbān lái shuō, tā de bǐjì fēicháng wánzhěng.

クラス全体でみても、彼のノートは非常に整っています。

這是誰的筆記本？

Zhè shì shéi de bǐjìběn?

これは誰のノートですか？

詠晴是草藥學學者也是現代舞舞者。

Yǒngqíng shì cǎoyàoxué xuézhě yě shì xiàndàiwǔ wǔzhě.

詠晴は薬草学の学者であり、モダンダンスのダンサーでもあります。

台灣飛碟學會在1993年成立。

Táiwān fēidié xuéhuì zài yī jiǔ jiǔ sān nián chénglì.

台湾の UFO 学会は1993 年に創設されました。

這篇論文只寫了三分之二。

Zhè piān lùnwén zhǐ xiěle sān fēn zhī èr.

この論文は3分の2しか書かれていません。

這幅畫充滿了各種色彩。

Zhè fú huà chōngmǎnle gè zhǒng sècǎi.

この絵はさまざまな色彩であふれています。

只要出門，佩佩就穿粉紅色的衣服。

Zhǐyào chūmén, Pèipèi jiù chuān fěnhóngsè de yīfú.

外出するとき佩佩はいつもピンク色の服を着ます。

這種紫色的花叫什麼名字？

Zhè zhǒng zǐsè de huā jiào shénme míngzi?

この紫色の花は何という名前ですか？

看到銀色的月亮讓我想起了你。

Kàndào yínsè de yuèliàng ràng wǒ xiǎngqǐle nǐ.

この銀色の月を見ると私はあなたを思い出します。

604 **大自然**
dàzìrán

名 大自然

605 **天空**
tiānkōng

名 空、天空

606 **陽光**
yángguāng

★阳光

名 太陽の光

607 **月光**
yuèguāng

名 月光

608 **光線**
guāngxiàn

★光线

名 光、光線

609 **雲**
yún

★云

名 雲

610 **海洋**
hǎiyáng

名 海洋

611 **湖**
hú

名 湖

612 **江**
jiāng

名 大きな川、長江

地球上的所有都是大自然的一部分。

Dìqiúshàng de suǒyǒu dōu shì dàzìrán de yíbùfèn.

地球上のすべてのものは大自然の一部です。

西子灣的天空是橙紅色的。

Xīzǐwān de tiānkōng shì chénghóngsè de.

西子湾の空はオレンジ色です。

植物需要陽光、水和空氣。

Zhíwù xūyào yángguāng、shuǐ hé kōngqì.

植物は太陽の光と水、空気を必要とします。

月光下他的影子很美。

Yuèguāngxià tā de yǐngzi hěn měi.

月光の下の彼の影は美しいです。

這邊光線不足，拍不出好照片。

Zhèbiān guāngxiàn bùzú, pāibùchū hǎo zhàopiàn.

ここは光が足りず、いい写真が撮れません。

你看，那朵雲像不像哥吉拉？

Nǐ kàn, nà duǒ yún xiàngbúxiàng Gējílā?

ねえ、あの雲ゴジラみたいじゃない？

地球有百分之七十是海洋。

Dìqiú yǒu bǎi fēn zhī qīshí shì hǎiyáng.

地球の70%は海です。

陽明山的夢幻湖真的很漂亮。

Yángmíngshān de Mènghuànhú zhēn de hěn piàoliàng.

陽明山の夢幻湖は本当にきれいです。

我們都還沒去過台江國家公園。

Wǒmen dōu hái méi qùguò Táijiāng Guójiā Gōngyuán.

私たちはみんな台江国立公園にまだ行ったことがありません。

069

613
□
□ 岸 ㄢˋ　　　　名 岸、水際
àn

614
□
□ 沙 ㄕㄚ 灘 ㄊㄢ　　　名 砂浜、砂州
shātān

　★沙滩

615
□
□ 海 ㄏㄞˇ 灘 ㄊㄢ　　　名 砂浜
hǎitān

　★海滩

616
□
□ 島 ㄉㄠˇ　　　　名 島
dǎo

　★岛

617
□
□ 林 ㄌㄧㄣˊ　　　名 林、森
lín

618
□
□ 森 ㄙㄣ 林 ㄌㄧㄣˊ　　名 森林
sēnlín

619
□
□ 土 ㄊㄨˇ　　　　名 土
tǔ

620
□
□ 沙 ㄕㄚ　　　　名 砂
shā

621
□
□ 沙 ㄕㄚ 子 ㄗ˙　　　名 砂
shāzi

自然

晚上這一帶的岸邊有許多人在釣魚。

Wǎnshàng zhè yídài de ànbiān yǒu xǔduō rén zài diàoyú.

夜、このあたりの岸辺には魚釣りをしている人がたくさんいます。

這附近的沙灘是白色的。

Zhè fùjìn de shātān shì báisè de.

この付近の砂浜は白いです。

他們在海灘打排球。

Tāmen zài hǎitān dǎ páiqiú.

彼らはビーチでバレーボールをします。

誰不知道龜山島的傳說故事。

Shéi bù zhīdào Guīshāndǎo de chuánshuō gùshì.

亀山島の伝説を知らない人はいません。
※龜山島：宜蘭の近くにある火山島

這兩邊是一片竹林。

Zhè liǎng biān shì yí piàn zhúlín.

この両側は竹林です。

去森林走走，和大自然一起呼吸。

Qù sēnlín zǒuzǒu, hé dàzìrán yìqǐ hūxī.

森林へ散歩に行って、大自然と一緒に呼吸しましょう。

這土是紅色的。

Zhè tǔ shì hóngsè de.

この土は赤いです。

這個作品是用土和沙做的。

Zhège zuòpǐn shì yòng tǔ hàn shā zuò de.

この作品は土と砂で作ったものです。

孩子們在海邊玩沙子。

Háizimen zài hǎibiān wán shāzi.

子供たちは海辺で砂遊びをしています。

070

622
石 ㄕˊ（頭 ㄊㄡ）
shí(tou)

名 石

★石（头）

623
鐵 ㄊㄧㄝˇ
tiě

名 鉄

★铁

624
竹 ㄓㄨˊ（子 ㄗ˙）
zhú(zi)

名 竹

625
木 ㄇㄨˋ
mù

名 木、樹木、木材

626
木 ㄇㄨˋ頭 ㄊㄡ
mùtou

名 木、丸太、材木

★木头

627
樹 ㄕㄨˋ木 ㄇㄨˋ
shùmù

名 樹木

★树木

628
葉 ㄧㄝˋ（子 ㄗ˙）
yè(zi)

名 葉、葉っぱ

★叶（子）

629
毒 ㄉㄨˊ
dú

名 毒

★毒

630
農 ㄋㄨㄥˊ藥 ㄧㄠˋ
nóngyào

名 農薬

★农药

孫悟空是從石頭裡生出來的。

Sūn Wùkōng shì cóng shítoulǐ shēngchūlái de.

孫悟空は石から生まれてきました。

人不是鐵打的。需要休息。

Rén búshì tiě dǎ de. Xūyào xiūxí.

人は鉄でできているのではありません。休息が必要です。

這筷子是竹子做的。

Zhè kuàizi shì zhúzi zuò de.

この箸は竹製です。

湖邊有幾間小木屋。

Húbiān yǒu jǐ jiān xiǎomùwū.

湖畔にはログハウスがいくつかあります。

這是木頭做的娃娃。

Zhè shì mùtou zuò de wáwa.

これは木製の人形です。

這裡可以看到很特別的台灣樹木。

Zhèlǐ kěyǐ kàndào hěn tèbié de Táiwān shùmù.

ここでは特徴的な台湾の樹木を見ることができきます。

左手香不但葉子很香，還可以防蚊。

Zuǒshǒuxiāng búdàn yèzi hěn xiāng, hái kěyǐ fáng wén.

アロマティカスは葉っぱの香りがよいだけでなく、蚊を避けることもできます。

小心，這種花有毒。

Xiǎoxīn, zhè zhǒng huā yǒu dú.

気をつけて、この花には毒がある。

他賣的青菜沒有使用農藥。

Tā mài de qīngcài méiyǒu shǐyòng nóngyào.

彼が売る野菜は無農薬です。

071

631 氣ㄑ候ㄏ
□
□ qìhòu
□
★气候

名 気候

632 氣ㄑ溫ㄨㄣ
□
□ qìwēn
□
★气温

名 気温

633 溫ㄨㄣ度ㄉㄨ
□
□ wēndù
□
★温度

名 温度

634 氣ㄑ象ㄒㄧㄤ
□
□ qìxiàng
□
★气象

名 気象

635 預ㄩ報ㄅㄠ
□
□ yùbào
□
★预报

名 予報

636 溼ㄕ度ㄉㄨ
□
□ shīdù
□
★湿度

名 湿度、湿り気

濕度とも書く。

637 煙ㄧㄢ
□
□ yān
□
★烟

名 煙、かすみ、もや、たばこ

638 地ㄉㄧ震ㄓㄣ
□
□ dìzhèn
□

名 地震

639 熊ㄒㄩㄥ
□
□ xióng
□

名 クマ

氣候問題是今天討論的主題。

Qìhòu wèntí shì jīntiān tǎolùn de zhǔtí.

気候問題は今日の討論のテーマです。

金門的平均氣溫幾度？

Jīnmén de píngjūn qìwēn jǐ dù?

金門の平均気温は何度ですか？

今天最高溫度幾度？

Jīntiān zuì gāo wēndù jǐ dù?

今日の最高気温は何度ですか？

他將來想當氣象播報員。

Tā jiānglái xiǎng dāng qìxiàng bòbàoyuán.

彼は将来気象予報士になりたいと思っています。

氣象預報說今天有西北雨。

Qìxiàng yùbào shuō jīntiān yǒu xīběiyǔ.

天気予報によると今日は"西北雨（夕立）"が降ります。

今天濕度比較高，很悶熱。

Jīntiān shīdù bǐjiào gāo, hěn mēnrè.

今日は湿度がわりと高くて蒸し暑いです。

工廠裡充滿了煙味。

Gōngchǎnglǐ chōngmǎnle yānwèi.

工場内は煙のにおいが充満しています。

台灣和日本一樣常常有地震。

Táiwān hé Rìběn yíyàng chángcháng yǒu dìzhèn.

台湾は日本のようにしょっちゅう地震があります。

這隻有名的台灣黑熊叫喔熊。

Zhè zhī yǒumíng de Táiwān hēixióng jiào Ōxióng.

これは有名なタイワンツキノワグマで、「喔熊（Oh! Bear）」といいます。

640 （老ㄌㄠ˘）虎ㄏㄨ˘
(lǎo)hǔ

名 トラ

★（老）虎

641 羊ㄧㄤˊ
yáng

名 ヒツジ、ヤギ

642 猴ㄏㄡˊ（子ㄗ˙）
hóu(zi)

名 サル

643 兔ㄊㄨˋ（子ㄗ˙）
tù(zi)

名 ウサギ

644 （老ㄌㄠ˘）鼠ㄕㄨ˘
(lǎo)shǔ

名 ネズミ

645 鴨ㄧㄚ（子ㄗ˙）
yā(zi)

名 アヒル

★鴨（子）

646 龍ㄌㄨㄥˊ
lóng

名 龍

★龙

647 牠ㄊㄚ
tā

代 それ、あれ（動物に対して使う）

★它

648 名ㄇㄧㄥˊ稱ㄔㄥ
míngchēng

名 名称

★名称

152

這座山裡有老虎。
Zhè zuò shānlǐ yǒu lǎohǔ.

この山にはトラがいます。

我看他不是羊年生，就是猴年生的。
Wǒ kàn tā búshì yáng nián shēng, jiùshì hóu nián shēng de.

彼は未年生まれではなく、申年生まれだと思います。

不要像猴子一樣跳來跳去。
Búyào xiàng hóuzi yíyàng tiào lái tiào qù.

サルみたいに跳びはね回らないで。

中秋節時，你看過月球上的兔子嗎？
Zhōngqiūjié shí, nǐ kànguò yuèqiúshàng de tùzi ma?

中秋節のとき、月のウサギを見たことがありますか？

米老鼠是世界上最有名的老鼠。
Mǐlǎoshǔ shì shìjièshàng zuì yǒumíng de lǎoshǔ.

ミッキーマウスは世界で一番有名なネズミです。

河邊有許多鴨子。
Hébiān yǒu xǔduō yāzi.

川辺にたくさんのアヒルがいます。

我跟你都是龍年生的。
Wǒ gēn nǐ dōu shì lóngnián shēng de.

私とあなたはどちらも辰年生まれです。

不要看不起這隻狗，牠很貴的。
Búyào kànbùqǐ zhè zhī gǒu, tā hěn guì de.

この犬を甘く見ないで、とても高いのですよ。

你確定這個名稱是對的嗎？
Nǐ quèdìng zhège míngchēng shì duì de ma?

この名称は本当に正しいですか？

649 □□□	長_彳短_{ㄉㄨㄢˇ} chángduǎn ★长短	名 長さ、よしあし
650 □□□	距_{ㄐㄩˋ}離_{ㄌㄧˊ} jùlí ★距离	名 距離
651 □□□	大_{ㄉㄚˋ}小_{ㄒㄧㄠˇ} dàxiǎo	名 大きさ、大と小、大人と子供、上下
652 □□□	形_{ㄒㄧㄥˊ}狀_{ㄓㄨㄤˋ} xíngzhuàng ★形状	名 形状、形、姿
653 □□□	方_{ㄈㄤ}式_{ㄕˋ} fāngshì	名 方式、やり方、様式
654 □□□	階_{ㄐㄧㄝ}段_{ㄉㄨㄢˋ} jiēduàn ★阶段	名 段階
655 □□□	變_{ㄅㄧㄢˋ}化_{ㄏㄨㄚˋ} biànhuà ★变化	名 変化 動 変わる、変化する
656 □□□	內_{ㄋㄟˋ}容_{ㄖㄨㄥˊ} nèiróng	名 内容、中身
657 □□□	種_{ㄓㄨㄥˇ}類_{ㄌㄟˋ} zhǒnglèi ★种类	名 種類、品種

這雙筷子怎麼長短不一樣？

Zhè shuāng kuàizi zěnme chángduǎn bùyíyàng?

この箸はどうして長さが違うの？

談戀愛的時候距離是問題嗎？

Tán liàn'ài de shíhòu jùlí shì wèntí ma?

恋愛をするとき距離は問題ですか？

這個房間的大小剛好做工作室。

Zhège fángjiān de dàxiǎo gānghǎo zuò gōngzuòshì.

この部屋の大きさはスタジオにするのにちょうどよいです。

這個口袋的形狀很怪。

Zhège kǒudài de xíngzhuàng hěn guài.

このポケットは形がおかしいです。

這件事可以用不同的方式來處理。

Zhè jiàn shì kěyǐ yòng bùtóng de fāngshì lái chǔlǐ.

この件は別のやり方で対処できます。

階段性的計畫已經完成。

Jiēduànxìng de jìhuà yǐjīng wánchéng.

段階的な計画はすでに完成しました。

事情發生變化了。

Shìqíng fāshēng biànhuà le.

状況が変わりました。

這一次華測聽力考試的內容不難。

Zhè yí cì Huácè tīnglì kǎoshì de nèiróng bù nán.

今回、TOCFL リスニング試験の内容は難しくありませんでした。

這家自助餐的菜種類很多。

Zhè jiā zìzhùcān de cài zhǒnglèi hěn duō.

ここのバイキングの料理は種類が多いです。

658 ☐☐☐	類_{カイ}型_{ディン} lèixíng ★类型	名 タイプ、類型
659 ☐☐☐	典_{ディアン}型_{シン} diǎnxíng	名 典型、手本、モデルケース 形 典型的である
660 ☐☐☐	原_{ユアン}則_ゾ yuánzé ★原则	名 原則、基本
661 ☐☐☐	規_{グイ}則_ゾ guīzé ★规则	名 規則、ルール 形 規則正しい
662 ☐☐☐	例_{リー}外_{ワイ} lìwài	名 例外
663 ☐☐☐	命_{ミン}令_{リン} mìnglìng	名 命令、指示 動 命令する、命じる
664 ☐☐☐	常_{チャン}識_シ chángshì ★常识 chángshí	名 常識
665 ☐☐☐	基_{ジー}礎_{チュ} jīchǔ ★基础	名 基礎、基本、根本
666 ☐☐☐	來_{ライ}源_{ユアン} láiyuán ★来源	名 源、根源、出所

你喜歡看什麼類型的電影？

あなたはどんなタイプの映画が好きですか？

Nǐ xǐhuān kàn shénme lèixíng de diànyǐng?

她是五十年代女明星的典型。

彼女は50年代の女性スターの典型です。

Tā shì wǔshí niándài nǚmíngxīng de diǎnxíng.

原則上你應該先寫好企劃書再來討論。

原則としてまず企画書を書いてから検討すべきです。

Yuánzéshàng nǐ yīnggāi xiān xiěhǎo qìhuàshū zài lái tǎolùn.

明華在說明遊戲規則。

明華はゲームのルールを説明しているところです。

Mínghuá zài shuōmíng yóuxì guīzé.

有規則就會有例外，需要好好討論。

ルールに例外はつきものなのだからよく議論しなければなりません。

Yǒu guīzé jiù huì yǒu lìwài, xūyào hǎohǎo tǎolùn.

馬兒聽主人的命令做表演。

馬は主人の命令を聞いてパフォーマンスをします。

Mǎr tīng zhǔrén de mìnglìng zuò biǎoyǎn.

沒有知識也要有常識。

知識がなくても常識がないといけません。

Méiyǒu zhīshì yě yào yǒu chángshì.

不斷的練習就可以打下很好的基礎。

たえまなく練習をすればしっかりした基礎を築くことができます。

Búduàn de liànxí jiù kěyǐ dǎxià hěn hǎo de jīchǔ.

這種病的來源據說還在調查中。

この病気の出所はまだ調査中だそうです。

Zhè zhǒng bìng de láiyuán jùshuō hái zài diàochá zhōng.

667
□
□
□
背ㄅㄟˋ景ㄐㄧㄥˇ
bèijǐng

名 背景、後ろ盾、バック

668
□
□
□
理ㄌㄧˇ由ㄧㄡˊ
lǐyóu

名 理由、わけ、口実

669
□
□
□
因ㄧㄣ素ㄙㄨˋ
yīnsù

名 要素、要因

670
□
□
□
表ㄅㄧㄠˇ面ㄇㄧㄢˋ
biǎomiàn

名 表面、うわべ

671
□
□
□
特ㄊㄜˋ性ㄒㄧㄥˋ
tèxìng

名 特性、特質

672
□
□
□
特ㄊㄜˋ色ㄙㄜˋ
tèsè

名 特色、特徴

673
□
□
□
特ㄊㄜˋ點ㄉㄧㄢˇ
tèdiǎn

★特点

名 特徴、特色

674
□
□
□
優ㄧㄡ點ㄉㄧㄢˇ
yōudiǎn

★优点

名 長所、メリット
⟷ 缺點

675
□
□
□
缺ㄑㄩㄝ點ㄉㄧㄢˇ
quēdiǎn

★缺点

名 欠点、不十分な点
⟷ 優點

照片的背景是清水斷崖嗎？

Zhàopiàn de bèijǐng shì Qīngshuǐ Duànyái ma?

写真の背景は清水断崖ですか？
※清水断崖：花蓮にある断崖で台湾八景のひとつでもあった

告訴我你遲到的理由。

Gàosù wǒ nǐ chídào de lǐyóu.

遅刻の理由を教えてください。

這些因素造成了孩子不想上學。

Zhèxiē yīnsù zàochéngle háizi bùxiǎng shàngxué.

これらの要素が子供の不登校を招きました。

不要只看事情的表面。

Búyào zhǐ kàn shìqíng de biǎomiàn.

ただ物事のうわべを見ているだけではいけません。

台灣穿山甲的特性是什麼？

Táiwān chuānshānjiǎ de tèxìng shì shénme?

台湾のセンザンコウの特性は何ですか？

日月潭的特色是好茶好風景。

Rìyuètán de tèsè shì hǎo chá hǎo fēngjǐng.

日月潭の特色はおいしいお茶と美しい風景です。

他們之間的共同特點是愛台灣。

Tāmen zhījiān de gòngtóng tèdiǎn shì ài Táiwān.

彼らの間の共通の特徴は台湾を愛していることです。

找出朋友的優點，就更容易相處了。

Zhǎochū péngyǒu de yōudiǎn, jiù gèng róngyì xiāngchǔ le.

友人の長所を探し出せば、より付き合いやすくなります。

缺點每個人都有。

Quēdiǎn měi ge rén dōu yǒu.

欠点は誰にでもあります。

676
重²ㄨㄥ點²ㄢ
zhòngdiǎn
★重点

名 重点

677
品²ㄣ質ㄓ
pǐnzhí
★品质 pǐnzhì

名 品質

678
技ㄐㄧ巧²ㄠ
jìqiǎo

名 技巧、テクニック、手法
関連 ▶▶ **技術**

679
技ㄐㄧ術ㄕㄨ
jìshù
★技术

名 技術、テクニック
関連 ▶▶ **技巧**

680
效ㄒㄧㄠ果ㄍㄨㄛ
xiàoguǒ

名 効果、結果

681
效ㄒㄧㄠ率ㄌㄩ
xiàolù

名 効率、能率

682
條ㄊㄧㄠ件ㄐㄧㄢ
tiáojiàn
★条件

名 条件、要素、要求

683
水ㄕㄨㄟ準ㄓㄨㄣ
shuǐzhǔn
★水准＜水平 shuǐpíng

名 水準、レベル

684
範ㄈㄢ圍ㄨㄟ
fànwéi
★范围

名 範囲、規模

你畫錯重點了。

Nǐ huàcuò zhòngdiǎn le.

あなたは（アンダーラインを引く）ポイントを間違えています。

品質管理也是一項很重要的工作。

Pǐnzhí guǎnlǐ yě shì yí xiàng hěn zhòngyào de gōngzuò.

品質管理も重要な仕事です。

曉風的寫作技巧真好。

Xiǎofēng de xiězuò jìqiǎo zhēn hǎo.

曉風の作文の技術は本当にすばらしいです。

他籃球技術不好。

Tā lánqiú jìshù bù hǎo.

彼はバスケットボールがへたです。

這個運動有減肥的效果。

Zhège yùndòng yǒu jiǎnféi de xiàoguǒ.

この運動はダイエット効果があります。

有時候讀書也需要效率。

Yǒushíhòu dúshū yě xūyào xiàolù.

読書も効率を求められることがあります。

他開出了許多條件。

Tā kāichūle xuǒduō tiáojiàn.

彼は多くの条件を提示しました。

她加入國家隊以後水準提高不少。

Tā jiārù guójiāduì yǐhòu shuǐzhǔn tígāo bù shǎo.

彼女はナショナルチームに加入してからかなりレベルが上がりました。

這次期末考的考試範圍是哪裡？

Zhècì qímòkǎo de kǎoshì fànwéi shì nǎlǐ?

今回の期末試験の範囲はどこですか？

685
☐
☐
☐
規模 ㄍㄨㄟ ㄇㄛˊ
guīmó

★规模

名 規模

686
☐
☐
☐
組合 ㄗㄨˇ ㄏㄜˊ
zǔhé

★组合

名 組み合わせ、組合
動 組み合わせる

687
☐
☐
☐
證據 ㄓㄥˋ ㄐㄩˋ
zhèngjù

★证据

名 証拠

688
☐
☐
☐
結論 ㄐㄧㄝˊ ㄌㄨㄣˋ
jiélùn

★结论

名 結論

689
☐
☐
☐
現象 ㄒㄧㄢˋ ㄒㄧㄤˋ
xiànxiàng

★现象

名 現象

690
☐
☐
☐
情況 ㄑㄧㄥˊ ㄎㄨㄤˋ
qíngkuàng

★情况

名 状況、事情、様子

691
☐
☐
☐
資源 ㄗ ㄩㄢˊ
zīyuán

★资源

名 資源

692
☐
☐
☐
限(制) ㄒㄧㄢˋ(ㄓˋ)
xiàn(zhì)

名 制限
動 制限する、節約する

這_{ㄓㄜ}個_{ㄍㄜ}地_{ㄉㄧ}震_{ㄓㄣ}的_{ㄉㄜ}規_{ㄍㄨㄟ}模_{ㄇㄛ}不_{ㄅㄨ}大_{ㄉㄚ}。

Zhège dìzhèn de guīmó bú dà.

この地震の規模は大きくありません。

你_{ㄋㄧ}房_{ㄈㄤ}間_{ㄐㄧㄢ}放_{ㄈㄤ}得_{ㄉㄜ}下_{ㄒㄧㄚ}這_{ㄓㄜ}一_ㄧ套_{ㄊㄠ}沙_{ㄕㄚ}發_{ㄈㄚ}組_{ㄗㄨ}合_{ㄏㄜ}嗎_{ㄇㄚ}？

Nǐ fángjiān fàngdexià zhè yí tào shāfā zǔhé ma?

あなたの部屋はこのソファーセットを置くことができますか？

有_{ㄧㄡ}幾_{ㄐㄧ}分_{ㄈㄣ}證_{ㄓㄥ}據_{ㄐㄩ}說_{ㄕㄨㄛ}幾_{ㄐㄧ}分_{ㄈㄣ}話_{ㄏㄨㄚ}。

Yǒu jǐ fēn zhèngjù shuō jǐ fēn huà.

証拠があるだけ話して。

結_{ㄐㄧㄝ}論_{ㄌㄨㄣ}就_{ㄐㄧㄡ}是_ㄕ明_{ㄇㄧㄥ}天_{ㄊㄧㄢ}一_ㄧ起_{ㄑㄧ}去_{ㄑㄩ}吧_{ㄅㄚ}。

Jiélùn jiùshì míngtiān yìqǐ qù ba.

結論として明日は一緒に行きましょう。

這_{ㄓㄜ}個_{ㄍㄜ}現_{ㄒㄧㄢ}象_{ㄒㄧㄤ}很_{ㄏㄣ}不_{ㄅㄨ}平_{ㄆㄧㄥ}常_{ㄔㄤ}。

Zhège xiànxiàng hěn bù píngcháng.

この現象はめったに起きません。

在_{ㄗㄞ}這_{ㄓㄜ}種_{ㄓㄨㄥ}情_{ㄑㄧㄥ}況_{ㄎㄨㄤ}下_{ㄒㄧㄚ}還_{ㄏㄞ}能_{ㄋㄥ}怎_{ㄗㄣ}麼_{ㄇㄜ}做_{ㄗㄨㄛ}呢_{ㄋㄜ}？

Zài zhè zhǒng qíngkuàngxià hái néng zěnme zuò ne?

このような状況下でまだ何ができるのでしょう？

這_{ㄓㄜ}裡_{ㄌㄧ}有_{ㄧㄡ}百_{ㄅㄞ}分_{ㄈㄣ}之_ㄓ四_ㄙ的_{ㄉㄜ}人_{ㄖㄣ}不_{ㄅㄨ}使_ㄕ用_{ㄩㄥ}網_{ㄨㄤ}路_{ㄌㄨ}資_ㄗ源_{ㄩㄢ}。

Zhèlǐ yǒu bǎi fēn zhī sì de rén bù shǐyòng wǎnglù zīyuán.

ここにいる人の4％はインターネットのリソースを使用しません。

這_{ㄓㄜ}部_{ㄅㄨ}電_{ㄉㄧㄢ}影_{ㄧㄥ}有_{ㄧㄡ}十_ㄕ二_ㄦ歲_{ㄙㄨㄟ}以_ㄧ上_{ㄕㄤ}的_{ㄉㄜ}年_{ㄋㄧㄢ}齡_{ㄌㄧㄥ}限_{ㄒㄧㄢ}制_ㄓ。

Zhè bù diànyǐng yǒu shí'èr suì yǐshàng de niánlíng xiànzhì.

この映画は12歳以上の年齢制限があります。

台湾のおやつ

雪花冰
xuěhuābīng

シロップやミルクを凍らせて削ったかき氷。ふわふわとした氷が口の中で溶けていくのがたまらない夏のスイーツの代表格。

豆花
dòuhuā

豆乳のやさしい風味がふんわり香るヘルシーな伝統スイーツ。トッピングやシロップもお店によってさまざまで、楽しみが広がります。

薑汁番茄
jiāngzhī fānqié

切ったトマトをショウガ入りの砂糖醤油につけて食べます。台湾ではトマトをフルーツとして扱うことが多いんですよ。

珍珠奶茶
zhēnzhū nǎichá

今や日本でもおなじみのタピオカミルクティー。注文するときは氷や砂糖の量も一緒に伝えます。

かき氷にパイナップルケーキ、豆花にタピオカミルクティー…。まさにおやつ天国の台湾！　大定番から地域に根差した伝統菓子まで、8種類をピックアップしてみました。あなたはいくつ食べたことがありますか？

發糕
fāgāo

春節に食べる蒸しパンのような伝統菓子。表面がうまく割れると1年の財運がよくなるといわれています。

牛舌餅
niúshébǐng

文字通り「牛の舌」の形をしていることから名付けられた小吃。はちみつや黒ゴマ、胡椒などさまざまな味があります。

鹹蛋糕
xiándàngāo

そのまま日本語にすると「塩ケーキ」!?　ひき肉や野菜などを甘いスポンジで挟んだあまじょっぱいケーキです。台中名物の伝統菓子。

芋頭酥
yùtousū

あざやかな紫色とうずまき模様が特徴のお菓子で、中にはクリームが入っています。芋頭とは「タロイモ」のことで、台湾ではよくスイーツに使われます。

\ column /
早口言葉にチャレンジ！

外国語を学ぶとき、早口言葉を活用すると楽しみながら効果的に発音を鍛えることができます。代表的なものをいくつか紹介するので音声を聞きながら挑戦してみましょう！　まずは四声と軽声の練習です。

① 媽媽罵馬　🎧 C01
Māma mà mǎ

② 馬罵媽媽　🎧 C02
Mǎ mà māma

次の早口言葉は趙元任という言語学者が考案した『施さんがライオンを食べる話』という言葉遊びの題名部分です。なんと 96 文字すべての発音が「尸 (shi)」で構成されています。全文が気になる方はぜひネットで調べてみてください。

③ 施氏食獅史　🎧 C03
Shī shì shí shīshǐ

今度は有気音と無気音を意識して発音してみましょう。

④ 你說的是大肚子的兔子，還是大　
Nǐ shuō de shì dàdùzi de tùzi, háishì dà
兔子的肚子？　🎧 C04
tùzi de dùzi?

⑤と⑥はそり舌音と数字の練習です。慣れてきたらこの２つをつなげて読んでみましょう。

⑤ 四是四，十是十，十四是十四，四十
Sì shì sì, shí shì shí, shísì shì shísì, sìshí
是四十。　🎧 C05
shì sìshí.

⑥ 四不是十，十不是四，十四不是四
Sì búshì shí, shí búshì sì, shísì búshì sì
十，四十不是十四。　🎧 C06
shí, sìshí búshì shísì.

いくつできましたか？　失敗してもどんどん口に出して練習してみましょう！　早口言葉は他にもたくさんあるのでチャレンジしてみてくださいね！

Step 2

形容詞を148語学習しましょ
う。慣れてきたら例文の中で
の使われ方にも目を向けて、
表現力を強化していきましょ
う。

693 具體 ㄐㄩˋ ㄊㄧˇ
□ jùtǐ
□
★具体

形 具体的である、特定の、実際の

694 深刻 ㄕㄣ ㄎㄜˋ
□ shēnkè
□

形 深い、深く刻み込まれている

695 穩定 ㄨㄣˇ ㄉㄧㄥˋ
□ wěndìng
□
★稳定

形 安定している、落ち着いている

696 日常 ㄖˋ ㄔㄤˊ
□ rìcháng
□

形 日常の
名 日常

697 嚴（格） ㄧㄢˊ（ㄍㄜˊ）
□ yán(gé)
□
★严（格）

形 厳しい、厳格である

698 熱情 ㄖㄜˋ ㄑㄧㄥˊ
□ rèqíng
□
★热情

形 親切である、心がこもっている
名 情熱、熱意、意欲

699 愉快 ㄩˊ ㄎㄨㄞˋ
□ yúkuài
□

形 楽しい、愉快である
関連 ▶▶ 高興、開心、快樂
⟷ 煩惱、痛苦

700 滿意 ㄇㄢˇ ㄧˋ
□ mǎnyì
□
★满意

形 満足している、気に入っている
⟷ 不滿

701 沒有用 ㄇㄟˊ ㄧㄡˇ ㄩㄥˋ
□ méi yǒuyòng
□
★没有用

形 役に立たない、無駄である

沒用ともいう。

他太忙，這件事根本沒有具體計畫。

Tā tài máng, zhè jiàn shì gēnběn méiyǒu jùtǐ jìhuà.

彼は忙しすぎて、この件には具体的な計画がまったくありません。

這個照片給人深刻的印象。

Zhège zhàopiàn gěi rén shēnkè de yìnxiàng.

この写真は人に深い印象を与えます。

今天山上的天氣不太穩定。

Jīntiān shānshàng de tiānqì bú tài wěndìng.

今日、山の天気はあまり安定していません。

旅遊是離開日常的特別時間。

Lǚyóu shì líkāi rìcháng de tèbié shíjiān.

旅行は日常から離れる特別な時間です。

軍隊是非常嚴格的。

Jūnduì shì fēicháng yángé de.

軍隊は非常に厳格です。

歐陽菲菲唱歌很熱情。

Ōuyáng Fēifēi chànggē hěn rèqíng.

欧陽菲菲は心を込めて歌を歌います。

謝謝你陪我度過愉快的一天。

Xièxie nǐ péi wǒ dùguò yúkuài de yì tiān.

一緒にいてくれて今日は楽しかった、ありがとう。

他很滿意這一次的作品。

Tā hěn mǎnyì zhè yí cì de zuòpǐn.

彼は今回の作品に満足しています。

現在說這些都沒有用了。

Xiànzài shuō zhèxiē dōu méi yǒuyòng le.

今さらそれを言ってももう無駄です。

702 □□□
專業 ㄓㄨㄢ ㄧㄝˋ
zhuānyè
★专业

形 専門の、プロの
名 専攻、専門の分野や業務

703 □□□
任何 ㄖㄣˋ ㄏㄜˊ
rènhé

形 いかなる、どんな〜でも

704 □□□
硬 ㄧㄥˋ
yìng

形 かたい ⟷ **軟**
　強硬である
副 かたくなに、むりやり

705 □□□
軟 ㄖㄨㄢˇ
ruǎn
★软

形 やわらかい、しなやかである
⟷ **硬**

706 □□□
滑 ㄏㄨㄚˊ
huá
★滑

形 なめらかである、つるつるしている
動 滑る

707 □□□
強 ㄑㄧㄤˊ
qiáng
★强

形 強い、優れている
⟷ **弱**

708 □□□
弱 ㄖㄨㄛˋ
ruò

形 弱い、虚弱である、劣っている
⟷ **強**

709 □□□
強大 ㄑㄧㄤˊ ㄉㄚˋ
qiángdà
★强大

形 強大である、強力である

710 □□□
高大 ㄍㄠ ㄉㄚˋ
gāodà

形 高くて大きい、偉大である

他拿出專業的精神檢查資料。

Tā náchū zhuānyè de jīngshén jiǎnchá zīliào.

彼は専門的な精神検査の資料を取り出しました。

任何事都不能減少他對搖滾樂的愛。

Rènhé shì dōu bùnéng jiǎnshǎo tā duì yáogǔnyuè de ài.

どんなことであろうと彼のロックへの愛を弱めることはできません。

這顆糖太硬。

Zhè kē táng tài yìng.

このアメは硬すぎます。

阿公喜歡吃軟的東西。

Āgōng xǐhuān chī ruǎn de dōngxi.

おじいさんは軟らかい食べ物が好きです。

剛打掃完地上有一點滑。

Gāng dǎsǎowán dìshàng yǒuyìdiǎn huá.

床は掃除したばかりで少し滑ります。

你太強了，這次地理考一百分。

Nǐ tài qiáng le, zhècì dìlǐ kǎo yìbǎi fēn.

きみはすごい！ 今回の地理のテストで100点を取るなんて。

他小時候身體比較弱。

Tā xiǎoshíhòu shēntǐ bǐjiào ruò.

彼は小さいころわりと体が弱かったです。

她的能力太強大。

Tā de nénglì tài qiángdà.

彼女は非常に優れた能力を持っています。

打籃球的人都很高大嗎？

Dǎ lánqiú de rén dōu hěn gāodà ma?

バスケットボールをする人はみんな背が高くて大きいですか？

080

711
□□□
偉大 メˇ ㄉㄚˋ
wěidà
★伟大

形 偉大である、立派である

712
□□□
天生 ㄊㄧㄢ ㄕㄥ
tiānshēng

形 生まれつきの

713
□□□
粗 ㄘㄨ
cū

形 太い、粗い ⟷ **細**
いいかげんである

714
□□□
細 ㄒㄧˋ
xì
★细

形 細い、細かい
⟷ **粗**

715
□□□
厚 ㄏㄡˋ
hòu

形 厚い、（情が）深い
⟷ **薄**

716
□□□
寬 ㄎㄨㄢ
kuān
★宽

形 広い、寛大である
ゆとりがある
⟷ **緊**

717
□□□
緊 ㄐㄧㄣˇ
jǐn
★紧

形 きつい、ぴったりしている、
ピンと張っている
⟷ **鬆**

718
□□□
鬆 ㄙㄨㄥ
sōng
★松

形 緩い、ゆとりがある ⟷ **緊**
もろい

719
□□□
肥胖 ㄈㄟˊ ㄆㄤˋ
féipàng

形 太っている

172

人類因為有理想才變得偉大。

Rénlèi yīnwèi yǒu lǐxiǎng cái biànde wěidà.

人は理想があってこそ偉大になれます。

他天生力氣就很大。

Tā tiānshēng lìqì jiù hěn dà.

彼は生まれつき力が強いです。

爸爸的腰一天比一天粗。

Bàba de yāo yì tiān bǐ yì tiān cū.

父のウエストは日に日に太くなっています。

我喜歡吃細細的麵。

Wǒ xǐhuān chī xìxì de miàn.

私は細い麺が好きです。

我照著阿嬤的做法烤厚吐司。

Wǒ zhàozhe āmà de zuòfǎ kǎo hòu tǔsī.

私は祖母のやり方どおりに厚いトーストを焼きます。

台中的路很寬。

Táizhōng de lù hěn kuān.

台中の道路は広いです。

吃太多，褲子越來越緊。

Chī tài duō, kùzi yuè lái yuè jǐn.

食べすぎでズボンがますますきつくなりました。

這件褲子太鬆了。

Zhè jiàn kùzi tài sōng le.

このズボンは緩すぎます。

我有一隻肥胖的貓。

Wǒ yǒu yì zhī féipàng de māo.

私は太った猫を1匹飼っています。

173

720 □ □ □	尖 ㄐㄧㄢ jiān	形 とがっている、鋭い、鋭敏である

721 □ □ □	平 ㄆㄧㄥˊ píng	形 平らである、平坦である、同等である

722 □ □ □	直 ㄓˊ zhí	形 まっすぐである、率直である 副 ずっと、しきりに

723 □ □ □	高速 ㄍㄠ ㄙㄨˋ gāosù	形 高速の

724 □ □ □	快速 ㄎㄨㄞˋ ㄙㄨˋ kuàisù	形 高速である、迅速である、急速である

725 □ □ □	迅速 ㄒㄩㄣˋ ㄙㄨˋ xùnsù	形 迅速である、速やかである

726 □ □ □	大量 ㄉㄚˋ ㄌㄧㄤˋ dàliàng	形 大量である、膨大である、度量が大きい

727 □ □ □	詳細 ㄒㄧㄤˊ ㄒㄧˋ xiángxì ★詳細	形 詳しい

728 □ □ □	仔細 ㄗˇ ㄒㄧˋ zǐxì ★仔細	形 注意深い、細やかである、綿密である

小鳥伸出尖尖的嘴吃花蜜。

Xiǎoniǎo shēnchū jiānjiān de zuǐ chī huāmì.

小鳥はとがったくちばしを伸ばして花の蜜を吸います。

婚姻平權是現在重要的社會話題。

Hūnyīn píngquán shì xiànzài zhòngyào de shèhuì huàtí.

婚姻の平等は現在の社会の重要トピックです。

直走右轉你會看到台灣銀行。

Zhí zǒu yòu zhuǎn nǐ huì kàndào Táiwān Yínháng.

まっすぐ行って右に曲がると台湾銀行が見えます。

從這裡往高速公路開十分鐘就到了。

Cóng zhèlǐ wǎng gāosù gōnglù kāi shí fēnzhōng jiù dào le.

ここから高速道路に向かって 10 分走れば着きます。

她投的球非常快速。

Tā tóu de qiú fēicháng kuàisù.

彼女が投げる球は非常に速いです。

公司迅速地處理了這個危機。

Gōngsī xùnsùde chǔlǐle zhège wéijī.

会社は迅速にそのピンチを解決しました。

這個產品需要使用大量的水。

Zhège chǎnpǐn xūyào shǐyòng dàliàng de shuǐ.

この製品は大量の水を使う必要があります。

這地圖不夠詳細。

Zhè dìtú búgòu xiángxì.

この地図はあまり詳しくありません。

打數字的時候仔細一點。

Dǎ shùzì de shíhòu zǐxì yìdiǎn.

数字を入力するときはちょっと注意してください。

082

729 □□□
單純 ㄉㄢ ㄔㄨㄣˊ
dānchún
★单纯

形 単純である、簡単である、純粋である
←→ 複雑

730 □□□
複雜 ㄈㄨˋ ㄗㄚˊ
fùzá
★复杂

形 複雑である
←→ 單純、簡單

731 □□□
相同 ㄒㄧㄤ ㄊㄨㄥˊ
xiāngtóng

形 同じである

732 □□□
相反 ㄒㄧㄤ ㄈㄢˇ
xiāngfǎn

形 相反する、反対である、逆である
接 反対に、逆に

733 □□□
反 ㄈㄢˇ
fǎn

形 反対の ←→ 正
動 反対する、反逆する

734 □□□
豐富 ㄈ ㄈㄨˋ
fēngfù
★丰富

形 豊かである、豊富である

735 □□□
窮 ㄑㄩㄥˊ
qióng
★穷

形 貧しい
←→ 富

736 □□□
美好 ㄇㄟˇ ㄏㄠˇ
měihǎo

形 美しい、すばらしい

737 □□□
醜 ㄔㄡˇ
chǒu
★丑

形 みにくい、不格好である、
恥ずべきである

你這個想法太單純了，不實際。

Nǐ zhège xiǎngfǎ tài dānchún le, bù shíjì.

あなたのその考えは単純すぎて現実的ではありません。

現在的心情很複雜。

Xiànzài de xīnqíng hěn fùzá.

今の気持ちは複雑です。

我們相同的地方就是喜歡歷史故事。

Wǒmen xiāngtóng de dìfāng jiù shì xǐhuān lìshǐ gùshì.

私たちの共通点は歴史のストーリーが好きなことです。

他和你相反，喜歡人多的地方。

Tā hàn nǐ xiāngfǎn, xǐhuān rén duō de dìfāng.

彼はあなたとは反対に人が多いところが好きです。

先生，你的衣服穿反了。

Xiānshēng, nǐ de yīfú chuānfǎn le.

そちらの方、洋服が反対ですよ。

台灣有豐富的海洋資源。

Táiwān yǒu fēngfù de hǎiyáng zīyuán.

台湾には豊富な海洋資源があります。

你別看他窮，相反的他有兩棟房子。

Nǐ bié kàn tā qióng, xiāngfǎn de tā yǒu liǎng dòng fángzi.

彼は貧しいと思わないで。むしろ家を2軒持っています。

和你一起的美好時間很難忘掉。

Hé nǐ yìqǐ de měihǎo shíjiān hěn nán wàngdiào.

あなたと過ごしたすばらしい時間は忘れがたいです。

你的字實在太醜了。

Nǐ de zì shízài tài chǒu le.

あなたの字は本当に汚すぎます。

738 □□□	擠 ㄐㄧˇ jǐ ★挤	形 混んでいる 動 ぎっしり詰まる、押し合う
739 □□□	激烈 ㄐㄧ ㄌㄧㄝˋ jīliè	形 激しい、激烈である
740 □□□	良好 ㄌㄧㄤˊ ㄏㄠˇ liánghǎo	形 良好である
741 □□□	不足 ㄅㄨˋ ㄗㄨˊ bùzú	形 不足している、足りない
742 □□□	真實 ㄓㄣ ㄕˊ zhēnshí ★真实	形 事実である、本当である
743 □□□	假 ㄐㄧㄚˇ jiǎ	形 嘘である、偽りである ⟷ 真
744 □□□	亮 ㄌㄧㄤˋ liàng ★亮	形 明るい ⟷ 暗
745 □□□	暗 ㄢˋ àn	形 暗い ⟷ 亮
746 □□□	黑暗 ㄏㄟ ㄢˋ hēi'àn	形 暗い、ダークである

早上的電車真擠。
Zǎoshàng de diànchē zhēn jǐ.

朝の電車は本当に混雑しています。

這是一場激烈的比賽。
Zhè shì yì chǎng jīliè de bǐsài.

これは白熱した試合です。

目前水庫的情況良好。
Mùqián shuǐkù de qíngkuàng liánghǎo.

現在ダムの状況は良好です。

夏天水量不足是一個問題。
Xiàtiān shuǐliàng bùzú shì yí ge wèntí.

夏の水不足は問題です。

我對你的心非常真實。
Wǒ duì nǐ de xīn fēicháng zhēnshí.

あなたへの気持ちに本当に嘘偽りはありません。

真的假的？ 他們兩個剛才結婚了。
Zhēn de jiǎ de? Tāmen liǎng ge gāngcái jiéhūn le.

本当に!? 彼ら2人がたった今結婚したって。

外頭亮了，新的一天又開始了。
Wàitou liàng le, xīn de yì tiān yòu kāishǐ le.

外が明るくなって、新しい1日がまた始まりました。

才五點，天就暗了下來。
Cái wǔ diǎn, tiān jiù àn le xiàlái.

まだ5時なのに空が暗くなってきました。

《紅舞鞋》這個故事太黑暗了。
«Hóngwǔxié» zhège gùshì tài hēi'àn le.

『赤いくつ』という物語はあまりにもダークです。

084

747 □□□	溫 ㄨㄣ wēn ★温	形 温かい、ぬるい、柔和である、 おとなしい

748 □□□	溫暖 ㄨㄣ ㄋㄨㄢˇ wēnnuǎn ★温暖	形 暖かい、温暖である、温かい 関連 ▶▶ 暖和 温暖は気候以外に、人にも使うことができる。

749 □□□	暖和 ㄋㄨㄢˇ ㄏㄨㄛ˙ nuǎnhuo	形 暖かい 関連 ▶▶ 溫暖 暖和は主に気候に対して使うことが多い。

750 □□□	悶熱 ㄇㄣ ㄖㄜˋ mēnrè ★闷热	形 蒸し暑い

751 □□□	潮溼 ㄔㄠˊ ㄕ cháoshī ★潮湿	形 湿っぽい 潮濕とも書く。

752 □□□	燙 ㄊㄤˋ tàng ★烫	形 熱い 動 やけどする、熱くする、 アイロンをかける

753 □□□	冰涼 ㄅㄧㄥ ㄌㄧㄤˊ bīngliáng ★冰凉	形 冷えている、氷のように冷たい

754 □□□	靜 ㄐㄧㄥˋ jìng ★静	形 静かである、動きがない、物音がない

755 □□□	安靜 ㄢ ㄐㄧㄥˋ ānjìng ★安静	形 静かである、平穏である ⟷ 吵鬧

天氣太熱，水龍頭的水是溫的。

Tiānqì tài rè, shuǐlóngtóu de shuǐ shì wēn de.

暑すぎて水道の水がぬるいです。

外面出太陽，感覺很溫暖。

Wàimiàn chū tàiyáng, gǎnjué hěn wēnnuǎn.

外は日が出て暖かく感じます。

暖和的氣候使人感到愉快。

Nuǎnhuo de qìhòu shǐ rén gǎndào yúkuài.

暖かい気候は人を愉快にさせます。

今年夏天真的是太悶熱了。

Jīnnián xiàtiān zhēn de shì tài mēnrè le.

今年の夏は本当に蒸し暑すぎます。

這地方太潮濕了。

Zhè dìfāng tài cháoshī le.

この場所は湿っぽすぎます。

菜剛上桌，小心燙。

Cài gāng shàng zhuō, xiǎoxīn tàng.

料理は出したばかりで熱いので気をつけてください。

太熱了，我想吃冰涼的東西。

Tài rè le, wǒ xiǎng chī bīngliáng de dōngxi.

暑すぎる、冷たいものを食べたい。

這靜靜的房間沒有一點聲音。

Zhè jìngjìng de fángjiān méiyǒu yìdiǎn shēngyīn.

このひっそりとした部屋は少しも音がしません。

考試的時候請安靜，有問題請舉手。

Kǎoshì de shíhòu qǐng ānjìng, yǒu wèntí qǐng jǔshǒu.

試験中は静かにしてください。質問があれば手を挙げてください。

756
平静 ㄆㄧㄥˊ ㄐㄧㄥˋ
píngjìng

★平静

形 落ち着いている、静かである、穏やかである
⟷ 激動

757
平安 ㄆㄧㄥˊ ㄢ
píng'ān

形 平穏である、無事である

758
公平 ㄍㄨㄥ ㄆㄧㄥˊ
gōngpíng

形 公平である、公正である

759
平等 ㄆㄧㄥˊ ㄉㄥˇ
píngděng

形 平等である、対等である

760
公共 ㄍㄨㄥ ㄍㄨㄥˋ
gōnggòng

形 公共の、共同の

761
共同 ㄍㄨㄥˋ ㄊㄨㄥˊ
gòngtóng

形 共同の、共通の

762
普通 ㄆㄨˇ ㄊㄨㄥ
pǔtōng

形 普通である、一般的である

763
普遍 ㄆㄨˇ ㄅㄧㄢˋ
pǔbiàn

形 普遍的である、普及している

764
平均 ㄆㄧㄥˊ ㄐㄩㄣ
píngjūn

形 平均的である、均等である、公平である
動 平均する

今天的海很平靜。
Jīntiān de hǎi hěn píngjìng.

今日の海は穏やかです。

祝您平安健康。
Zhù nín píng'ān jiànkāng.

あなたがご無事で健康でありますように。

這個世界上沒有絕對的公平。
Zhège shìjièshàng méiyǒu juéduì de gōngpíng.

この世界に絶対的な公平はありません。

每個人出生的時候都是平等的嗎？
Měi ge rén chūshēng de shíhòu dōu shì píngděng de ma?

誰でも生まれるときはみんな平等ですか？

每個捷運站都有公共WiFi。
Měi ge jiéyùnzhàn dōu yǒu gōnggòng WiFi.

どの MRT の駅にも公共の WiFi があります。

現在各國的共同目標就是和平。
Xiànzài gè guó de gòngtóng mùbiāo jiù shì hépíng.

現在、各国共通の目標は平和です。

我只想當一個普通人。
Wǒ zhǐ xiǎng dāng yí ge pǔtōngrén.

私は普通の人になりたいだけです。

在這裡會說兩三種語言是很普遍的。
Zài zhèlǐ huì shuō liǎng sān zhǒng yǔyán shì hěn pǔbiàn de.

ここでは2、3種類の言語が話せるのは普通のことです。

這一個月的雨量很平均。
Zhè yí ge yuè de yǔliàng hěn píngjūn.

ここ1カ月の雨量は平年並みです。

086

765
□
□
□
常見 _{彳ㄤˊ ㄐㄧㄢˋ}
chángjiàn
★常见

形 よくある、よく見かける

766
□
□
□
準時 _{ㄓㄨㄣˇ ㄕˊ}
zhǔnshí
★准时

形 時間どおりである

767
□
□
□
國際 _{ㄍㄨㄛˊ ㄐㄧˋ}
guójì
★国际

形 国際的な

768
□
□
□
獨立 _{ㄉㄨˊ ㄌㄧˋ}
dúlì
★独立

形 独立している
動 独立する、単独で行う

769
□
□
□
自助 _{ㄗˋ ㄓㄨˋ}
zìzhù

形 セルフサービスの
動 自分でする

770
□
□
□
美味 _{ㄇㄟˇ ㄨㄟˋ}
měiwèi

形 おいしい
名 おいしい食べ物

771
□
□
□
淡 _{ㄉㄢˋ}
dàn

形 （味や濃度が）薄い、（色が）淡い、浅い
⟷ 濃

772
□
□
□
濃 _{ㄋㄨㄥˊ}
nóng
★浓

形 濃い、深い
⟷ 淡

773
□
□
□
膩 _{ㄋㄧˋ}
nì
★腻

形 脂っこい、しつこい、うんざりする、
飽き飽きする

這是一個常見的錯誤。
Zhè shì yí ge chángjiàn de cuòwù.

これはよくある間違いです。

明天早上八點準時出發。
Míngtiān zǎoshàng bā diǎn zhǔnshí chūfā.

明日は朝8時に時間どおり出発します。

只要會說外語就代表國際化了嗎？
Zhǐyào huì shuō wàiyǔ jiù dàibiǎo guójìhuà le ma?

外国語を話せさえすれば国際化だといえるのでしょうか？

他的個性非常獨立。
Tā de gèxìng fēicháng dúlì.

彼の性格は非常に独立心があります。

要怎麼點大學的自助餐？
Yào zěnme diǎn dàxué de zìzhùcān?

大学のセルフサービス式の食事はどう頼んだらいいですか？

這盤紅蟳米糕真是美味到極點。
Zhè pán hóngxún mǐgāo zhēnshì měiwèi dào jídiǎn.

このワタリガニのおこわは本当に最高においしいです。

這茶泡太多次，味道有點淡。
Zhè chá pào tài duō cì, wèidào yǒudiǎn dàn.

このお茶は何度も入れすぎて味が少し薄いです。

這咖啡像水一樣，不夠濃。
Zhè kāfēi xiàng shuǐ yíyàng, búgòu nóng.

このコーヒーは水みたいで濃さが足りません。

每天吃肉包你吃不膩嗎？
Měitiān chī ròubāo nǐ chībúnì ma?

毎日肉まんを食べて飽きませんか？

087

774 油膩
□□□ yóunì
★油腻

形 脂っこい

775 拿手
□□□ náshǒu

形 得意である

776 賣座
□□□ màizuò
★卖座

形 客入りがよい

777 主動
□□□ zhǔdòng
★主动

形 自発的である、主体的である、
　積極的である
⟷ 被動

778 積極
□□□ jījí
★积极

形 積極的である、ポジティブである
⟷ 消極

779 好動
□□□ hàodòng
★好动

形 活発である

780 活潑
□□□ huópō
★活泼

形 活発である、生き生きとしている

781 好奇
□□□ hàoqí

形 好奇心がある

782 乖
□□□ guāi

形 いうことをよく聞く、聞き分けがいい、
　利口である

有時候很想吃油膩的大餐。

Yǒushíhòu hěn xiǎng chī yóunì de dàcān.

ときどき脂っこいごちそうをすごく食べたくなります。

炒米粉是爸爸的拿手菜。

Chǎo mǐfěn shì bàba de náshǒucài.

焼きビーフンは父の得意料理です。

台灣最賣座的國片是《海角七號》嗎？

Táiwān zuì màizuò de guópiàn shì «Hǎijiǎo qī hào» ma?

台湾で一番チケットが売れた国産映画は『海角七号 君想う、国境の南』ですか？

你太不主動了。

Nǐ tài bù zhǔdòng le.

あなたは消極的すぎます。

她問問題的時候很積極。

Tā wèn wèntí de shíhòu hěn jījí.

彼女は質問するとき積極的です。

阿勇不只好動而且好吃。

Ā Yǒng bù zhǐ hàodòng érqiě hàochī.

阿勇は活発なだけでなくよく食べます。

她還是個活潑快樂的孩子。

Tā háishì ge huópō kuàilè de háizi.

彼女はまだ活発で楽しい子供です。

他很好奇哥哥有沒有女朋友。

Tā hěn hàoqí gēge yǒuméiyǒu nǚpéngyǒu.

彼は兄に彼女がいるかどうか興味津々です。

你再不乖，就不能上小學一年級了。

Nǐ zài bù guāi, jiù bùnéng shàng xiǎoxué yī niánjí le.

これ以上言うことを聞かないと小学1年生になれませんよ。

783	聽話 ㄊㄧㄥ ㄏㄨㄚ tīnghuà ★听话	形 従順である、聞き分けがよい
784	勇敢 ㄩㄥˇ ㄍㄢˇ yǒnggǎn	形 勇敢である
785	耐心 ㄋㄞˋ ㄒㄧㄣ nàixīn	形 我慢強い、根気強い
786	樂觀 ㄌㄜˋ ㄍㄨㄢ lèguān ★乐观	形 楽観的である ⟷ 悲觀
787	浪漫 ㄌㄤˋ ㄇㄢˋ làngmàn	形 ロマンチックである
788	親切 ㄑㄧㄣ ㄑㄧㄝˋ qīnqiè ★亲切	形 親しい、親しみがある、 心がこもっている
789	親密 ㄑㄧㄣ ㄇㄧˋ qīnmì ★亲密	形 親密である、親しい
790	親愛 ㄑㄧㄣ ㄞˋ qīn'ài ★亲爱	形 親愛なる
791	熱心 ㄖㄜˋ ㄒㄧㄣ rèxīn ★热心	形 熱心である、親切である

其實我不是一個聽話的小孩。

Qíshí wǒ búshì yí ge tīnghuà de xiǎohái.

実は私は聞き分けのよい子供ではありませんでした。

他很勇敢地面對自己的錯誤。

Tā hěn yǒnggǎnde miànduì zìjǐ de cuòwù.

彼は勇敢に自分の過ちと向き合いました。

題目雖然多了一點，耐心地做就能完成。

Tímù suīrán duōle yìdiǎn, nàixīnde zuò jiù néng wánchéng.

テーマは少し多いですが、我慢強くやれば完成させられます。

聽說樂觀的人活得比較久。

Tīngshuō lèguān de rén huóde bǐjiào jiǔ.

楽観的な人は比較的長生きできるそうです。

這首情歌真是浪漫。

Zhè shǒu qínggē zhēnshì làngmàn.

このラブソングは本当にロマンチックです。

朋友們都很親切。

Péngyǒumen dōu hěn qīnqiè.

友人たちはみんな親切です。

菲菲和祖父母很親密。

Fēifēi hé zǔfùmǔ hěn qīnmì.

菲菲は祖父母と親しいです。

親愛的顧客，感謝您的支持。

Qīn'ài de gùkè, gǎnxiè nín de zhīchí.

大切なお客さまへ、いつもお世話になっております。

他熱心地幫外國遊客指路。

Tā rèxīnde bāng wàiguó yóukè zhǐlù.

彼は親切に外国人観光客に道案内をしてあげます。

089

792 專心 ㄓㄨㄢ ㄒㄧㄣ
zhuānxīn
★专心

形 専念している、一心不乱である

793 用心 ㄩㄥ ㄒㄧㄣ
yòngxīn

形 心をこめる、気をつける、身を入れる

794 大方 ㄉㄚ ㄈㄤ
dàfāng

形 気前がよい、おっとりしている、
（様式や色が）上品である

795 小氣 ㄒㄧㄠ ㄑㄧ
xiǎoqì
★小气

形 けちである、気が小さい

796 可憐 ㄎㄜ ㄌㄧㄢ
kělián
★可怜

形 かわいそうである、哀れである

797 懶 ㄌㄢ
lǎn
★懒

形 ものぐさである、だるい

798 興奮 ㄒㄧㄥ ㄈㄣ
xīngfèn
★兴奋

形 興奮している

799 可笑 ㄎㄜ ㄒㄧㄠ
kěxiào

形 おかしい、滑稽である

800 意外 ㄧ ㄨㄞ
yìwài

形 意外である、思いがけない
名 思いがけない事故

專心寫功課，不要一直玩手機。

Zhuānxīn xiě gōngkè, búyào yìzhí wán shǒujī.

宿題に専念しなさい。ずっと携帯電話で遊んでいてはいけません。

我們同事做事都很用心。

Wǒmen tóngshì zuòshì dōu hěn yòngxīn.

私たちの同僚はいつも仕事に打ち込んでいます。

你要大方一點不要太小家子氣。

Nǐ yào dàfāng yìdiǎn búyào tài xiǎo jiāzi qì.

けちけちしないでもっと気前よくしてよ。

不要那麼小氣，快告訴我你喜歡誰。

Búyào nàme xiǎoqì, kuài gàosù wǒ nǐ xǐhuān shéi.

そんなにけちけちしないで早く誰が好きか教えてよ。

他用很可憐的表情跟老闆解釋。

Tā yòng hěn kělián de biǎoqíng gēn lǎobǎn jiěshì.

彼はあわれな表情で社長に釈明しました。

今天覺得好懶，不想動。

Jīntiān juéde hǎo lǎn, bùxiǎng dòng.

今日はとてもだるくて動きたくないです。

大家都很興奮地在看比賽。

Dàjiā dōu hěn xīngfènde zài kàn bǐsài.

みんな興奮して試合を見ています。

聽聽看你的理由有多可笑。

Tīngtīng kàn nǐ de lǐyóu yǒu duō kěxiào.

あなたの言い訳がどれだけおかしいか自分でも聞いてみなさい。

老實說，發生這樣的事一點都不意外。

Lǎoshí shuō, fāshēng zhèyàng de shì yìdiǎn dōu bú yìwài.

実をいえば、このようなことが起きたのはまったく意外ではありません。

801 怪 ㄍㄨㄞ、
guài
形 おかしい、怪しい
動 〜のせいにする、とがめる、責める

802 不ㄅㄨ、安ㄢ
bù'ān
形 落ち着かない、不安定である
⟷ 安心

803 煩ㄈㄢ´惱ㄋㄠ´
fánnǎo
★烦恼
形 思い悩む、悩み煩う
⟷ 愉快

804 著ㄓㄠ急ㄐㄧ´
zhāojí
★着急 zháojí
形 焦っている、いらいらしている

805 傷ㄕㄤ心ㄒㄧㄣ
shāngxīn
★伤心
形 悲しむ、心を痛める

806 失ㄕ望ㄨㄤ、
shīwàng
形 がっかりしている、気落ちしている
動 失望する ⟷ 希望

807 痛ㄊㄨㄥ、苦ㄎㄨ
tòngkǔ
形 苦痛である、つらい
⟷ 愉快、高興、開心、快樂

808 疼ㄊㄥ´
téng
形 痛い

809 恐ㄎㄨㄥ怖ㄅㄨ、
kǒngbù
★恐怖
形 恐ろしい

怪了，他今天怎麼沒來學校。

Guài le, tā jīntiān zěnme méi lái xuéxiào.

おかしい、どうして彼は今日学校に来ていないんだ。

第一次出國，總是心裡有一點不安。

Dì yī cì chūguó, zǒngshì xīnlǐ yǒuyìdiǎn bù'ān.

はじめての海外旅行はいつもちょっと不安なものです。

她正煩惱要選哪一個蛋糕。

Tā zhèng fánnǎo yào xuǎn nǎ yí ge dàngāo.

彼女はどのケーキを選ぼうか悩んでいるところです。

不要著急，你回家再把資料寄給我。

Búyào zhāojí, nǐ huíjiā zài bǎ zīliào jìgěi wǒ.

焦らないで、家に帰ってから私に資料を送ってください。

他很傷心，想著想著就哭了。

Tā hěn shāngxīn, xiǎngzhe xiǎngzhe jiù kū le.

彼はとても心を痛めて、考えているうちに泣いてしまいました。

他沒抽到演唱會的票，非常失望。

Tā méi chōudào yǎnchànghuì de piào, fēicháng shīwàng.

彼はライブのチケットを当てられず、とてもがっかりしました。

阿祥內心的痛苦說不出口。

Ā Xiáng nèixīn de tòngkǔ shuōbùchū kǒu.

阿祥の心の内のつらさは口に出して言えるものではありません。

沙子跑進眼睛裡，好疼。

Shāzi pǎojìn yǎnjīnglǐ, hǎo téng.

砂が目に入ってとても痛いです。

《大法師》這部電影太恐怖了。

«Dàfǎshī» zhè bù diànyǐng tài kǒngbù le.

『エクソシスト』という映画は怖すぎます。

810 驚訝 ㄐㄧㄥ ㄧㄚˋ
jīngyà
★惊讶

形 驚く、不思議に思う

811 了不起 ㄌㄧㄠˇ ㄅㄨˋ ㄑㄧˇ
liǎobùqǐ
★了不起

形 大したものである、すばらしい

812 厲害 ㄌㄧˋ ㄏㄞˋ
lìhài
★厉害

形 ひどい、甚だしい、すごい

813 糟 ㄗㄠ
zāo

形 まずい、丈夫でない、ひどい

814 過分 ㄍㄨㄛˋ ㄈㄣˋ
guòfèn
★过分

形 度を越している、ひどすぎる

過份とも書く。

815 完整 ㄨㄢˊ ㄓㄥˇ
wánzhěng

形 すっかり整っている、
欠けたところがない

816 完美 ㄨㄢˊ ㄇㄟˇ
wánměi

形 完璧である、非の打ち所がない

817 超級 ㄔㄠ ㄐㄧˊ
chāojí
★超级

形 スーパー、超〜

818 迷人 ㄇㄧˊ ㄖㄣˊ
mírén

形 夢中にさせる、魅力的である

哥哥驚訝地說不出話來。
Gēge jīngyàde shuōbùchū huà lái.

兄は驚いて言葉が出ませんでした。

她喜歡台灣，甚至開始學華語，真了不起。
Tā xǐhuān Táiwān, shènzhì kāishǐ xué Huáyǔ, zhēn liǎobùqǐ.

彼女は台湾が好きで、ひいては華語を勉強し始めました。本当に大したものです。

這場乒乓球比賽真是太厲害了。
Zhè chǎng pīngpāngqiú bǐsài zhēnshì tài lìhài le.

この卓球の試合は本当にすごかったです。

糟了，我忘記付信用卡的錢了。
Zāo le, wǒ wàngjì fù xìnyòngkǎ de qián le.

しまった、クレジットカードのお金を支払うのを忘れた。

你不要太過分。
Nǐ búyào tài guòfèn.

やりすぎないでください。

經過九年他紀錄的鹿港史更完整了。
Jīngguò jiǔ nián tā jìlù de Lùgǎngshǐ gèng wánzhěng le.

9年を経て、彼が記録した鹿港史はより完璧になりました。

沒有人是完美的。
Méiyǒu rén shì wánměi de.

完璧な人はいません。

這支球隊是傳說中的超級強隊。
Zhè zhī qiúduì shì chuánshuō zhōng de chāojí qiángduì.

この球団は伝説の最強チームです。

蒙娜麗莎的笑容真迷人。
Méngnàlìshā de xiàoróng zhēn mírén.

モナリザの微笑みは本当に魅力的です。

092

819 □□	流利 liúlì	形 流暢である、なめらかである

820 □□	便利 biànlì	形 便利である ⟷ **不便** 動 便宜を図る

821 □□	随便 suíbiàn ★随便	形 気軽である、自由である、 いい加減である 動 都合のよいようにする

822 □□	自在 zìzài	形 自由自在である、思いのままである

823 □□	顺利 shùnlì ★顺利	形 順調である

824 □□	可靠 kěkào	形 頼りになる、信頼できる、確実である

825 □□	必要 bìyào	形 必要である、必要とする

826 □□	难得 nándé ★难得	形 得難い、貴重である

827 □□	幸运 xìngyùn ★幸运	形 運がいい、幸せである 名 幸運 ⟷ **不幸**（828）

你的中文相當流利。
Nǐ de Zhōngwén xiāngdāng liúlì.

中国語がかなり流暢ですね。

台灣的便利商店真的很便利。
Táiwān de biànlì shāngdiàn zhēn de hěn biànlì.

台湾のコンビニは本当に便利です。

在外面不可以太隨便。
Zài wàimiàn bù kěyǐ tài suíbiàn.

外で好き勝手しすぎてはいけません。

一個人在這裡很不自在。
Yí ge rén zài zhèlǐ hěn bú zìzài.

1人でここにいるのは居心地が悪いです。

今天開會很順利。
Jīntiān kāihuì hěn shùnlì.

今日の会議は順調でした。

我這個朋友非常可靠。
Wǒ zhège péngyǒu fēicháng kěkào.

この友達は本当に頼りになります。

這是想要還是必要呢？
Zhè shì xiǎng yào háishì bìyào ne?

これはほしいだけなの、それとも必要なの？

難得你還想起了我。
Nándé nǐ hái xiǎngqǐle wǒ.

あなたが私のことを思い出してくれるとは珍しい。

她真是太幸運了。
Tā zhēnshì tài xìngyùn le.

彼女は本当に幸運すぎます。

197

093

828 不ㄅㄨˋ幸ㄒㄧㄥˋ
□
□ búxìng
□

形 不幸である、運が悪い
名 不幸、災難
⟷ 幸運（827）

829 適ㄕˋ當ㄉㄤ
□
□ shìdàng
□
★适当

形 ちょうどよい、適当である、ふさわしい
⟷ 不當

830 不ㄅㄨˊ當ㄉㄤ
□
□ búdàng
□
★不当

形 適当でない、妥当でない
⟷ 適當

831 不ㄅㄨˋ行ㄒㄧㄥˊ
□
□ bùxíng
□

形 だめである、よくない
動 いけない、許されない

832 重ㄓㄨㄥˋ大ㄉㄚˋ
□
□ zhòngdà
□

形 重大である

833 要ㄧㄠˋ緊ㄐㄧㄣˇ
□
□ yàojǐn
□
★要紧

形 重要である、大切である、深刻である

834 合ㄏㄜˊ理ㄌㄧˇ
□
□ hélǐ
□

形 合理的である、理にかなっている、
筋道が通っている

835 實ㄕˊ用ㄩㄥˋ
□
□ shíyòng
□
★实用

形 実用的である、役に立つ
動 実際に使用する、応用する

836 實ㄕˊ際ㄐㄧˋ
□
□ shíjì
□
★实际

形 実際の、具体的な
名 実際

迷□路ㄨ的ㄉ 小ㄒ 孩ㄏ 找ㄓ 到ㄉ 了ㄌ 是ㄕ 不ㄅ 幸ㄒ 中ㄓ 的ㄉ 大ㄉ 幸ㄒ 。

Mílù de xiǎohái zhǎodào le shì búxìng zhōng de dàxìng.

迷子の子供が見つかったのは不幸中の幸いです。

他ㄊ 說ㄕ 的ㄉ 話ㄏ 不ㄅ 太ㄊ 適ㄕ 當ㄉ 。

Tā shuō de huà bú tài shìdàng.

彼の話はあまり適切ではありません。

使ㄕ 用ㄩ 不ㄅ 當ㄉ 可ㄎ 造ㄗ 成ㄔ 機ㄐ 器ㄑ 使ㄕ 用ㄩ 時ㄕ 間ㄐ 變ㄅ 短ㄉ 。

Shǐyòng búdàng kě zàochéng jīqì shǐyòng shíjiān biànduǎn.

不適切な使用をすると、機器の使用期間が短くなる可能性があります。

我ㄨ 看ㄎ 你ㄋ 媽ㄇ 一ㄧ 定ㄉ 說ㄕ 不ㄅ 行ㄒ 。

Wǒ kàn nǐ mā yídìng shuō bùxíng.

あなたのお母さんは絶対にだめだと言うと私は思います。

總ㄗ 統ㄊ 下ㄒ 午ㄨ 要ㄧ 發ㄈ 表ㄅ 重ㄓ 大ㄉ 消ㄒ 息ㄒ 。

Zǒngtǒng xiàwǔ yào fābiǎo zhòngdà xiāoxí.

大統領は午後に重大な発表をします。

只ㄓ 是ㄕ 有ㄧ 點ㄉ 頭ㄊ 疼ㄊ ， 不ㄅ 要ㄧ 緊ㄐ 。

Zhǐshì yǒudiǎn tóuténg, bú yàojǐn.

少し頭が痛いだけで大丈夫です。

他ㄊ 總ㄗ 是ㄕ 說ㄕ 把ㄅ 不ㄅ 合ㄏ 理ㄌ 的ㄉ 要ㄧ 求ㄑ 當ㄉ 練ㄌ 習ㄒ 。

Tā zǒngshì shuō bǎ bù hélǐ de yāoqiú dāng liànxí.

彼はいつも理不尽な要求を鍛錬だと言います。

這ㄓ 台ㄊ 果ㄍ 汁ㄓ 機ㄐ 非ㄈ 常ㄔ 實ㄕ 用ㄩ 。

Zhè tái guǒzhījī fēicháng shíyòng.

このジューサーは非常に実用的です。

實ㄕ 際ㄐ 的ㄉ 外ㄨ 國ㄍ 生ㄕ 活ㄏ 還ㄏ 是ㄕ 不ㄅ 太ㄊ 一ㄧ 樣ㄧ 。

Shíjì de wàiguó shēnghuó háishì bú tài yíyàng.

実際の外国の生活はやはり少し違います。

094

837
□
□
□
正 ㄓㄥˋ 確 ㄑㄩㄝˋ
zhèngquè

★正确

形 正しい、正確である、適切である
⟷ 錯誤

838
□
□
□
準 ㄓㄨㄣˇ
zhǔn

★准

形 正確である、確実である

839
□
□
□
清 ㄑㄧㄥ
qīng

形 澄んでいる、はっきりしている、
きれいさっぱりとする

840
□
□
□
糊 ㄏㄨˊ 塗 ㄊㄨˊ
hútú

★糊涂

形 はっきりしない、めちゃくちゃである、
わけがわからない
⟷ 清楚、明白（845）

請告訴我正確的答案。
Qǐng gàosù wǒ zhèngquè de dá'àn.

正しい答えを教えてください。

教室的鐘不太準，慢了五分鐘。
Jiàoshì de zhōng bú tài zhǔn, mànle wǔ fēnzhōng.

教室の時計はあまり正確でなく、5分遅れています。

雨下太大，看不清前方。
Yǔ xià tài dà, kànbùqīng qiánfāng.

雨が強すぎて前がはっきり見えません。

你怎麼做這種糊塗事。
Nǐ zěnme zuò zhè zhǒng hútú shì.

どうしてこんなばかなことをしたの？

スーパーの定番商品

蘋菓西打
píngguǒ xīdǎ

やさしいリンゴの甘さがはじけるサイダー。子供からお年寄りまでみんなに愛される定番商品です。レトロなデザインもかわいらしいですね。

黑松沙士
hēisōng shāshì

「台湾コーラ」として親しまれる 1950 年発売の炭酸飲料。独特な味わいで好き嫌いが分かれるようですが、機会があれば一度試してみては !?

台灣啤酒金牌
Táiwān píjiǔ jīnpái

すっきりとした味わいのビール。果汁のおいしさがつまったフルーツフレーバーの商品もあるので、そちらはビールが苦手な人にもおすすめ！

泰山八寶粥
Tàishān bābǎozhōu

ピーナッツやあずきなど、8 種類の穀物が入った甘いぜんざい風のおかゆ。スイーツや朝ごはんとしてよく食べられています。

ジュースにお酒、お菓子など、現地のスーパーでよく見かける定番商品をピックアップしました。最近では日本国内にも台湾の食品を取り扱うお店があるので、機会があればぜひ探してみてください。

科_{ㄎㄜ}學_{ㄒㄩㄝ}麵_{ㄇㄧㄢ}

kēxuémiàn

- -

青いパッケージが目を引くインスタントラーメン。粉末スープをふりかけ、お湯をかけずにおやつとしてそのまま食べるのが台湾流。

花_{ㄏㄨㄚ}雕_{ㄉㄧㄠ}雞_{ㄐㄧ}麵_{ㄇㄧㄢ}

huādiāo jīmiàn

- -

一時は台湾で売り切れが続出したほど人気のカップラーメン。ごろっとしたチキンや、自社で製造するお酒を使った味わい深いスープが特徴。

乖_{ㄍㄨㄞ}乖_{ㄍㄨㄞ}

guāiguāi

- -

サクサクした食感のスナック菓子。なかでも緑色のココナッツ味は、パソコンや機械類を保護するお守りとしても重宝され、メディアで紹介されたこともあるとか。

義_ㄧ美_{ㄇㄟ}小_{ㄒㄧㄠ}泡_{ㄆㄠ}芙_{ㄈㄨ}

Yìměi xiǎopàofú

- -

老舗食品メーカー「義美食品」が販売するチョコレートパフ。縁結びの神様である龍山寺の月下老人の大好物としても知られています。

台北ノスタルジック散歩

　筆者は台北で育ちました。当時、通っていた高校は総統府の近くにあり、その風景は身近なものでした。けれど慣れ親しんだ通学路に日本統治時代の貴重な建築が立ち並んでいることに気がついたのは、日本に留学してからのことでした。台湾に帰省すると必ず、時間の許すかぎり周辺を散策しています。では、台北の歴史ある建築物を紹介しましょう。

　総統府は日本統治時代に台湾総督府として建てられ、その建物が現在も使用されています。1919 年に完成し、2019 年には築 100 年を迎えた歴史ある建造物です。

　高校生のころ、全校生徒が傘帽子をかぶって凱達格蘭大道の前にいた風景をぼんやり覚えていますが、それが 10 月 10 日の国慶日のことだったか元旦の国旗掲揚式典に参加したときのことだったかは忘れてしまいました。

　現在はパスポートを提示すれば、内部を見学することができ、無料の日本語ガイドもあります。最新の見学情報はホームページをチェックしてみてください。

　総統府の北側には**台湾銀行**があり、日本統治時代にも台湾銀行本店として使われていました。2007 年に放送されたテレビドラマ『華麗なる一族』のロケ地にもなったそうですよ。

　総統府の南側には**司法大廈**があります。緑色のタイルが特徴で、国定古跡として指定されています。そしてその向かいにあるのが台湾の名門校・台北市立第一女子高級中学。校舎は日本統治期からある建築物で、市の古跡にもなっています。

　近くにある**二二八和平公園**は台北市民の憩いのスポット。大規模な都市公園で敷地内にはさまざまな施設があります。**台北二二八記念館**はかつて台湾放送協会の放送局でしたが、現在は二・二八事件の概要や当時の台湾の様子を伝える施設として利用されています。公園内の**国立台湾博物館**は台湾で最も歴史のある博物館で、1908 年に設立されました。大きなドームが目を引きますね。

　公園のすぐ隣にある**台北賓館**は、現在でも海外からの賓客をもてなす迎賓館として使われています。バロック風の建物の北側には日本庭園もあります。

　他にも西門駅近くの**西門紅楼**や**北投温泉博物館**など、台北には日本統治時代の建築を再利用した観光スポットがたくさんあります。台北に立ち寄った際には景観を楽しみながらのんびり散歩してみてはいかがでしょう。

Step 3

動詞436語。意味を理解する
だけでなく、音声を繰り返し聞
いてリスニング力も鍛えていき
ましょう!

095

| 841 □□□ | 感_{ㄍㄢˇ}謝_{ㄒㄧㄝˋ}
gǎnxiè
★感谢 | 動 感謝する |

| 842 □□□ | 留_{ㄌㄧㄡˊ}學_{ㄒㄩㄝˊ}
liúxué
★留学 | 動[離] 留学する |

| 843 □□□ | 免_{ㄇㄧㄢˇ}費_{ㄈㄟˋ}
miǎnfèi
★免费 | 動 無料にする、ただにする
⟷ 收費（300） |

| 844 □□□ | 使_{ㄕˇ}用_{ㄩㄥˋ}
shǐyòng | 動 使う、使用する |

| 845 □□□ | 明_{ㄇㄧㄥˊ}白_{ㄅㄞˊ}
míngbái | 動 理解する、わかる ⟷ 不懂
形 明らかである、明白である ⟷ 糊塗（840） |

| 846 □□□ | 感_{ㄍㄢˇ}到_{ㄉㄠˋ}
gǎndào | 動 感じる、思う |

| 847 □□□ | 考_{ㄎㄠˇ}慮_{ㄌㄩˋ}
kǎolù
★考虑 | 動 考える、考慮する |

| 848 □□□ | 放_{ㄈㄤˋ}棄_{ㄑㄧˋ}
fàngqì
★放弃 | 動 放棄する、捨てる、あきらめる |

| 849 □□□ | 恭_{ㄍㄨㄥ}喜_{ㄒㄧˇ}
gōngxǐ | 動 お祝いを述べる |

非常感謝您的幫助。
Fēicháng gǎnxiè nín de bāngzhù.

ご協力に感謝いたします。

他女兒從小就想去歐洲留學。
Tā nǚ'ér cóngxiǎo jiù xiǎng qù Ōuzhōu liúxué.

彼の娘は小さなころからヨーロッパに留学に行きたいと思っています。

捷運站的 WiFi 是免費的。
Jiéyùnzhàn de WiFi shì miǎnfèi de.

MRTの駅のWiFi は無料です。

這個地方是公開給大家使用的。
Zhège dìfāng shì gōngkāi gěi dàjiā shǐyòng de.

この場所はみんなが使えるように公開されています。

我不明白老師說的話。
Wǒ bù míngbái lǎoshī shuō de huà.

私は先生の話がわかりません。

演講時我感到很多觀眾在看我。
Yǎnjiǎng shí wǒ gǎndào hěn duō guānzhòng zài kàn wǒ.

講演のとき、多くの観衆が私を見ているのを感じました。

你願意考慮一下新的工作條件嗎？
Nǐ yuànyì kǎolǜ yíxià xīn de gōngzuò tiáojiàn ma?

新しい労働条件について考えてみてくれませんか？

為了弟妹，他放棄了上大學的機會。
Wèile dì mèi, tā fàngqìle shàng dàxué de jīhuì.

弟や妹のために彼は大学に通うチャンスを捨てました。

恭喜你考上清華大學。
Gōngxǐ nǐ kǎoshàng Qīnghuá Dàxué.

清華大学合格おめでとう。

850 來ㄌㄞˊ不ㄅㄨˋ及ㄐㄧˊ
láibùjí
★来不及

動 間に合わない、追いつかない
⟷ 來得及

851 來ㄌㄞˊ得ㄉㄜ˙及ㄐㄧˊ
láidejí
★来得及

動 間に合う、追いつける
⟷ 來不及

852 做ㄗㄨㄛˋ出ㄔㄨ
zuòchū

動 作り出す、〜をする、しでかす、
（判断を）下す

853 吸ㄒㄧ引ㄧㄣˇ
xīyǐn
★吸引

動 （関心や注意、興味などを）引きつける

854 引ㄧㄣˇ起ㄑㄧˇ
yǐnqǐ
★引起

動 引き起こす、もたらす

855 造ㄗㄠˋ成ㄔㄥˊ
zàochéng

動 引き起こす、もたらす、
作り出す

856 變ㄅㄧㄢˋ成ㄔㄥˊ
biànchéng
★変成

動 〜に変わる、〜に変える

857 拿ㄋㄚˊ出ㄔㄨ
náchū

動 取り出す

858 拿ㄋㄚˊ起ㄑㄧˇ
náqǐ
★拿起

動 持ち上げる

我非走不可，不然來不及搭飛機。

Wǒ fēi zǒu bùkě, bùrán láibùjí dā fēijī.

私は行かないといけません、そうでなければ飛行機に間に合いません。

現在還來得及訂五星級飯店嗎？

Xiànzài hái láidejí dìng wǔxīngjí fàndiàn ma?

今でもまだ五つ星ホテルの予約が間に合いますか？

總經理常被要求做出最好的決定。

Zǒngjīnglǐ cháng bèi yāoqiú zuòchū zuì hǎo de juédìng.

経営者は常に最良の決断を求められます。

對小孩來說，好故事才能吸引他們。

Duì xiǎohái lái shuō, hǎo gùshì cái néng xīyǐn tāmen.

子供にとって、よいストーリーであってはじめて彼らを引きつけられます。

這樣一來不是會引起更多問題嗎？

Zhèyàng yì lái búshì huì yǐnqǐ gèng duō wèntí ma?

このようにするともっと多くの問題を引き起こしませんか？

大雨造成青菜價格變高。

Dàyǔ zàochéng qīngcài jiàgé biàngāo.

大雨が野菜の値上がりを引き起こしました。

男孩變成男人了。

Nánhái biànchéng nánrén le.

男の子は男性に変わりました。

他拿出兩百塊買玉蘭花。

Tā náchū liǎngbǎi kuài mǎi yùlánhuā.

彼は200元を取り出してハクモクレンを買いました。

他拿起手機開始打電話。

Tā náqǐ shǒujī kāishǐ dǎ diànhuà.

彼は携帯電話を持って電話をかけ始めました。

097

859 遇到 ㄉㄠˋ
yùdào

動 出会う、ぶつかる
関連 ▶▶ **遇見**
遇到は人以外にできごとにも使うことができる。

860 注ㄓㄨˋ意ˋ到ㄉㄠˋ
zhùyìdào

フ 気づく

861 一ㄧˋ般ㄅㄢ來ㄌㄞˊ說ㄕㄨㄛ
yìbān lái shuō
★一般来说

フ 一般的には

862 算ㄙㄨㄢˋ了ㄌㄜ
suàn le

フ やめにする、もういい

863 算ㄙㄨㄢˋ是ㄕˋ
suànshì

動 〜ということができる、みなす
副 どうにか、ようやく

864 分ㄈㄣ手ㄕㄡˇ
fēnshǒu

動[離] 別れる

865 嚇ㄒㄧㄚˋ一ㄧˊ跳ㄊㄧㄠˋ
xià yítiào
★吓一跳

フ びっくりする

866 發ㄈㄚ
fā
★发

動 発送する、送る、出す、起こる、
生じる

867 安ㄢ排ㄆㄞˊ
ānpái

動 手配する、調整する
名 段取り、スケジュール、配置

他 旅 行 總 是 遇 到 下 雨 天 。
Tā lǚxíng zǒngshì yùdào xiàyǔtiān.

彼は旅行するといつも雨に遭います。

我 注 意 到 你 最 近 吃 得 很 少 。
Wǒ zhùyìdào nǐ zuìjìn chīde hěn shǎo.

あなたが最近あまり食べないことに気づきました。

一 般 來 說 ， 在 台 灣 看 病 很 方 便 。
Yìbān lái shuō, zài Táiwān kànbìng hěn fāngbiàn.

一般的に、台湾で受診するのは便利です。

算 了 ， 我 還 是 不 要 去 了 。
Suàn le, wǒ háishì búyào qù le.

もういい、やっぱり行かないことにします。

這 可 以 算 是 全 民 努 力 得 來 的 成 功 。
Zhè kěyǐ suànshì quánmín nǔlì délái de chénggōng.

これは万民の努力によって得られた成功だといえます。

到 現 在 他 還 不 肯 說 他 們 分 手 的 理 由 。
Dào xiànzài tā hái bùkěn shuō tāmen fēnshǒu de lǐyóu.

彼は現在にいたるまで彼らが別れた理由をまだ言いたがりません。

三 年 不 見 你 長 這 麼 高 ， 嚇 我 一 跳 。
Sān nián bú jiàn nǐ zhǎng zhème gāo, xià wǒ yítiào.

3年会わないうちにこんなに背が高くなって私は驚きました。

我 回 家 以 後 給 你 發 短 訊 。
Wǒ huíjiā yǐhòu gěi nǐ fā duǎnxùn.

家に帰ったらメッセージを送ります。

請 你 安 排 學 生 們 的 宿 舍 。
Qǐng nǐ ānpái xuéshēngmen de sùshè.

学生たちの宿舎の手配をしてください。

868 呼吸 ㄒㄨ ㄒㄧ
hūxī
★呼吸

動 呼吸する

869 打噴嚏 ㄉㄚ ㄆㄣ ㄊㄧ
dǎ pēntì
★打喷嚏

フ くしゃみをする

870 咬 ㄧㄠ
yǎo

動 かむ、かじる、はさむ、かみ合う

871 吐 ㄊㄨ
tù

動 嘔吐する、（胃の中のものを）戻す、
（不正に入手したものを）戻す
関連 ▶ ▶ 吐 tǔ（946）

872 拉肚子 ㄌㄚ ㄉㄨ ㄗ
lā dùzi

フ 腹をくだす

873 醉 ㄗㄨㄟ
zuì

動 酔う、酔っぱらう、心を奪われる

874 喝醉 ㄏㄜ ㄗㄨㄟ
hēzuì

動 （酒を飲んで）酔っぱらう

875 臉紅 ㄌㄧㄢ ㄏㄨㄥ
liǎnhóng
★脸红

動 顔を赤くする

876 減肥 ㄐㄧㄢ ㄈㄟ
jiǎnféi
★减肥

動 減量する

他 很 緊 張 所 以 呼 吸 很 快。

Tā hěn jǐnzhāng suǒyǐ hūxī hěn kuài.

彼は緊張しているので呼吸が早いです。

花 粉 症 總 是 讓 我 一 直 打 噴 嚏。

Huāfěnzhèng zǒngshì ràng wǒ yìzhí dǎ pēntì.

花粉症で私はいつもくしゃみが止まりません。

誰 知 道 這 隻 貓 不 會 咬 老 鼠。

Shéi zhīdào zhè zhī māo búhuì yǎo lǎoshǔ.

この猫がネズミをつかまえられないなんて誰も知りません。

他 吃 了 不 新 鮮 的 海 鮮，吐 了 半 天。

Tā chīle bù xīnxiān de hǎixiān, tùle bàntiān.

彼は鮮度が落ちた海鮮を食べて、長い間嘔吐しました。

孩 子 早 上 拉 肚 子 所 以 遲 到 了。

Háizi zǎoshàng lā dùzi suǒyǐ chídào le.

子供が朝お腹をくだしたので遅刻しました。

他 這 麼 愛 哭 一 定 是 醉 了。

Tā zhème ài kū yídìng shì zuì le.

彼がこんなによく泣くなんて絶対に酔っぱらっています。

他 喝 醉 就 喜 歡 亂 說 話，別 理 他。

Tā hēzuì jiù xǐhuān luàn shuōhuà, bié lǐ tā.

彼は酔っぱらうとよく適当なことを言うからかまわないで。

說 到 女 朋 友 立 宏 馬 上 臉 紅 了。

Shuōdào nǚpéngyǒu Lìhóng mǎshàng liǎnhóng le.

彼女の話となると立宏はすぐ顔を赤くしました。

激 烈 的 減 肥 對 身 體 不 好。

Jīliè de jiǎnféi duì shēntǐ bù hǎo.

過激なダイエットは体によくありません。

099

877 □□□
受ㄕㄡˋ傷ㄕㄤ
shòushāng
★受伤

動[離] 怪我をする

878 □□□
疼ㄊㄥˊ痛ㄊㄨㄥˋ
téngtòng

動 痛む

879 □□□
發ㄈㄚ炎ㄧㄢˊ
fāyán
★发炎

動 炎症を起こす

880 □□□
醫ㄧ
yī
★医

動 治す、治療する
名 医学、医療

881 □□□
掛ㄍㄨㄚˋ號ㄏㄠˋ
guàhào
★挂号

動[離] 受付をする

882 □□□
住ㄓㄨˋ院ㄩㄢˋ
zhùyuàn

動[離] 入院する
⟷ 出院

883 □□□
出ㄔㄨ院ㄩㄢˋ
chūyuàn

動[離] 退院する
⟷ 住院

884 □□□
恢ㄏㄨㄟ復ㄈㄨˋ
huīfù
★恢复

動 回復する

885 □□□
指ㄓˇ
zhǐ

動 指さす、指し示す

你怎麼了？ 哪裡受傷了？
Nǐ zěnme le? Nǎlǐ shòushāng le?

どうしたの？ どこを怪我したの？

爺爺的腳最近常常疼痛。
Yéye de jiǎo zuìjìn chángcháng téngtòng.

祖父の足は最近よく痛みます。

你的眼睛紅紅的，是不是發炎了？
Nǐ de yǎnjīng hónghóng de, shìbúshì fāyán le?

目が赤いけど、炎症を起こしているんじゃない？

有病就要醫。
Yǒu bìng jiù yào yī.

病気になったら治療が必要です。

我待會兒去醫院掛號。
Wǒ dāihuǐr qù yīyuàn guàhào.

私は後で病院に行って受付をします。

他因為要動手術所以住院幾天。
Tā yīnwèi yào dòng shǒushù suǒyǐ zhùyuàn jǐ tiān.

彼は手術で数日入院しなければなりません。

阿嬤今天出院，我們去看她。
Āmà jīntiān chūyuàn, wǒmen qù kàn tā.

おばあちゃんが今日退院するから会いに行こう。

他手術後恢復得很好。
Tā shǒushù hòu huīfù de hěn hǎo.

彼の術後の回復は順調です。

請你指出這篇文章的錯誤。
Qǐng nǐ zhǐchū zhè piān wénzhāng de cuòwù.

この文章の誤りを指摘してください。

Step 3

体や健康・体を使った動作

886 □ □ □	摸 ㄇ ㄛ mō	動 触る、なでる、探る

887 □ □ □	擦 ㄘ ㄚ cā	動 こする、拭く、塗る、消す

888 □ □ □	翻 ㄈ ㄢ fān	動 めくる、ひっくり返る、ひっくり返す

889 □ □ □	貼 ㄊ ㄧ ㄝ tiē ★貼	動 貼る、くっつく

890 □ □ □	按 ㄢ àn	動 押す、押さえる 前 〜に基づく、〜どおりに

891 □ □ □	採 ㄘ ㄞ cǎi ★采	動 摘みとる、採取する、選びとる

892 □ □ □	握 ㄨ ㄛ wò	動 握る、支配する

893 □ □ □	握 ㄨ ㄛ 手 ㄕ ㄡ wòshǒu	動[離] 握手する

894 □ □ □	拍 ㄆ ㄞ 手 ㄕ ㄡ pāishǒu	動[離] 拍手をする、手をたたく

他摸了摸小狗的頭。
Tā mōlemō xiǎogǒu de tóu.

彼は子犬の頭をなでました。

媽媽在她手指頭上擦了藥。
Māma zài tā shǒuzhǐtoushàng cāle yào.

母親は彼女の手に薬を塗りました。

他翻開筆記本找筆記。
Tā fānkāi bǐjìběn zhǎo bǐjì.

彼はノートを開いてメモを探しています。

照片貼在這裡。
Zhàopiàn tiēzài zhèlǐ.

写真をここに貼ってください。

英文請按 8。日文請按 9。
Yīngwén qǐng àn bā. Rìwén qǐng àn jiǔ.

（電話の自動案内音声）英語は8を、日本語は9を押してください。

他把茉莉花採下來放在餐桌上。
Tā bǎ mòlìhuā cǎixiàlái fàngzài cānzhuōshàng.

彼はジャスミンの花を摘みとって、テーブルに置きました。

警察握有重要證據。
Jǐngchá wòyǒu zhòngyào zhèngjù.

警察は重要な証拠を握っています。

他一下跟人握手一下說話，非常忙。
Tā yíxià gēn rén wòshǒu yíxià shuōhuà, fēicháng máng.

彼は握手をしては話をして、とても忙しいです。

大家拍手恭喜得獎的學生。
Dàjiā pāishǒu gōngxǐ dé jiǎng de xuéshēng.

みんなは拍手をして受賞した学生を祝いました。

101

895
□
□
□
招手 ㄓㄠ ㄕㄡˇ
zhāoshǒu

動[離] 手を振る、手を振ってあいさつする

896
□
□
□
举手 ㄐㄩˇ ㄕㄡˇ
jǔshǒu
★举手

動[離] 手を挙げる

897
□
□
□
举 ㄐㄩˇ
jǔ
★举

動 挙げる、持ち上げる

898
□
□
□
抬 ㄊㄞˊ
tái

動 持ち上げる

擡とも書く。

899
□
□
□
端 ㄉㄨㄢ
duān

動 (両手で平らに) 持つ、さらけ出す

900
□
□
□
放下 ㄈㄤˋ ㄒㄧㄚˋ
fàngxià

動 置く、手放す、やめる

901
□
□
□
张开 ㄓㄤ ㄎㄞ
zhāngkāi
★张开

動 開く、広げる

902
□
□
□
抱 ㄅㄠˋ
bào

動 抱く、抱える

903
□
□
□
推 ㄊㄨㄟ
tuī

動 押す、推し進める

大ㄉㄚˋ表ㄅㄧㄠˇ哥ㄍㄜ 招ㄓㄠ 手ㄕㄡˇ叫ㄐㄧㄠˋ我ㄨㄛˇ們ㄇㄣ˙過ㄍㄨㄛˋ去ㄑㄩˋ 。

Dà biǎogē zhāoshǒu jiào wǒmen guòqù.

1番上のいとこは手を振って私たちを呼び寄せました。

意ㄧˋ見ㄐㄧㄢˋ太ㄊㄞˋ多ㄉㄨㄛ , 還ㄏㄞˊ是ㄕˋ舉ㄐㄩˇ手ㄕㄡˇ說ㄕㄨㄛ話ㄏㄨㄚˋ吧ㄅㄚ 。

Yìjiàn tài duō, háishì jǔshǒu shuōhuà ba.

意見が多すぎるのでやっぱり手を挙げて話しましょう。

弟ㄉㄧˋ弟ㄉㄧ˙太ㄊㄞˋ小ㄒㄧㄠˇ , 連ㄌㄧㄢˊ這ㄓㄜˋ個ㄍㄜ˙箱ㄒㄧㄤ子ㄗ˙都ㄉㄡ 舉ㄐㄩˇ不ㄅㄨˋ起ㄑㄧˇ來ㄌㄞˊ 。

Dìdi tài xiǎo, lián zhège xiāngzi dōu jǔbùqǐlái.

弟は小さすぎてこの箱でさえ持ち上げることができません。

幫ㄅㄤ我ㄨㄛˇ把ㄅㄚˇ桌ㄓㄨㄛ子ㄗ˙抬ㄊㄞˊ起ㄑㄧˇ來ㄌㄞˊ 。

Bāng wǒ bǎ zhuōzi táiqǐlái.

テーブルを持ち上げるのを手伝って。

新ㄒㄧㄣ娘ㄋㄧㄤˊ把ㄅㄚˇ茶ㄔㄚˊ端ㄉㄨㄢ出ㄔㄨ來ㄌㄞˊ 。

Xīnniáng bǎ chá duānchūlái.

花嫁がお茶を両手で持って捧げました。

放ㄈㄤˋ下ㄒㄧㄚˋ手ㄕㄡˇ邊ㄅㄧㄢ的ㄉㄜ˙工ㄍㄨㄥ作ㄗㄨㄛˋ先ㄒㄧㄢ休ㄒㄧㄡ息ㄒㄧ一ㄧˊ下ㄒㄧㄚˋ 。

Fàngxià shǒubiān de gōngzuò xiān xiūxí yíxià.

手元の仕事をやめてひとまず少し休憩してください。

阿ㄚ嬤ㄇㄚˊ張ㄓㄤ開ㄎㄞ雙ㄕㄨㄤ手ㄕㄡˇ抱ㄅㄠˋ了ㄌㄜ˙抱ㄅㄠˋ我ㄨㄛˇ 。

Āmà zhāngkāi shuāngshǒu bàolebào wǒ.

祖母は両手を開いて私を抱きしめました。

爸ㄅㄚˋ爸ㄅㄚ˙把ㄅㄚˇ受ㄕㄡˋ傷ㄕㄤ的ㄉㄜ˙孩ㄏㄞˊ子ㄗ˙抱ㄅㄠˋ起ㄑㄧˇ來ㄌㄞˊ 。

Bàba bǎ shòushāng de háizi bàoqǐlái.

父親は傷ついた子供を抱き上げました。

不ㄅㄨˋ要ㄧㄠˋ推ㄊㄨㄟ我ㄨㄛˇ 。

Búyào tuī wǒ.

私を押さないで。

904
□
□
□
投 ㄊㄡˊ
tóu

動 投げる

905
□
□
□
剪 ㄐㄧㄢˇ
jiǎn

動 (はさみで) 切る、裁つ

906
□
□
□
切 ㄑㄧㄝ
qiē

動 切る、裁つ

907
□
□
□
砍 ㄎㄢˇ
kǎn

動 (斧や刀で) 切る

908
□
□
□
敲 ㄑㄧㄠ
qiāo

動 たたく、打つ

909
□
□
□
扔 ㄖㄥ
rēng

動 捨てる、投げる

910
□
□
□
伸 ㄕㄣ
shēn

動 伸ばす、突き出す

911
□
□
□
搖 ㄧㄠˊ
yáo

★摇

動 揺れる、揺り動かす、振る

912
□
□
□
排 ㄆㄞˊ
pái

動 並ぶ、並べる
量 〜列 (横に並んだものを数える)

娜娜投了三個球都不進。
Nànà tóule sān ge qiú dōu bú jìn.

娜娜が投げた3球はどれも入りませんでした。

尾叔自己剪頭髮。
Wěi shú zìjǐ jiǎn tóufǎ.

尾おじさんは自分で髪を切ります。

你知道怎麼切蓮霧嗎？
Nǐ zhīdào zěnme qiē liánwù ma?

レンブをどうやって切るか知っていますか？

爺爺在砍樹。
Yéye zài kǎn shù.

祖父は木を切っているところです。

你聽，有人在敲門。
Nǐ tīng, yǒurén zài qiāomén.

ねえ、誰かがドアをノックしている。

不要亂扔垃圾。
Búyào luàn rēng lèsè.

ごみをポイ捨てしてはいけません。

大家都伸長了脖子看他的表情。
Dàjiā dōu shēnchángle bózi kàn tā de biǎoqíng.

みんなは首を伸ばして彼の表情を見ました。

他搖搖頭不說一句話。
Tā yáoyáotóu bù shuō yí jù huà.

彼は首を横に振って一言も言いませんでした。

把盤子排好。
Bǎ pánzi páihǎo.

お皿をきちんと並べて。

913 ☐☐☐	擺 ㄅㄞˇ bǎi ★摆	動 並べる、配置する、置く
914 ☐☐☐	藏 ㄘㄤˊ cáng	動 隠れる、隠す、しまう
915 ☐☐☐	挖 ㄨㄚ wā	動 掘る、掘り出す
916 ☐☐☐	躺 ㄊㄤˇ tǎng	動 横になる、寝そべる
917 ☐☐☐	躲 ㄉㄨㄛˇ duǒ	動 避ける、よける、隠れる
918 ☐☐☐	用力 ㄩㄥˋ ㄌㄧˋ yònglì	動 力を入れる、力を込める
919 ☐☐☐	移動 ㄧˊ ㄉㄨㄥˋ yídòng ★移动	動 移動する
920 ☐☐☐	出發 ㄔㄨ ㄈㄚ chūfā ★出发	動 出発する ⟷ 到達
921 ☐☐☐	到達 ㄉㄠˋ ㄉㄚˊ dàodá ★到达	動 到着する、着く ⟷ 出發

我想把花瓶擺這裡。
Wǒ xiǎng bǎ huāpíng bǎi zhèlǐ.

私はここに花瓶を置きたいです。

小狗把食物藏到花園裡。
Xiǎogǒu bǎ shíwù cángdào huāyuánlǐ.

子犬は食べ物を庭に隠しました。

誰在這裡挖了一個洞？
Shéi zài zhèlǐ wāle yí ge dòng?

誰がここに穴を掘ったのですか？

小狗躺在地上不肯起來。
Xiǎogǒu tǎngzài dìshàng bùkěn qǐlái.

子犬は地面に寝そべって起き上がろうとしません。

他在便利店裡躲雨。
Tā zài biànlìdiànlǐ duǒ yǔ.

彼はコンビニで雨宿りをしています。

再用力一點，孩子快生出來了。
Zài yònglì yìdiǎn, háizi kuài shēngchūlái le.

もっと力を入れて、もうすぐ子供が生まれてきますよ。

活動一結束，大家都往車站移動。
Huódòng yì jiéshù, dàjiā dōu wǎng chēzhàn yídòng.

イベントが終わるとみんな駅に向かって移動します。

爬象山要幾點出發比較好？
Pá Xiàngshān yào jǐ diǎn chūfā bǐjiào hǎo?

象山に登るのには何時に出発すればよいですか？

我們快要到達桃園機場了。
Wǒmen kuài yào dàodá Táoyuán Jīchǎng le.

私たちはもうすぐ桃園空港に到着します。

104

922 □□□	前_{ㄑㄢˊ}進_{ㄐㄧㄣˋ} qiánjìn ★前进	動 前に進む、前進する、発展する

922 □□□ 前進 qiánjìn ★前进 ― 動 前に進む、前進する、発展する

923 □□□ 入 rù ― 動 入る、入れる、加入する ⟷ 出

924 □□□ 進入 jìnrù ★进入 ― 動 入る

925 □□□ 入境 rùjìng ― 動 入国する ⟷ 出境

926 □□□ 靠近 kàojìn ― 動 近づく、近づける 関連 ▶▶ 接近

927 □□□ 接近 jiējìn ― 動 接近する、近づく、親しくする 関連 ▶▶ 靠近

928 □□□ 退步 tuìbù ― 動 後退する、退歩する ⟷ 進步

929 □□□ 逃 táo ― 動 逃げる、逃れる

930 □□□ 通 tōng ― 動 通じる、通る、通す

我們休息一下再繼續前進。

Wǒmen xiūxí yíxià zài jìxù qiánjìn.

ちょっと休憩してから
また引き続き前に進み
ましょう。

由以上的報告我們知道，病從口入。

Yóu yǐshàng de bàogào wǒmen zhīdào bìng cóng kǒu rù.

以上のレポートから私
たちは病気が口から入
ることを知りました。

國家已進入少子化時期。

Guójiā yǐ jìnrù shǎozǐhuà shíqí.

国はすでに少子化の時
期に入りました。

入境之前是要先填寫一些必須的資料。

Rùjìng zhīqián shì yào xiān tiánxiě yìxiē bìxū de zīliào.

入国前には必ず先にい
くつかの必要書類への
記入をしなければなり
ません。

他慢慢靠近，想拍那隻鳥。

Tā mànmàn kàojìn, xiǎng pāi nà zhī niǎo.

彼はゆっくり近づいて、
その鳥を撮ろうとして
います。

明天颱風會接近台東外海。

Míngtiān táifēng huì jiējìn Táidōng wàihǎi.

明日台風が台東の外海
に近づくでしょう。

考試成績退步了，你沒準備嗎？

Kǎoshì chéngjī tuìbù le, nǐ méi zhǔnbèi ma?

テストの成績が下がっ
たけど、準備をしな
かったの？

逃得了一時，逃不了一世。

Táodeliǎo yìshí, táobùliǎo yíshì.

少しの間逃げることは
できても一生逃げるこ
とはできません。

條條大路通羅馬。

Tiáotiáo dàlù tōng Luómǎ.

すべての道はローマに
通ず。

931 ☐☐☐	過去 guòqù ★过去	動 通り過ぎていく、過ぎて行く 名 過去

932 ☐☐☐	衝 chōng ★冲	動 突進する

933 ☐☐☐	衝突 chōngtú ★冲突	動 衝突する 名 衝突

934 ☐☐☐	來自 láizì ★来自	動 〜から来る

935 ☐☐☐	來回 láihuí ★来回	動 往復する、行ったり来たりする

936 ☐☐☐	趕 gǎn ★赶	動 追いかける、急ぐ

937 ☐☐☐	遇見 yùjiàn ★遇见	動 出会う、出くわす 関連 ▶▶ 遇到 **遇見**は人に使うことが多い。

938 ☐☐☐	見到 jiàndào ★见到	動 見かける、会う

939 ☐☐☐	碰 pèng	動 ぶつかる、出くわす

讓過去的事就過去吧。

Ràng guòqù de shì jiù guòqù ba.

過去のことは過去にしましょう。

他不但衝上去救孩子，
而且還帶她去醫院。

Tā búdàn chōngshàngqù jiù háizi, érqiě hái dài tā qù yīyuàn.

彼は子供を助けに突進したばかりでなく、さらに彼女を病院に連れて行きました。

這兩個會議的時間並不衝突。

Zhè liǎng ge huìyì de shíjiān bìng bù chōngtú.

この2つの会議の時間はまったくかち合いません。

滿天的星星是來自天空的禮物。

Mǎntiān de xīngxing shì láizì tiānkōng de lǐwù.

満天の星は空からの贈り物です。

台北到東京早就可以一日來回了。

Táiběi dào Dōngjīng zǎo jiù kěyǐ yí rì láihuí le.

台北から東京まではとっくに1日で往復することができるようになりました。

時間不夠，太趕了。

Shíjiān búgòu, tài gǎn le.

時間が足りない、どうしよう。

什麼時候才能遇見適合的人？

Shénme shíhòu cái néng yùjiàn shìhé de rén?

いつになったらふさわしい人に出会えるのでしょうか？

我想快一點見到你。

Wǒ xiǎng kuài yìdiǎn jiàndào nǐ.

私は早くあなたに会いたいです。

硬碰硬總是有人受傷。

Yìng pèng yìng zǒngshì yǒu rén shòushāng.

強固な態度に対して強固な態度でぶつかり合うと必ず誰かが傷つきます。

940
碰ㄆㄥ到ㄉㄠˋ
pèngdào

動 出会う、ぶつかる
関連 ▶▶ 碰見

941
碰ㄆㄥ見ㄐㄧㄢˋ
pèngjiàn

★碰见

動 出会う、出くわす
関連 ▶▶ 碰到

942
碰ㄆㄥ面ㄇㄧㄢˋ
pèngmiàn

動 顔を合わせる、会う

943
表ㄅㄧㄠˇ現ㄒㄧㄢˋ
biǎoxiàn

★表现

動 表現する、あらわれる
名 表現、態度

944
表ㄅㄧㄠˇ達ㄉㄚˊ
biǎodá

★表达

動 表現する、伝える

945
說ㄕㄨㄛ出ㄔㄨ
shuōchū

★说出

動 言う、口外する

946
吐ㄊㄨˇ
tǔ

動 吐く、吐き出す、話す
関連 ▶▶ 吐 tù（871）

947
喊ㄏㄢˇ
hǎn

動 叫ぶ、わめく、（人を）呼ぶ

948
名ㄇㄧㄥˊ叫ㄐㄧㄠˋ
míngjiào

動 ～という（名前である）

我今天在街上碰到我的中學同學。

Wǒ jīntiān zài jiēshàng pèngdào wǒ de zhōngxué tóngxué.

私は今日、街で中学校のクラスメートに出会いました。

昨天才在公園碰見你爸爸。

Zuótiān cái zài gōngyuán pèngjiàn nǐ bàba.

昨日公園であなたのお父さんに出会ったばかりです。

我們在明星咖啡館碰面吧。

Wǒmen zài Míngxīng Kāfēiguǎn pèngmiàn ba.

私たちは明星咖啡館で会いましょう。

※明星咖啡館：台北にある老舗の喫茶店

他表現出高興的樣子。

Tā biǎoxiànchū gāoxìng de yàngzi.

彼は嬉しそうな様子を見せました。

我不知道他想表達什麼。

Wǒ bù zhīdào tā xiǎng biǎodá shénme.

彼が何を言いたいか私はわかりません。

他一直不敢說出事實。

Tā yìzhí bùgǎn shuōchū shìshí.

彼はずっと事実を言いだそうとしません。

酒後吐真言。

Jiǔ hòu tǔ zhēnyán.

お酒を飲むと本音が出ます。

建華，你媽在喊你回家吃飯了。

Jiànhuá, nǐ mā zài hǎn nǐ huíjiā chīfàn le.

建華、ごはんだよ、帰っておいでとあなたのお母さんが呼んでいるよ。

他名叫史艷文。

Tā míngjiào Shǐ Yànwén.

彼は史艷文といいます。

949 稱為 イ ㄟˊ ㄨ ㄟˊ
chēngwéi
★称为

動 ～といわれる、～と呼ばれる

950 據說 ㄐ ㄩˋ ㄕ ㄨ ㄛ
jùshuō
★据说

動 ～だそうだ、聞くところによれば
関連 ▶▶ 聽說

951 提到 ㄊ ㄧˊ ㄉ ㄠˋ
tídào

動 ～に言及する、話が～に触れる

952 舉例 ㄐ ㄩˇ ㄌ ㄧˋ
jǔlì
★举例

動[離] 例を挙げる

953 抱怨 ㄅ ㄠˋ ㄩ ㄢˋ
bàoyuàn

動 不満に思う、恨みごとをいう

954 解釋 ㄐ ㄧ ㄝˇ ㄕˋ
jiěshì
★解释

動 解釈する、説明する、言い訳する
名 説明、解釈、弁明

955 講話 ㄐ ㄧ ㄤˇ ㄏ ㄨㄚˋ
jiǎnghuà
★讲话

動 話をする、発言する
名 講義、演説

956 演講 ㄧ ㄢˇ ㄐ ㄧ ㄤˇ
yǎnjiǎng
★演讲

動 演説する、講演する

957 通知 ㄊ ㄨ ㄥ ㄓ
tōngzhī

動 知らせる、通知する
名 通知、知らせ

十五分鐘又稱為一刻鐘。
Shíwǔ fēnzhōng yòu chēngwéi yíkèzhōng.

15分は"一刻鐘"ともいわれます。

據說他跟呂律師是朋友。
Jùshuō tā gēn Lǚ lǜshī shì péngyǒu.

彼は呂弁護士と友人だそうです。

提到玉山就想到國家公園。
Tídào Yùshān jiù xiǎngdào Guójiā Gōngyuán.

玉山といえば、国立公園が思い浮かびます。

如果有不同想法，那麼你可以舉例嗎？
Rúguǒ yǒu bùtóng xiǎngfǎ, nàme nǐ kěyǐ jǔlì ma?

違う考えがあるなら例を挙げてくれますか？

大家都不想聽吳小姐的抱怨。
Dàjiā dōu bùxiǎng tīng Wú xiǎojiě de bàoyuàn.

みんな呉さんの愚痴を聞きたがりません。

他正在解釋事情經過。
Tā zhèngzài jiěshì shìqíng jīngguò.

彼はことのいきさつを説明しているところです。

他講話講得很快。
Tā jiǎnghuà jiǎngde hěn kuài.

彼は話すのが速いです。

我們想邀請您來演講。
Wǒmen xiǎng yāoqǐng nín lái yǎnjiǎng.

私たちはあなたに講演をお願いしたいです。

等結果出來我們會通知您。
Děng jiéguǒ chūlái wǒmen huì tōngzhī nín.

結果が出ましたらあなたにお伝えします。

958
打听 ㄉㄚˇ 聽 ㄊㄧㄥ
dǎtīng
★打听

動 尋ねる

959
商 ㄕㄤ 量 ㄌㄧㄤˊ
shāngliáng

動 話し合う、相談する

960
傳 ㄔㄨㄢˊ 來 ㄌㄞˊ
chuánlái
★传来

動 伝える、伝わる、伝わってくる

961
溝 ㄍㄡ 通 ㄊㄨㄥ
gōutōng
★沟通

動 コミュニケーションをとる、交流する

962
打 ㄉㄚˇ 招 ㄓㄠ 呼 ㄏㄨ
dǎ zhāohū

フ あいさつをする

963
問 ㄨㄣˋ 好 ㄏㄠˇ
wènhǎo
★问好

動[離] ご機嫌を伺う、よろしく伝える

964
接 ㄐㄧㄝ 觸 ㄔㄨˋ
jiēchù
★接触

動 触れる、接触する

965
交 ㄐㄧㄠ 流 ㄌㄧㄡˊ
jiāoliú

動 交流する、交換する

966
交 ㄐㄧㄠ 換 ㄏㄨㄢˋ
jiāohuàn
★交换

動 交換する、やり取りする

我想打聽一下這個人的消息。

Wǒ xiǎng dǎtīng yíxià zhège rén de xiāoxi.

私はこの人の情報をちょっとお尋ねしたいです。

孫子們商量好要給梁爺爺一個禮物。

Sūnzimen shāngliánghǎo yào gěi Liáng yéye yí ge lǐwù.

孫たちは相談して梁おじいさんにプレゼントをあげることにしました。

遠處傳來電話聲。

Yuǎnchù chuánlái diànhuà shēng.

遠くから電話の音がします。

溝通也是一門藝術。

Gōutōng yě shì yì mén yìshù.

コミュニケーションもひとつの芸術です。

我去跟趙叔叔打招呼。

Wǒ qù gēn Zhào shúshu dǎ zhāohū.

私は趙おじさんにあいさつしてきます。

請替我跟您家人問好。

Qǐng tì wǒ gēn nín jiārén wènhǎo.

私に代わってご家族によろしくお伝えください。

高橋最近開始接觸台灣文化。

Gāoqiáo zuìjìn kāishǐ jiēchù Táiwān wénhuà.

高橋さんは最近、台湾の文化に触れ始めました。

既然是海島國家就要重視國際交流。

Jìrán shì hǎidǎo guójiā jiù yào zhòngshì guójì jiāoliú.

島国である以上、国際交流を重視しなければなりません。

我想申請去當交換留學生。

Wǒ xiǎng shēnqǐng qù dāng jiāohuàn liúxuéshēng.

私は交換留学生の申し込みをしたいです。

967 相處
xiāngchǔ
★相处

動 付き合う、生活や仕事をともにする

968 分享
fēnxiǎng

動 共有する、分かち合う

969 享受
xiǎngshòu

動 享受する、楽しむ、受ける

970 救
jiù

動 救う、助ける

971 協助
xiézhù
★协助

動 協力する、助ける

972 配合
pèihé

動 力を合わせる、歩調を合わせる

973 支持
zhīchí

動 支持する、支える

974 靠
kào

動 頼る、寄りかかる、近づく

975 信任
xìnrèn

動 信用する、信頼して任せる
⟷ **懷疑**（976）

阿Y聰ㄘㄨㄥ是ㄕ一ㄧ個ㄍㄜ容ㄖㄨㄥ易ㄧ相ㄒㄧㄤ處ㄔㄨ的ㄉㄜ人ㄖㄣ。

Ā Cōng shì yí ge róngyì xiāngchǔ de rén.

阿聰は付き合いやすい人です。

得ㄉㄜ獎ㄐㄧㄤ作ㄗㄨㄛ者ㄓㄜ跟ㄍㄣ學ㄒㄩㄝ生ㄕㄥ分ㄈㄣ享ㄒㄧㄤ人ㄖㄣ生ㄕㄥ經ㄐㄧㄥ驗ㄧㄢ。

Dé jiǎng zuòzhě gēn xuéshēng fēnxiǎng rénshēng jīngyàn.

受賞作家は人生で経験したことを学生と共有しました。

我ㄨㄛ很ㄏㄣ享ㄒㄧㄤ受ㄕㄡ與ㄩ家ㄐㄧㄚ人ㄖㄣ相ㄒㄧㄤ處ㄔㄨ的ㄉㄜ時ㄕ間ㄐㄧㄢ。

Wǒ hěn xiǎngshòu yǔ jiārén xiāngchǔ de shíjiān.

私は家族と共に過ごす時間をとても楽しんでいます。

他ㄊㄚ救ㄐㄧㄡ了ㄌㄜ我ㄨㄛ一ㄧ命ㄇㄧㄥ。

Tā jiùle wǒ yí mìng.

彼は私の命を救いました。

順ㄕㄨㄣ吉ㄐㄧ協ㄒㄧㄝ助ㄓㄨ老ㄌㄠ奶ㄋㄞ奶ㄋㄞ過ㄍㄨㄛ馬ㄇㄚ路ㄌㄨ。

Shùnjí xiézhù lǎonǎinai guò mǎlù.

順吉は年老いたおばあさんが道路を渡るのを助けました。

敬ㄐㄧㄥ請ㄑㄧㄥ配ㄆㄟ合ㄏㄜ公ㄍㄨㄥ司ㄙ的ㄉㄜ政ㄓㄥ策ㄘㄜ。

Jìngqǐng pèihé gōngsī de zhèngcè.

会社の方針にご協力くださいますようお願い申し上げます。

你ㄋㄧ支ㄓ持ㄔ彩ㄘㄞ虹ㄏㄨㄥ活ㄏㄨㄛ動ㄉㄨㄥ嗎ㄇㄚ？

Nǐ zhīchí cǎihóng huódòng ma?

LGBT の活動を支持しますか？

在ㄗㄞ外ㄨㄞ面ㄇㄧㄢ要ㄧㄠ靠ㄎㄠ朋ㄆㄥ友ㄧㄡ。

Zài wàimiàn yào kào péngyǒu.

外では友人を頼りなさい。

值ㄓ得ㄉㄜ信ㄒㄧㄣ任ㄖㄣ的ㄉㄜ朋ㄆㄥ友ㄧㄡ才ㄘㄞ是ㄕ真ㄓㄣ朋ㄆㄥ友ㄧㄡ。

Zhíde xìnrèn de péngyǒu cái shì zhēn péngyǒu.

信用に値する友人こそが真の友人です。

976 懷疑 huáiyí

ㄏㄨㄞˊ ㄧˊ

★怀疑

動 疑う、推測する
⟷ **信任**（975）

977 聯絡 liánluò

ㄌㄧㄢˊ ㄌㄨㄛˋ

★联络＜联系 liánxì

動 連絡する

978 加入 jiārù

ㄐㄧㄚ ㄖㄨˋ

動 加入する、参加する、加える
⟷ **退出**

979 管 guǎn

ㄍㄨㄢˇ

動 かまう、扱う、管理する

980 邀請 yāoqǐng

ㄧㄠ ㄑㄧㄥˇ

★邀请

動 招待する、招く

981 聚 jù

ㄐㄩˋ

★聚

動 集まる、集める

982 拜訪 bàifǎng

ㄅㄞˋ ㄈㄤˇ

★拜访

動 訪問する、訪れる

983 訪問 fǎngwèn

ㄈㄤˇ ㄨㄣˋ

★访问

動 訪問する、訪れる

984 勸 quàn

ㄑㄩㄢˋ

★劝

動 勧める、なだめる、励ます

我懷疑你是不是愛上他了？

Wǒ huáiyí nǐ shìbúshì àishàng tā le?

あなたは彼を愛しているんじゃないかと私は疑っています。

我要怎麼跟您聯絡呢？

Wǒ yào zěnme gēn nín liánluò ne?

私はあなたとどうやって連絡を取ればいいですか？

他積極地加入各種團體認識新朋友。

Tā jījíde jiārù gè zhǒng tuántǐ rènshì xīn péngyǒu.

彼はさまざまな団体に積極的に参加して新しい友達と知り合いました。

不要管我。我跟他們合不來。

Búyào guǎn wǒ. Wǒ gēn tāmen hébùlái.

私にかまわないでください。私は彼らと馬が合いません。

我想邀請大學同學來家裡吃飯。

Wǒ xiǎng yāoqǐng dàxué tóngxué lái jiālǐ chīfàn.

私は大学のクラスメートを家に招いて食事をしたいです。

什麼時候有時間大家聚一聚？

Shénme shíhòu yǒu shíjiān dàjiā jùyíjù?

いつみんなで集まる時間がありますか？

今天我們要去拜訪總統府。

Jīntiān wǒmen yào qù bàifǎng zǒngtǒngfǔ.

今日私たちは総統府を訪問します。

有客戶來訪問彰化的工廠。

Yǒu kèhù lái fǎngwèn Zhānghuà de gōngchǎng.

彰化の工場を訪問しに来る取引先がいます。

姑姑勸我要早睡早起。

Gūgu quàn wǒ yào zǎo shuì zǎo qǐ.

おばは私に早寝早起きをしなさいと勧めてきます。

985
推薦 _{ㄊㄨㄟ ㄐㄧㄢ}
tuījiàn
★推荐

動 推薦する、推す

986
鼓勵 _{ㄍㄨˇ ㄌㄧˋ}
gǔlì
★鼓励

動 励ます、奨励する
名 励み、激励

987
提醒 _{ㄊㄧˊ ㄒㄧㄥˇ}
tíxǐng

動 注意を促す、ヒントを与える

988
批評 _{ㄆㄧ ㄆㄧㄥˊ}
pīpíng
★批评

動 批判する、批評する

989
罵 _{ㄇㄚˋ}
mà
★骂

動 ののしる、責める

990
吵架 _{ㄔㄠˇ ㄐㄧㄚˋ}
chǎojià

動[離] 口げんかをする、口論する

991
打架 _{ㄉㄚˇ ㄐㄧㄚˋ}
dǎjià

動[離] けんかをする

992
抱歉 _{ㄅㄠˋ ㄑㄧㄢˋ}
bàoqiàn

動 すまなく思う、申し訳なく思う

993
原諒 _{ㄩㄢˊ ㄌㄧㄤˋ}
yuánliàng
★原谅

動 許す、勘弁する

妹妹被推薦參加歌唱比賽。

Mèimei bèi tuījiàn cānjiā gēchàng bǐsài.

妹は歌唱コンクールへの出場を推薦されました。

老師鼓勵學生積極參加比賽。

Lǎoshī gǔlì xuéshēng jījí cānjiā bǐsài.

先生は学生が積極的にコンテストに参加するよう促しました。

姊姊提醒我開慢一點。

Jiějie tíxǐng wǒ kāi màn yìdiǎn.

姉は私にもう少しゆっくり運転するよう注意を促しました。

不要只批評別人，不想想自己。

Búyào zhǐ pīpíng biérén, bù xiǎngxiǎng zìjǐ.

他人を批判してばかりで自分のことを考えないのはいけません。

是我不對，你可以罵我罵個夠。

Shì wǒ búduì, nǐ kěyǐ mà wǒ mà ge gòu.

それは私が悪い。気が済むまで私を責めればよい。

不要吵架。

Búyào chǎojià.

けんかしないで。

這隻貓喜歡打架。

Zhè zhī māo xǐhuān dǎjià.

この猫はよくけんかします。

造成您的不方便，我深感抱歉。

Zàochéng nín de bù fāngbiàn, wǒ shēn gǎn bàoqiàn.

ご不便をおかけしましてたいへん申し訳ございいません。

我不是故意的，請你原諒我。

Wǒ búshì gùyì de, qǐng nǐ yuánliàng wǒ.

わざとではないのです。どうか私を許してください。

239

994
騙 ㄆㄧㄢˋ
piàn
★骗

動 だます、だまし取る

995
騙人 ㄆㄧㄢˋ ㄖㄣˊ
piànrén
★骗人

動 人をだます

996
受騙 ㄕㄡˋ ㄆㄧㄢˋ
shòupiàn
★受骗

動[離] だまされる

997
接受 ㄐㄧㄝ ㄕㄡˋ
jiēshòu

動 受け取る、受け入れる
⟷ 拒絕

998
拒絕 ㄐㄩˋ ㄐㄩㄝˊ
jùjué
★拒绝

動 拒絶する、拒む
⟷ 接受

999
受到 ㄕㄡˋ ㄉㄠˋ
shòudào

動 受ける、被る

1000
答應 ㄉㄚ ㄧㄥˋ
dāyìng
★答应

動 返事をする、承諾する
⟷ 反對

1001
反對 ㄈㄢˇ ㄉㄨㄟˋ
fǎnduì
★反对

動 反対する、拒否する
⟷ 答應

1002
點頭 ㄉㄧㄢˇ ㄊㄡˊ
diǎntóu
★点头

動[離] うなずく、同意する、会釈する
⟷ 搖頭

不要被他的外表騙了。

Búyào bèi tā de wàibiǎo piàn le.

彼の外見にだまされないで。

你騙人。你臉上還有一小塊蛋糕。

Nǐ piànrén. Nǐ liǎnshàng hái yǒu yì xiǎo kuài dàngāo.

嘘つき。まだ顔にケーキのかけらがついている。

爺爺受騙了。錢都被騙光了。

Yéye shòupiàn le. Qián dōu bèi piànguāng le.

祖父はだまされて、お金をすべて取られてしまいました。

我不能接受這個條件。

Wǒ bùnéng jiēshòu zhège tiáojiàn.

私はこの条件を受け入れられません。

他態度太差所以被人家拒絕了。

Tā tàidù tài chà suǒyǐ bèi rénjia jùjué le.

彼の態度はひどすぎたのでその人に拒絶されました。

少數民族文化應該受到更多關心。

Shǎoshù mínzú wénhuà yīnggāi shòudào gèng duō guānxīn.

少数民族の文化はもっと多くの関心を寄せられるべきです。

另外，這是你答應我的條件。

Lìngwài, zhè shì nǐ dāyìng wǒ de tiáojiàn.

その他に、これがあなたが承諾した条件です。

不要因為別人反對就跟著反對。

Búyào yīnwèi biérén fǎnduì jiù gēnzhe fǎnduì.

人が反対しているからといってそれに従って反対してはいけません。

這件事我還在等老闆點頭。

Zhè jiàn shì wǒ hái zài děng lǎobǎn diǎntóu.

この件について私はまだ社長が同意するのを待っているところです。

| 1003 | 好ˇ | 動 好む、よく〜しがちである |
| hào | |

1003 好ˇ
□
□ hào

動 好む、よく〜しがちである

1004 喜ˇ愛ˋ
□
□ xǐ'ài

★喜爱

動 好む、好きである、かわいがる
⟷ 討厭

1005 討ˇ厭ˋ
□
□ tǎoyàn

★讨厌

動 嫌う、嫌がる ⟷ 喜愛
形 嫌である、面倒である

1006 受ˋ不ˋ了ˇ
□
□ shòubùliǎo

動 耐えられない、我慢できない
⟷ 受得了

1007 受ˋ得ˊ了ˇ
□
□ shòudeliǎo

動 耐えられる、我慢できる
⟷ 受不了

1008 放ˋ鬆
□
□ fàngsōng

★放松

動 リラックスする、緩める、
おろそかにする

1009 懶ˇ得˙
□
□ lǎnde

★懒得

動 〜するのが面倒である、
〜する気がしない

1010 同ˊ情ˊ
□
□ tóngqíng

動 同情する、共感する、共鳴する

1011 心ˉ想ˇ
□
□ xīnxiǎng

動 心に思う、(〜する)つもりである

人們總是好為人師。

Rénmen zǒngshì hào wéi rén shī.

人は先生のように他人に教えたがる（教師面したがる）ものです。

歌迷們很喜愛鄧麗君的歌聲。

Gēmímen hěn xǐ'ài Dèng Lìjūn de gēshēng.

ファンはテレサ・テンの歌声が好きです。

他討厭菸味。

Tā tǎoyàn yānwèi.

彼はたばこのにおいが嫌いです。

我真受不了你。

Wǒ zhēn shòubùliǎo nǐ.

あなたには本当にうんざりです。

誰受得了這麼不公平的事？

Shéi shòudeliǎo zhème bù gōngpíng de shì?

誰がこんな不公平なことに耐えられるというんだ？

放鬆一下，不要太緊張。

Fàngsōng yíxià, búyào tài jǐnzhāng.

ちょっとリラックスして、緊張しすぎないで。

他很煩，我懶得跟他說。

Tā hěn fán, wǒ lǎnde gēn tā shuō.

彼はうるさいので、私は彼に言うのが面倒です。

大家都很同情這位學生。

Dàjiā dōu hěn tóngqíng zhè wèi xuéshēng.

みんなはその学生にとても同情しました。

武松心想，山裡怎麼可能碰到老虎。

Wǔsōng xīnxiǎng, shānlǐ zěnme kěnéng pèngdào lǎohǔ.

武松は山でトラに出くわすはずがないと心に思いました。

1012
想念 ㄒㄧㄤˇ ㄋㄧㄢˋ
□
□
xiǎngniàn

動 懐かしむ、恋しがる

1013
在乎 ㄗㄞˋ ㄏㄨ
□
□
zàihū

動 気にかける、意に介する、〜にある

1014
期待 ㄑㄧˊ ㄉㄞˋ
□
□
qídài

★ qīdài

動 期待する、待ち望む

1015
預期 ㄩˋ ㄑㄧˊ
□
□
yùqí

★预期 yùqī

動 予期する、期待する
名 期待、予測

1016
滿足 ㄇㄢˇ ㄗㄨˊ
□
□
mǎnzú

★满足

動 満足する、満足させる、満たす

1017
值得 ㄓˊ ㄉㄜ
□
□
zhíde

動 割に合う、値段に見合う
価値がある、〜する値打ちがある

1018
嚇 ㄒㄧㄚˋ
□
□
xià

★吓

動 脅かす、驚かす

1019
感動 ㄍㄢˇ ㄉㄨㄥˋ
□
□
gǎndòng

★感动

動 感動する、感動させる

1020
忍 ㄖㄣˇ
□
□
rěn

動 耐える、こらえる

在國外的人常常會想念家鄉。

Zài guówài de rén chángcháng huì xiǎngniàn jiāxiāng.

国外にいる人はよく故郷が恋しくなるものです。

他都不在乎了，你還在乎什麼呢？

Tā dōu bú zàihū le, nǐ hái zàihū shénme ne?

彼はもうまったく気にしていないのに、あなたは何をまだ気にしているの？

期待您的回信。

Qídài nín de huíxìn.

ご返信をお待ちしております。

計畫的成果不如預期。

Jìhuà de chéngguǒ bùrú yùqí.

計画の成果は期待したほどではありませんでした。

知道滿足的人更幸福。

Zhīdào mǎnzú de rén gèng xìngfú.

足るを知る人はより幸せです。

每個人都值得被愛。

Měi ge rén dōu zhíde bèi ài.

誰もがみんな愛される価値があります。

說話別那麼大聲，你嚇到小孩了。

Shuōhuà bié nàme dàshēng, nǐ xiàdào xiǎohái le.

そんなに大声で話さないで、子供が驚いたよ。

他的話讓大家都很感動。

Tā de huà ràng dàjiā dōu hěn gǎndòng.

彼の話はみんなを感動させました。

別理他，忍一忍。

Bié lǐ tā, rěnyìrěn.

彼に取り合わないで、我慢して。

115

1021 □ □
恨 ㄏㄣˋ
hèn

動 恨む、憎む、嫌う

1022 □ □
瘋 ㄈㄥ
fēng
★疯

動 気がおかしくなる、正気でない、思う存分遊ぶ

1023 □ □
曉得 ㄒㄧㄠˇ˙ㄉㄜ
xiǎode
★晓得

動 知っている、わかっている

1024 □ □
懂得 ㄉㄨㄥˇ˙ㄉㄜ
dǒngde

動 わかる、理解している

1025 □ □
認得 ㄖㄣˋ˙ㄉㄜ
rènde
★认得

動 知っている

1026 □ □
熟悉 ㄕㄡˊㄒㄧ
shóuxī
★ shúxi

動 よく知っている、熟知する、把握する

1027 □ □
思考 ㄙ ㄎㄠˇ
sīkǎo

動 深く考える、思考する

1028 □ □
想起 ㄒㄧㄤˇㄑㄧˇ
xiǎngqǐ
★想起

動 思い出す、思い起こす

1029 □ □
回想 ㄏㄨㄟˊㄒㄧㄤˇ
huíxiǎng

動 思い返す、回想する

不要恨我，我都是為了你好。

Búyào hèn wǒ, wǒ dōu shì wèile nǐ hǎo.

私を恨まないで。すべてはあなたのためです。

你瘋了嗎？ 在街上大叫我愛你。

Nǐ fēng le ma? Zài jiēshàng dàjiào wǒ ài nǐ.

気がおかしくなったの？ 道で愛していると叫ぶなんて。

他不曉得台灣有位女性總統。

Tā bù xiǎode Táiwān yǒu wèi nǚxìng zǒngtǒng.

彼は台湾に女性の総統がいることを知りません。

我想你不懂得我的心。

Wǒ xiǎng nǐ bù dǒngde wǒ de xīn.

あなたは私の気持ちを理解していないと思います。

你長大了，我都快不認得了。

Nǐ zhǎngdà le, wǒ dōu kuài bú rènde le.

大きくなりましたね、私はすぐにわかりませんでした。

他們還不太熟悉附近的環境。

Tāmen hái bú tài shóuxī fùjìn de huánjìng.

彼らはまだ近くの環境に詳しくありません。

你怎麼思考人生的方向呢？

Nǐ zěnme sīkǎo rénshēng de fāngxiàng ne?

人生の方向性をどのように考えていますか？

看到阿輝伯，我想起我的阿公。

Kàndào Ā Huī bó, wǒ xiǎngqǐ wǒ de āgōng.

阿輝おじさんを見ると、私は自分の祖父を思い出します。

傑瑞常常回想起和湯姆一起住的事情。

Jiéruì cháng huíxiǎngqǐ hé Tāngmǔ yìqǐ zhù de shìqíng.

ジェリーはよくトムと一緒に暮らしたことを思い返します。

1030
回頭 ㄊㄡˊ
huítóu

動 振り返る、改心する、悔い改める

★回头

1031
想像 ㄒㄧㄤˇ ㄒㄧㄤˋ
xiǎngxiàng

動 想像する

1032
猜 ㄘㄞ
cāi

動 推測する、当てる、疑う

1033
形容 ㄒㄧㄥˊ ㄖㄨㄥˊ
xíngróng

動 形容する

1034
記 ㄐㄧˋ
jì

動 覚える、記憶する、記録する

★记

1035
難忘 ㄋㄢˊ ㄨㄤˋ
nánwàng

動 忘れがたい

★难忘

1036
當作 ㄉㄤˋ ㄗㄨㄛˋ
dàngzuò

動 ～とみなす、～と思う

★当作

當做とも書く。

1037
當成 ㄉㄤˋ ㄔㄥˊ
dàngchéng

動 ～とみなす、～と思う

★当成

1038
承認 ㄔㄥˊ ㄖㄣˋ
chéngrèn

動 認める、承認する

★承认

她‡回‡頭‡看‡了‡我‡一‡眼‡。
Tā huítóu kànle wǒ yìyǎn.

彼女は振り返って私を
見ました。

你‡怎‡麼‡想‡像‡我‡們‡的‡未‡來‡？
Nǐ zěnme xiǎngxiàng wǒmen de wèilái?

私たちの未来をどう想
像しているの？

阿‡朋‡說‡他‡永‡遠‡猜‡不‡到‡女‡
人‡心‡。
Ā Péng shuō tā yǒngyuǎn cāibúdào nǚrén xīn.

女性が何を考えている
か永遠に推測できない
と阿朋は言いました。

這‡盤‡菜‡的‡美‡味‡沒‡有‡辦‡法‡
形‡容‡。
Zhè pán cài de měiwèi méiyǒu bànfǎ xíngróng.

この料理のおいしさは
例えようがありません。

把‡客‡戶‡的‡話‡記‡下‡來‡。
Bǎ kèhù de huà jìxiàlái.

取引先の話を書き留め
てください。

那‡是‡個‡難‡忘‡的‡經‡驗‡。
Nà shì ge nánwàng de jīngyàn.

あれは忘れがたい経験
です。

我‡就‡當‡作‡你‡從‡來‡沒‡來‡過‡。
Wǒ jiù dàngzuò nǐ cónglái méi láiguò.

私はあなたがこれまで
来たことがないという
ことにします。

大‡家‡早‡已‡把‡她‡當‡成‡是‡明‡
星‡了‡。
Dàjiā zǎoyǐ bǎ tā dàngchéng shì míngxīng le.

みんなは彼女を早くか
らスター扱いするよう
になりました。

哥‡哥‡終‡於‡承‡認‡偷‡吃‡我‡的‡
蛋‡糕‡。
Gēge zhōngyú chéngrèn tōuchī wǒ de dàngāo.

兄はついに私のケーキ
を盗み食いしたことを
認めました。

1039 □ □ □	確定ㄨㄜˋ定ㄉ丨ㄥˋ quèdìng ★确定	動 確定する、はっきり決める 形 たしかである、確定している
1040 □ □ □	看ㄎㄢˋ出ㄔㄨ kànchū	動 見分ける、見抜く
1041 □ □ □	看ㄎㄢˋ不ㄅㄨˋ起ㄑㄧˇ kànbùqǐ ★看不起	動 軽く見る、見下す、見くびる ⟷ 看得起
1042 □ □ □	看ㄎㄢˋ得ㄉㄜ起ㄑㄧˇ kàndeqǐ ★看得起	動 重く見る、重視する ⟷ 看不起
1043 □ □ □	重ㄓㄨㄥˋ視ㄕˋ zhòngshì ★重视	動 重視する、重く見る 関連 ▶▶ 注重
1044 □ □ □	忽ㄏㄨ略ㄌㄩㄝˋ hūlüè	動 おろそかにする、見落とす、 注意を払わない
1045 □ □ □	必ㄅㄧˋ需ㄒㄩ bìxū	動 欠かすことのできない、 どうしても必要である
1046 □ □ □	不ㄅㄨˋ如ㄖㄨˊ bùrú	動 〜には及ばない 接 （〜よりは）〜の方がよい
1047 □ □ □	生ㄕㄥ shēng	動 産む、生まれる、成長する 形 生である、熟れていない

你ˇ確ˋ定ˋ她ˉ是ˋ澳ˋ洲ˉ人ㄖ嗎˙？
Nǐ quèdìng tā shì Àozhōurén ma?

彼女がオーストラリア
人なのはたしかです
か？

我ˇ看ˋ不ˋ出ˉ妳ˇ已ˇ經ˉ五ˇ十ˊ歲ˋ
了˙。
Wǒ kànbùchū nǐ yǐjīng wǔshí suì le.

あなたがもう50歳だ
と私はわかりませんで
した。

不ˋ要ˋ看ˋ不ˋ起ˇ自ˋ己ˇ，再ˋ說ˉ
你ˇ都ˉ還ˊ沒ˊ試ˋ過ˋ。
Búyào kànbùqǐ zìjǐ, zài shuō nǐ dōu hái méi shìguò.

自分を軽んじてはいけ
ません。ましてあなた
はまだ何も試していま
せん。

謝ˋ謝˙你ˇ看ˋ得˙起ˇ我ˇ來ˊ做ˋ這ˋ
個˙計ˋ畫ˋ。
Xièxie nǐ kàndeqǐ wǒ lái zuò zhège jìhuà.

私がこの計画を実行す
るのを重視してくれて
ありがとう。

你ˇ如ˊ果ˇ重ˋ視ˋ客ˋ戶ˋ就ˋ不ˋ會ˋ
這ˋ麼˙做ˋ。
Nǐ rúguǒ zhòngshì kèhù jiù búhuì zhème zuò.

取引先を重視している
ならそういうふうには
しないずです。

不ˋ要ˋ忽ˉ略ˋ嬰ˉ兒ˊ的˙哭ˉ聲ˉ。
Búyào hūlüè yīng'ér de kūshēng.

赤ん坊の泣き声を無視
しないで。

那ˋ個˙案ˋ子˙必ˋ需ˉ這ˋ五ˇ個˙人ㄖ
合ˊ作ˋ。
Nàge ànzi bìxū zhè wǔ ge rén hézuò.

そのプロジェクトには
この5人の協力が必要
です。

光ˉ是ˋ這ˋ一ˋ點ˇ我ˇ就ˋ不ˋ如ˊ你ˇ
了˙。
Guāng shì zhè yìdiǎn wǒ jiù bùrú nǐ le.

この1点だけでも私は
あなたに及びません。

史ˇ家ˉ的˙小ˇ兒ㄦ子˙是ˋ在ˋ台ˊ灣ˉ
生ˉ的˙。
Shǐjiā de xiǎo érzi shì zài Táiwān shēng de.

史さんの家の下の子供
は台湾で生まれました。

1048	生ˉㄥ産ㄔˇㄢ shēngchǎn ★生产	動 子供を産む 生産する ⟷ 消費
1049	生ˉㄥ長ㄓˇㄤ shēngzhǎng ★生长	動 生長する、大きくなる、生まれ育つ
1050	成ㄔˊㄥ長ㄓˇㄤ chéngzhǎng ★成长	動 成長する、成熟する、発展する
1051	成ㄔˊㄥ熟ㄕˊㄡ chéngshóu ★chéngshú	動（果物や人、時期などが）熟す、 成熟する
1052	養ㄧˇㄤ yǎng ★养	動 養う、育てる、飼う
1053	餵ㄨㄟˋ wèi ★喂	動 食べさせる、動物にえさをやる
1054	談ㄊˊㄢ戀ㄌㄧˋㄢ愛ㄞˋ tán liàn'ài ★谈恋爱	フ 恋愛をする
1055	失ㄕ戀ㄌㄧˋㄢ shīliàn ★失恋	動 失恋する
1056	分ㄈㄣ開ㄎㄞ fēnkāi ★分开	動 別れる、分ける、離れる ⟷ 集中（1228）

嫂嫂覺得自然生產最好。

Sǎosao juéde zìrán shēngchǎn zuì hǎo.

兄嫁は自然出産が最もよいと思っています。

阿福生長在幸福的家庭裡。

Ā Fú shēngzhǎngzài xìngfú de jiātínglǐ.

阿福は幸せな家庭で生まれ育ちました。

留學幾年他成長了許多。

Liúxué jǐ nián tā chéngzhǎngle xǔduō.

数年留学して彼はたくさん成長しました。

院子裡的百香果快成熟了。

Yuànzilǐ de bǎixiāngguǒ kuài chéngshóu le.

庭のパッションフルーツはもうすぐ熟します。

他養這兩隻兔子，養了好幾年。

Tā yǎng zhè liǎng zhī tùzi, yǎngle hǎo jǐ nián.

彼はこの2羽のウサギを飼って何年にもなります。

阿嬤餵孫子吃稀飯。

Āmà wèi sūnzi chī xīfàn.

祖母は孫におかゆを食べさせます。

他忙著和結衣談戀愛。

Tā mángzhe hàn Jiéyī tán liàn'ài.

彼は結衣との恋にかまけています。

失戀以後，他再也不去那家咖啡店。

Shīliàn yǐhòu, tā zài yě bú qù nà jiā kāfēidiàn.

失恋後、彼は二度とあの喫茶店に行きませんでした。

他們分開很久了。

Tāmen fēnkāi hěn jiǔ le.

彼らが別れてだいぶ経ちます。

1057	嫁 ㄐㄧㄚˋ jià	動 嫁ぐ、嫁がせる

| 1058 | 訂婚 ㄉㄧㄥˋ ㄏㄨㄣ
dìnghūn
★订婚 | 動[離] 婚約する
関連 ▶▶ **結婚、離婚** |

| 1059 | 離婚 ㄌㄧˊ ㄏㄨㄣ
líhūn
★离婚 | 動[離] 離婚する
⟷ **結婚**
関連 ▶▶ **訂婚** |

| 1060 | 退休 ㄊㄨㄟˋ ㄒㄧㄡ
tuìxiū | 動（定年）退職する、引退する |

| 1061 | 死亡 ㄙˇ ㄨㄤˊ
sǐwáng | 動 亡くなる、死亡する
⟷ **出生** |

| 1062 | 殺 ㄕㄚ
shā
★杀 | 動 殺す、死なせる |

| 1063 | 自殺 ㄗˋ ㄕㄚ
zìshā
★自杀 | 動 自殺する |

| 1064 | 慶祝 ㄑㄧㄥˋ ㄓㄨˋ
qìngzhù
★庆祝 | 動 祝う、慶祝する |

| 1065 | 度過 ㄉㄨˋ ㄍㄨㄛˋ
dùguò
★度过 | 動 過ごす
渡過とも書く。 |

表妹嫁到日本去了。
Biǎomèi jiàdào Rìběn qù le.

いとこは日本に嫁いでいきました。

小舅打算五月訂婚，然後八月結婚。
Xiǎojiù dǎsuàn wǔyuè dìnghūn, ránhòu bāyuè jiéhūn.

下のおじさんは5月に婚約して、それから8月に結婚する予定です。

媽媽離過兩次婚。
Māma líguò liǎng cì hūn.

母は2回離婚したことがあります。

她離退休還有幾年。
Tā lí tuìxiū hái yǒu jǐ nián.

彼女は定年退職まであと数年あります。

死亡帶給我們什麼想法？
Sǐwáng dàigěi wǒmen shénme xiǎngfǎ?

死は私たちにどんな考えをもたらしましたか？

你知道以前殺雞的時候要先拜拜嗎？
Nǐ zhīdào yǐqián shā jī de shíhòu yào xiān bàibài ma?

昔はニワトリを殺すときにまずお祈りをしなければならなかったと知っていますか？

自殺不能解決問題。
Zìshā bùnéng jiějué wèntí.

自殺によって問題を解決することはできません。

明天情人節，我們要怎麼慶祝？
Míngtiān Qíngrénjié, wǒmen yào zěnme qìngzhù?

明日はバレンタインデーだよ。どうやってお祝いする？

我不曉得她怎麼度過這幾天。
Wǒ bù xiǎode tā zěnme dùguò zhè jǐ tiān.

彼女がここ数日をどう過ごしたか私は知りません。

1066 ☐☐☐	**休閒** ㄒㄧㄡ ㄒㄧㄢˊ xiūxián ★休闲	動 のんびり過ごす、休む
1067 ☐☐☐	**弄錯** ㄋㄨㄥˋ ㄘㄨㄛˋ nòngcuò ★弄错	動 間違える、やり損ねる
1068 ☐☐☐	**犯** ㄈㄢˋ fàn	動 犯す、侵す、起こる
1069 ☐☐☐	**犯罪** ㄈㄢˋ ㄗㄨㄟˋ fànzuì	動[離] 犯罪を犯す 名 犯罪
1070 ☐☐☐	**用餐** ㄩㄥˋ ㄘㄢ yòngcān	動 食事をする
1071 ☐☐☐	**聚餐** ㄐㄩˋ ㄘㄢ jùcān ★聚餐	動[離] 会食する
1072 ☐☐☐	**慢用** ㄇㄢˋ ㄩㄥˋ màn yòng	フ ゆっくり食べる
1073 ☐☐☐	**打包** ㄉㄚˇ ㄅㄠ dǎbāo	動 梱包する、（残った料理を持ち帰るために）パックに詰める、テイクアウトする
1074 ☐☐☐	**加熱** ㄐㄧㄚ ㄖㄜˋ jiārè ★加热	動 加熱する

他‍就‍算‍再‍忙‍也‍要‍做‍一‍些‍休‍閒‍活‍動。
Tā jiùsuàn zài máng yě yào zuò yìxiē xiūxián huódòng.

彼はどんなに忙しくてもレジャー活動をします。

你‍弄‍錯‍了，我‍不‍是‍阿‍郎。
Nǐ nòngcuò le, wǒ búshì Ā Láng.

あなたは間違っています。私は阿郎ではありません。

他‍犯‍了‍一‍個‍錯，因‍此‍計‍畫‍要‍改。
Tā fànle yí ge cuò, yīncǐ jìhuà yào gǎi.

彼がミスを犯したので計画を修正しなければなりません。

他‍到‍底‍犯‍了‍什‍麼‍罪？
Tā dàodǐ fànle shénme zuì?

彼はいったいどんな罪を犯したの？

十‍二‍點‍半‍到‍一‍點‍半‍是‍用‍餐‍時‍間。
Shí'èr diǎn bàn dào yì diǎn bàn shì yòngcān shíjiān.

12時半から1時半は食事をする時間です。

晚‍上‍六‍點‍到‍九‍點‍我‍跟‍同‍學‍聚‍餐。
Wǎnshàng liù diǎn dào jiǔ diǎn wǒ gēn tóngxué jùcān.

夜6時から9時まで私はクラスメートと食事をします。

這‍是‍您‍的‍嘉‍義‍雞‍肉‍飯，請‍慢‍用。
Zhè shì nín de Jiāyì jīròufàn, qǐng màn yòng.

こちらは嘉義の鶏肉飯です。ごゆっくりお召しあがりください。

這‍些‍菜‍可‍以‍打‍包‍嗎？
Zhèxiē cài kěyǐ dǎbāo ma?

これらの料理を包んで持ち帰ってもいいですか？

把‍這‍鍋‍香‍菇‍雞‍湯‍拿‍去‍加‍熱‍一‍下‍吧。
Bǎ zhè guō xiānggū jītāng náqù jiārè yíxià ba.

この香菇鶏湯を持っていって少し加熱してちょうだい。
※香菇鶏湯：シイタケと鶏肉が入ったスープ

1075
□
□
□
煮飯 ㄓㄨˇ ㄈㄢˋ
zhǔfàn

★做饭 zuòfàn

動 料理する

普通話の**煮饭**は「ごはんを炊く」。

1076
□
□
□
煮 ㄓㄨˇ
zhǔ

動 煮る、ゆでる、炊く

1077
□
□
□
燒 ㄕㄠ
shāo

★烧

動 燃やす、燃える、焼く、煮炊きする

1078
□
□
□
煎 ㄐㄧㄢ
jiān

動 焼く、いる

1079
□
□
□
倒 ㄉㄠˋ
dào

動 つぐ、注ぐ、逆さまにする、逆にする、
　（車を）バックさせる
副 むしろ、かえって、意外にも、
　思いがけず

1080
□
□
□
蓋 ㄍㄞˋ
gài

★盖

動 ふたをする、（建物などを）建てる

1081
□
□
□
淋浴 ㄌㄧㄣˊ ㄩˋ
línyù

動 シャワーを浴びる

1082
□
□
□
熬夜 ㄠˊ ㄧㄝˋ
áoyè

★熬夜

動[離] 夜更かしする、徹夜する

1083
□
□
□
過夜 ㄍㄨㄛˋ ㄧㄝˋ
guòyè

★过夜

動 一夜を過ごす

他不會煮飯。
Tā búhuì zhǔfàn.

彼は料理ができません。

絲瓜麵線要怎麼煮？
Sīguā miànxiàn yào zěnme zhǔ?

ヘチマの麺線はどうやって作りますか？

我們燒開水泡茶吧。
Wǒmen shāo kāishuǐ pào chá ba.

お湯をわかしてお茶を入れましょう。

哥哥正在煎牛排。
Gēge zhèngzài jiān niúpái.

兄はステーキを焼いているところです。

快來給田中教授倒茶。
Kuài lái gěi Tiánzhōng jiàoshòu dào chá.

早く田中教授にお茶つぎに来て。

叫阿弟幫我把蓋子蓋起來。
Jiào ādì bāng wǒ bǎ gàizi gàiqǐlái.

弟を呼んでふたを閉めるのを手伝ってもらいます。

泡溫泉以前先淋浴。
Pào wēnquán yǐqián xiān línyù.

温泉につかる前にまずはシャワーを浴びましょう。

小時候常熬夜看小說。
Xiǎoshíhòu cháng áoyè kàn xiǎoshuō.

小さいころよく夜更かしをして小説を読んでいました。

太晚了，在這裡過夜吧。
Tài wǎn le, zài zhèlǐ guòyè ba.

もう遅いからここで夜を過ごしましょう。

Step 3

❀ 生活

122

1084
做夢 _{ㄗㄨㄛˋ ㄇㄥˋ}
zuòmèng

★做梦

動[離] 夢を見る、幻想を抱く、空想する

作夢とも書く。

1085
醒 _{ㄒㄧㄥˇ}
xǐng

動 覚める、目覚める

1086
叫醒 _{ㄐㄧㄠˋ ㄒㄧㄥˇ}
jiàoxǐng

動 起こす、呼び覚ます

1087
付出 _{ㄈㄨˋ ㄔㄨ}
fùchū

動 費やす、払う

1088
費 _{ㄈㄟˋ}
fèi

★费

動 費やす、無駄に使う
名 費用、料金

1089
花費 _{ㄏㄨㄚ ㄈㄟˋ}
huāfèi

★花费

動 費やす、かける
名 出費、支出

1090
浪費 _{ㄌㄤˋ ㄈㄟˋ}
làngfèi

★浪费

動 無駄に使う、浪費する

1091
講價 _{ㄐㄧㄤˇ ㄐㄧㄚˋ}
jiǎngjià

★讲价

動[離] 値段の交渉をする

1092
訂購 _{ㄉㄧㄥˋ ㄍㄡˋ}
dìnggòu

★订购

動 注文する、発注する

你想追子瑜，這簡直是做夢。

Nǐ xiǎng zhuī Zǐyú, zhè jiǎnzhí shì zuòmèng.

子瑜を追いかけたいというのはまるで夢を見ているようなものです。

醒醒吧！ 你們已經分手了。

Xǐngxǐng ba! Nǐmen yǐjīng fēnshǒu le.

目を覚まして！ あなたたちはもう別れたんですよ。

不要叫醒他，最近他太累了。

Búyào jiàoxǐng tā, zuìjìn tā tài lèi le.

彼を起こさないで。最近とても疲れているから。

哥哥付出很多努力才拿到一百分。

Gēge fùchū hěn duō nǔlì cái nádào yìbǎi fēn.

兄は多大なる努力をしてやっと100点を取りました。

他費了好大功夫才買到票。

Tā fèile hǎo dà gōngfu cái mǎidào piào.

彼はたくさん苦労してようやくチケットを買うことができました。

在台灣環島要花費多少錢？

Zài Táiwān huándǎo yào huāfèi duōshǎo qián?

台湾を一周するのにいくらかかりますか？

不要浪費時間，快寫功課。

Búyào làngfèi shíjiān, kuài xiě gōngkè.

時間を無駄にしないで早く宿題をしなさい。

不講價的話，這幅畫就貴了兩倍。

Bù jiǎngjià dehuà, zhè fú huà jiù guìle liǎng bèi.

値段の交渉をしなければ、その絵は2倍も高くなります。

他從網路訂購了乾拌麵。

Tā cóng wǎnglù dìnggòule gānbànmiàn.

彼はネットで乾拌麺を注文しました。

※乾拌麺：汁なしのまぜそば

123

1093 購買 ㄍㄡˋ ㄇㄞˇ
gòumǎi
★购买
動 購入する、購買する

1094 買單 ㄇㄞˇ ㄉㄢ
mǎidān
★买单
動 勘定を支払う

1095 找錢 ㄓㄠˇ ㄑㄧㄢˊ
zhǎoqián
★找钱
動[離] お釣りを出す

1096 賺 ㄓㄨㄢˋ
zhuàn
★赚
動 かせぐ、もうける、もうかる

1097 賺錢 ㄓㄨㄢˋ ㄑㄧㄢˊ
zhuànqián
★赚钱
動[離] 金をかせぐ、金をもうける、金がもうかる

1098 發財 ㄈㄚ ㄘㄞˊ
fācái
★发财
フ お金持ちになる、財を築く

1099 省 ㄕㄥˇ
shěng
動 節約する、省く
名 〜省

1100 整理 ㄓㄥˇ ㄌㄧˇ
zhěnglǐ
動 整理する、片付ける

1101 掃 ㄙㄠˇ
sǎo
★扫
動 掃く

262

從_{ちょ}購_{ちょ}買_{ちょ}力_{ちょ}也_{ちょ}可_{ちょ}以_{ちょ}看_{ちょ}出_{ちょ}經_{ちょ}濟_{ちょ}能_{ちょ}力_{ちょ}。

Cóng gòumǎilì yě kěyǐ kànchū jīngjì nénglì.

購買力から経済力も見て取ることができます。

他_{ちょ}走_{ちょ}過_{ちょ}來_{ちょ}幫_{ちょ}我_{ちょ}買_{ちょ}單_{ちょ}。

Tā zǒuguòlái bāng wǒ mǎidān.

彼は歩いてきて私が勘定を支払うのを手伝ってくれました。

先_{ちょ}生_{ちょ}，我_{ちょ}還_{ちょ}沒_{ちょ}找_{ちょ}錢_{ちょ}呢_{ちょ}！

Xiānshēng, wǒ hái méi zhǎoqián ne!

すみません、まだお釣りを渡していませんよ！

有_{ちょ}的_{ちょ}大_{ちょ}學_{ちょ}生_{ちょ}需_{ちょ}要_{ちょ}打_{ちょ}工_{ちょ}賺_{ちょ}生_{ちょ}活_{ちょ}費_{ちょ}。

Yǒu de dàxuéshēng xūyào dǎgōng zhuàn shēnghuófèi.

アルバイトで生活費をかせがなければならない大学生もいます。

生_{ちょ}活_{ちょ}的_{ちょ}目_{ちょ}的_{ちょ}不_{ちょ}是_{ちょ}只_{ちょ}有_{ちょ}賺_{ちょ}錢_{ちょ}而_{ちょ}已_{ちょ}。

Shēnghuó de mùdì búshì zhǐyǒu zhuànqián éryǐ.

生活の目的はただお金をかせぐことだけではありません。

恭_{ちょ}喜_{ちょ}發_{ちょ}財_{ちょ}！

Gōngxǐ fācái!

お金持ちになれますように（＝謹賀新年）！
※中華圏の新年のあいさつの決まり文句

你_{ちょ}省_{ちょ}一_{ちょ}省_{ちょ}吧_{ちょ}。他_{ちょ}是_{ちょ}不_{ちょ}會_{ちょ}聽_{ちょ}你_{ちょ}的_{ちょ}。

Nǐ shěngyìshěng ba. Tā shì búhuì tīng nǐ de.

もうやめなよ。彼はあなたの言うことなんて聞かないのだから。

你_{ちょ}房_{ちょ}間_{ちょ}要_{ちょ}整_{ちょ}理_{ちょ}一_{ちょ}下_{ちょ}了_{ちょ}吧_{ちょ}？

Nǐ fángjiān yào zhěnglǐ yíxià le ba?

そろそろ部屋を掃除しなければならないでしょう？

快_{ちょ}把_{ちょ}地_{ちょ}掃_{ちょ}一_{ちょ}掃_{ちょ}。

Kuài bǎ dì sǎoyìsǎo.

早く床を掃いてください。

1102	打掃 ㄉㄚˇ ㄙㄠˇ dǎsǎo ★打扫	動 掃除をする
1103	掃地 ㄙㄠˇ ㄉㄧˋ sǎodì ★扫地	動[離] 掃除をする、床を掃く
1104	留言 ㄌㄧㄡˊ ㄧㄢˊ liúyán	動[離] 伝言を残す 名 伝言
1105	填 ㄊㄧㄢˊ tián	動 埋める、記入する、書き入れる
1106	打字 ㄉㄚˇ ㄗˋ dǎzì	動[離] 文字を入力する
1107	簽名 ㄑㄧㄢ ㄇㄧㄥˊ qiānmíng ★签名	動[離] サインする、署名する
1108	存檔 ㄘㄨㄣˊ ㄉㄤˇ cúndǎng ★存档＜保存 bǎocún	動[離] ファイルを保存する
1109	影印 ㄧㄥˇ ㄧㄣˋ yǐngyìn ★复印 fùyìn	動 コピーする 台湾では影印も複印もどちらも使う。
1110	充電 ㄔㄨㄥ ㄉㄧㄢˋ chōngdiàn ★充电	動[離] 充電する

你房間這麼亂，該打掃了。

Nǐ fángjiān zhème luàn, gāi dǎsǎo le.

あなたの部屋はこんなに散らかっていて、掃除しないと。

你幾天沒掃地了？

Nǐ jǐ tiān méi sǎodì le?

何日掃除していないの？

記者留了好幾次言給我。

Jìzhě liúle hǎo jǐ cì yán gěi wǒ.

記者は私に何度も伝言を残しました。

名字只能填在這個格子以內。

Míngzi zhǐ néng tiánzài zhège gézi yǐnèi.

名前はこの欄内にだけ記入することができます。

你不會打字怎麼交報告呢？

Nǐ búhuì dǎzì zěnme jiāo bàogào ne?

文字を入力できなくてどうやってレポートを提出するの？

這個地方有總統的簽名。

Zhège dìfang yǒu zǒngtǒng de qiānmíng.

ここには総統のサインがあります。

報告寫了，就不要忘記存檔。

Bàogào xiě le, jiù búyào wàngjì cúndǎng.

レポートを書いたら保存するのを忘れないようにしてください。

可以幫我影印這份資料嗎？

Kěyǐ bāng wǒ yǐngyìn zhè fèn zīliào ma?

この資料のコピーをしてくれませんか？

昨天晚上忘記把手機充電了。

Zuótiān wǎnshàng wàngjì bǎ shǒujī chōngdiàn le.

昨晩、携帯電話を充電し忘れました。

生活

265

1111 修 ㄒ
□ ㄧ
□ ㄡ
□ xiū

動 修理する、直す、整える、手入れする

1112 修 ㄒ 理 ㄌ
□ ㄧ ㄧ
□ ㄡ ˇ
□ xiūlǐ

動 修理する、修繕する ⟷ **破壊**（1178）
　 こらしめる

1113 出 ㄔ 租 ㄗ
□ ㄨ ㄨ
□ chūzū

動 貸し出す、リースする、レンタルする

1114 化 ㄏ 妆 ㄓ
□ ㄨ ㄨ
□ ㄚ ㄤ
□ huàzhuāng

動[離] 化粧する

★化妆

1115 打 ㄉ 扮 ㄅ
□ ㄚ ㄢ
□ ˇ ˋ
□ dǎbàn

動 着飾る、装う
名 いでたち、装い

1116 理 ㄌ 髪 ㄈ
□ ㄧ ㄚ
□ ˇ ˇ
□ lǐfǎ

動[離] 散髪する

★理发 lǐfà

1117 抽 ㄔ 菸 ㄧ
□ ㄡ ㄢ
□ chōuyān

動 たばこを吸う
＝ **吸菸**

★抽烟

抽煙とも書く。

1118 吸 ㄒ 菸 ㄧ
□ ㄧ ㄢ
□ xīyān

動[離] たばこを吸う
＝ **抽菸**

★吸烟

1119 中 ㄓ
□ ㄨ
□ ㄥ
□ zhòng

動 当たる、被る

在這裡修車還算便宜。

Zài zhèlǐ xiū chē hái suàn piányí.

ここで車を修理するのはまずまず安いです。

他在大學多少學了一些修理電腦的知識。

Tā zài dàxué duōshǎo xuéle yìxiē xiūlǐ diànnǎo de zhīshì.

彼は大学でパソコンを修理する知識をいくらか学びました。

房屋出租消息可以上網去找找。

Fángwū chūzū xiāoxí kěyǐ shàngwǎng qù zhǎozhǎo.

部屋の賃貸情報はネットで探すことができます。

大姊化妝前和化妝後很不一樣。

Dàjiě huàzhuāng qián hé huàzhuāng hòu hěn bùyíyàng.

上の姉は化粧をする前と後とでかなり違います。

今天要約會，得好好打扮一下。

Jīntiān yào yuēhuì, děi hǎohǎo dǎbàn yíxià.

今日はデートだからしっかりおしゃれをしないと。

爸爸去巷口的理髮店理髮。

Bàba qù xiàngkǒu de lǐfàdiàn lǐfà.

父は街角の理髪店で散髪します。

你抽菸嗎？

Nǐ chōuyān ma?

たばこは吸いますか？

這裡可以吸菸嗎？

Zhèlǐ kěyǐ xīyān ma?

ここでたばこを吸ってもよいですか？

你說統一發票你最多中多少錢？

Nǐ shuō tǒngyī fāpiào nǐ zuì duō zhòng duōshǎo qián.

ねえ、レシート宝くじで最高いくら当たった？

1120	種 ㄓㄨㄥˋ zhòng ★种	動 植える
1121	請假 ㄑㄧㄥˇ ㄐㄧㄚˋ qǐngjià ★请假	動[離] 休みを取る、休む
1122	開動 ㄎㄞ ㄉㄨㄥˋ kāidòng ★开动	動 運転する、動かす、始動させる
1123	塞車 ㄙㄞ ㄔㄜ sāichē ★塞车＜堵车 dǔchē	動[離] 道路が混雑している、渋滞する
1124	迷路 ㄇㄧˊ ㄌㄨˋ mílù	動 迷子になる
1125	紀念 ㄐㄧˋ ㄋㄧㄢˋ jìniàn ★纪念	動 記念する 名 記念品
1126	留念 ㄌㄧㄡˊ ㄋㄧㄢˋ liúniàn	動 記念に残す
1127	拜年 ㄅㄞˋ ㄋㄧㄢˊ bàinián	動[離] 新年のあいさつをする
1128	拜拜 ㄅㄞˋ ㄅㄞˋ bàibài ★普通話ではなし	動 お参りする、拝む

老婆在菜園種了一些空心菜。

Lǎopó zài càiyuán zhòngle yìxiē kōngxīncài.

妻は菜園に空心菜をいくらか植えました。

他生病了。今天請假。

Tā shēngbìng le. Jīntiān qǐngjià.

彼は病気になりました。今日はお休みです。

火車慢慢開動了。

Huǒchē mànmàn kāidòng le.

列車がゆっくり動きだしました。

前面很容易塞車，走別條路吧。

Qiánmiàn hěn róngyì sāichē, zǒu bié tiáo lù ba.

前の方は渋滞しやすいから別の道を行きましょう。

不要亂跑，等一下迷路了。

Búyào luàn pǎo, děng yíxià mílù le.

迷子になるからむやみに走り回らないで。

這本書是不是寫來紀念他的兄弟的？

Zhè běn shū shìbúshì xiě lái jìniàn tā de xiōngdì de?

この本は彼の兄弟を記念して書いたものではないのですか？

大家在這裡簽名留念。

Dàjiā zài zhèlǐ qiānmíng liúniàn.

みんなでここにサインをして記念に残しましょう。

除了電話也可以用視訊拜年。

Chúle diànhuà yě kěyǐ yòng shìxùn bàinián.

電話以外にビデオ通話でも新年のあいさつをすることができます。

農曆七月大家都在拜拜。

Nónglì qīyuè dàjiā dōu zài bàibài.

旧暦の7月にみんなお参りをします。

127

1129
度假 ㄉㄨˋ ㄐㄧㄚˋ
dùjià

動 休みを過ごす

1130
觀光 ㄍㄨㄢ ㄍㄨㄤ
guānguāng

★观光

動 観光する
名 観光

1131
上街 ㄕㄤˋ ㄐㄧㄝ
shàngjiē

動[離] 街に出かける

1132
旅遊 ㄌㄩˇ ㄧㄡˊ
lǚyóu

★旅游

動 旅行する
名 旅行

1133
欣賞 ㄒㄧㄣ ㄕㄤˇ
xīnshǎng

★欣赏

動 鑑賞する、気に入る、すばらしいと思う

1134
演出 ㄧㄢˇ ㄔㄨ
yǎnchū

動 公演する、出演する

1135
表演 ㄅㄧㄠˇ ㄧㄢˇ
biǎoyǎn

動 演じる、実演する
名 演技、パフォーマンス

1136
扮演 ㄅㄢˋ ㄧㄢˇ
bànyǎn

動 扮する、演じる、役割を果たす

1137
歌唱 ㄍㄜ ㄔㄤˋ
gēchàng

動 歌う

我想去澎湖度假。
Wǒ xiǎng qù Pénghú dùjià.

私は澎湖でバカンスを過ごしたいです。

你想去哪裡觀光？
Nǐ xiǎng qù nǎlǐ guānguāng?

どこに観光に行きたいですか？

我祖父祖母喜歡一起上街買菜。
Wǒ zǔfù zǔmǔ xǐhuān yìqǐ shàngjiē mǎi cài.

私の祖父母はよく一緒に野菜を買いに行きます。

除了旅遊之外，他也喜歡寫作。
Chúle lǚyóu zhīwài, tā yě xǐhuān xiězuò.

旅行以外に彼は文章を書くのも好きです。

知道欣賞別人優點的人很幸福。
Zhīdào xīnshǎng biérén yōudiǎn de rén hěn xìngfú.

他人の長所をすばらしいと思える人は幸せです。

他為這一次的演出準備好久。
Tā wèi zhè yí cì de yǎnchū zhǔnbèi hǎo jiǔ.

彼は今回の公演のために長い間準備をしてきました。

高一這班表演現代白蛇傳。
Gāo yī zhè bān biǎoyǎn xiàndài Báishézhuàn.

高校1年生のクラスでは現代版白蛇伝を演じます。　※白蛇伝：中国に古くから伝わる民話

他在這部電影扮演一個科學家。
Tā zài zhè bù diànyǐng bànyǎn yí ge kēxuéjiā.

この映画で彼は科学者を演じています。

我要為你歌唱。
Wǒ yào wèi nǐ gēchàng.

私はあなたのために歌います。

| 1138 彈 ㄊㄢˊ
□□□ tán
★弹 | 動 (指やばちで楽器を) 弾く、はじく、打つ |

| 1139 滑雪 ㄏㄨㄚˊ ㄒㄩㄝˇ
□□□ huáxuě
★滑雪 | 動[離] スキーをする |

| 1140 溜冰 ㄌㄧㄡ ㄅㄧㄥ
□□□ liūbīng | 動[離] スケートをする
名 スケート |

| 1141 下棋 ㄒㄧㄚˋ ㄑㄧˊ
□□□ xiàqí | 動[離] 将棋を指す、囲碁を打つ |

| 1142 釣魚 ㄉㄧㄠˋ ㄩˊ
□□□ diàoyú
★钓鱼 | 動 釣りをする |

| 1143 露營 ㄌㄨˋ ㄧㄥˊ
□□□ lùyíng
★露营 | 動 キャンプする |

| 1144 指導 ㄓˇ ㄉㄠˇ
□□□ zhǐdǎo
★指导 | 動 指導する、教え導く
⟷ 請教 |

| 1145 請教 ㄑㄧㄥˇ ㄐㄧㄠˋ
□□□ qǐngjiào
★请教 | 動 教えてもらう、教えを請う
⟷ 指導 |

| 1146 放學 ㄈㄤˋ ㄒㄩㄝˊ
□□□ fàngxué
★放学 | 動 授業が終わる、学校が休みになる
⟷ 上學 |

表妹一邊彈吉他一邊唱歌。

Biǎomèi yìbiān tán jítā yìbiān chànggē.

いとこはギターを弾きながら歌を歌います。

他們全家冬天一定去滑雪。

Tāmen quánjiā dōngtiān yídìng qù huáxuě.

彼ら一家は冬に必ずスキーをしに行きます。

阿弦溜冰的樣子好帥。

Ā Xián liūbīng de yàngzi hǎo shuài.

結弦くんがスケートをする様子はとてもかっこいいです。

早晨的公園裡來了許多下棋的人。

Zǎochén de gōngyuánlǐ láile xǔduō xiàqí de rén.

朝の公園には将棋を指しにたくさんの人が来ました。

釣魚也和環境保護有關嗎？

Diàoyú yě hé huánjìng bǎohù yǒuguān ma?

釣りも環境保護と関係がありますか？

她每周末都去露營。

Tā měi zhōumò dōu qù lùyíng.

彼女は毎週末キャンプに行きます。

非常感謝老師指導了我們三年。

Fēicháng gǎnxiè lǎoshī zhǐdǎole wǒmen sān nián.

3年間ご指導いただき本当にありがとうございました。

我想跟您請教幾個問題。

Wǒ xiǎng gēn nín qǐngjiào jǐ ge wèntí.

私はあなたにいくつかご教示いただきたいです。

放學後他去幫忙賣水果。

Fàngxué hòu tā qù bāngmáng mài shuǐguǒ.

授業が終わった後、彼は果物を売るのを手伝いに行きます。

1147 □□□ **預⊔ˇ習ㄒ一ˊ** yùxí ★预习	動 予習する ⟷ **複習**
1148 □□□ **複ㄈㄨˋ習ㄒ一ˊ** fùxí ★复习	動 復習する ⟷ **預習**
1149 □□□ **報ㄅㄠˋ名ㄇ一ㄥˊ** bàomíng ★报名	動[難] 申し込む
1150 □□□ **申ㄕㄣ請ㄑ一ㄥˇ** shēnqǐng ★申请	動 申請する、申し出る
1151 □□□ **及ㄐ一ˊ格ㄍㄜˊ** jígé ★及格	動 合格する
1152 □□□ **好ㄏㄠˋ學ㄒㄩㄝˊ** hàoxué ★好学	動 学ぶことが好きである
1153 □□□ **發ㄈㄚ音一ㄣ** fāyīn ★发音	動 発音する 名 発音
1154 □□□ **閱ㄩㄝˋ讀ㄉㄨˊ** yuèdú ★阅读	動 読む
1155 □□□ **寫ㄒ一ㄝˇ作ㄗㄨㄛˋ** xiězuò ★写作	動 文章を書く、創作する 名 作文

請預習第五課課文。
Qǐng yùxí dì wǔ kè kèwén.

第5課の教科書の本文を予習してください。

今天我們來複習第八課。
Jīntiān wǒmen lái fùxí dì bā kè.

今日は第8課を復習しましょう。

有學生想報名華語演講比賽。
Yǒu xuéshēng xiǎng bàomíng Huáyǔ yǎnjiǎng bǐsài.

華語のスピーチコンテストに申し込みをしたい学生がいます。

你早一點跟學校申請證明書。
Nǐ zǎo yìdiǎn gēn xuéxiào shēnqǐng zhèngmíngshū.

早く学校に証明書を申請してください。

這次的理科考試有幾個人及格?
Zhècì de lǐkē kǎoshì yǒu jǐ ge rén jígé?

今回の理科の試験は何人の合格者がいますか?

妙麗非常好學。
Miàolì fēicháng hàoxué.

ハーマイオニーは非常に勉強好きです。

這個詞要怎麼發音?
Zhège cí yào zěnme fāyīn?

この言葉はどう発音しますか?

閱讀也需要方法。
Yuèdú yě xūyào fāngfǎ.

リーディングもやり方が必要です。

用外文寫作不是一件簡單的事。
Yòng wàiwén xiězuò búshì yí jiàn jiǎndān de shì.

外国語での作文は簡単なことではありません。

130

1156
計算 ㄐㄧ ㄙㄨㄢˋ
jìsuàn
★计算

動 計算する

1157
成立 ㄔㄥˊ ㄌㄧˋ
chénglì
★成立

動 創立する、誕生する、成り立つ

1158
面試 ㄇㄧㄢˋ ㄕˋ
miànshì
★面试

動 面接試験をする

1159
面談 ㄇㄧㄢˋ ㄊㄢˊ
miàntán
★面谈

動 面談する、直接会って話す

1160
採用 ㄘㄞˇ ㄩㄥˋ
cǎiyòng
★采用

動 採用する、取り入れる

1161
從事 ㄘㄨㄥˊ ㄕˋ
cóngshì
★从事

動 従事する、携わる

1162
負責 ㄈㄨˋ ㄗㄜˊ
fùzé
★负责

動 責任を負う、担当する
形 責任感のある

1163
派 ㄆㄞˋ
pài

動 派遣する、割り当てる、任命する

1164
調查 ㄉㄧㄠˋ ㄔㄚˊ
diàochá
★调查

動 調査する、調べる

你計算一下總共有多少
人參加。

Nǐ jìsuàn yíxià zǒnggòng yǒu duōshǎo rén cānjiā.

全部で何人参加するか
計算してください。

我想成立一家個人公司。

Wǒ xiǎng chénglì yì jiā gèrén gōngsī.

私は個人会社を創立し
たいです。

昨天我去面試新工作。

Zuótiān wǒ qù miànshì xīn gōngzuò.

昨日私は新しい仕事の
面接をしに行きました。

老師約家長面談，討論
學生的成績。

Lǎoshī yuē jiāzhǎng miàntán tǎolùn xuéshēng de chéngjī.

教師は保護者面談を約
束して学生の成績につ
いて話し合います。

我們決定採用這個設計。

Wǒmen juédìng cǎiyòng zhège shèjì.

私たちはこのデザイン
を採用することにしま
す。

這兩年從事旅遊業的人
很辛苦。

Zhè liǎng nián cóngshì lǚyóuyè de rén hěn xīnkǔ.

ここ2年、旅行業に従
事する人は苦労してい
ます。

為自己做的事負責。

Wèi zìjǐ zuò de shì fùzé.

自分のしたことに責任
を持ちましょう。

她下個月要被派到台灣
分公司。

Tā xià ge yuè yào bèi pàidào Táiwān fēngōngsī.

彼女は来月台湾の支社
に派遣されます。

警察還在調查當中。

Jǐngchá hái zài diàochá dāngzhōng.

警察はまだ調査中です。

1165 □ 製造 _{ㄓˋ}造 _{ㄗㄠˋ} zhìzào ★制造	動 製造する、作り出す
1166 □ 管 _{ㄍㄨㄢˇ}理 _{ㄌㄧˇ} guǎnlǐ	動 管理する、取り扱う、世話をする、 取り締まる
1167 □ 調 _{ㄊㄧㄠˊ}整 _{ㄓㄥˇ} tiáozhěng ★调整	動 調整する
1168 □ 檢 _{ㄐㄧㄢˇ}查 _{ㄔㄚˊ} jiǎnchá ★检查	動 検査する、調べる
1169 □ 編 _{ㄅㄧㄢ} biān ★编	動 編む、編集する
1170 □ 翻 _{ㄈㄢ}譯 _{ㄧˋ} fānyì ★翻译	動 翻訳する
1171 □ 出 _{ㄔㄨ}版 _{ㄅㄢˇ} chūbǎn ★出版	動 出版する
1172 □ 過 _{ㄍㄨㄛˋ}期 _{ㄑㄧ} guòqí ★过期 guòqī	動 期限が過ぎる、期限が切れる
1173 □ 到 _{ㄉㄠˋ}期 _{ㄑㄧ} dàoqí ★ dàoqī	動 期限がくる、満期になる

本来他想製造一台飛天車，可是沒錢。
Běnlái tā xiǎng zhìzào yì tái fēitiānchē, kěshì méi qián.

彼はもともと空飛ぶ車を製造したいと思っていましたが、お金がありません。

這個部門的管理很嚴。
Zhège bùmén de guǎnlǐ hěn yán.

この部門の管理は厳しいです。

他剛下飛機要調整時差。
Tā gāng xià fēijī yào tiáozhěng shíchā.

彼は飛行機から降りたばかりで時差の調整をしなければなりません。

請檢查一下有沒有簽名。
Qǐng jiǎnchá yíxià yǒuméiyǒu qiānmíng.

署名があるかどうか調べてください。

他為了編這本書，最近忙死了。
Tā wèile biān zhè běn shū, zuìjìn mángsǐ le.

彼はこの本の編集をしているため最近ものすごく忙しいです。

請你翻譯一下這個句子。
Qǐng nǐ fānyì yíxià zhège jùzi.

この文を訳してください。

老兵想在退休後出版他的書。
Lǎobīng xiǎng zài tuìxiū hòu chūbǎn tā de shū.

老兵は定年退職後に彼の本を出版したいと思っています。

這個東西快過期了。
Zhège dōngxi kuài guòqí le.

これはもうすぐ期限が切れます。

租約九月到期。
Zūyuē jiǔyuè dàoqí.

賃貸借契約は9月に期限が切れます。

1174
□
□
□
進ㄐㄧㄣˋ口ㄎㄡˇ
jìnkǒu

★进口

動 輸入する
⟷ 出口

1175
□
□
□
投ㄊㄡˊ資ㄗ
tóuzī

★投资

動 投資する

1176
□
□
□
倒ㄉㄠˇ
dǎo

動 倒れる、（店が）つぶれる、
（事業が）失敗する、横になる

1177
□
□
□
關ㄍㄨㄢ門ㄇㄣˊ
guānmén

★关门

動[離] 閉店する、休業する、倒産する

1178
□
□
□
破ㄆㄛˋ壞ㄏㄨㄞˋ
pòhuài

★破坏

動 壊す、台無しにする、打破する、
違反する
⟷ **修理**（1112）

1179
□
□
□
領ㄌㄧㄥˇ
lǐng

★领

動 受け取る、率いる
名 えり、カラー

1180
□
□
□
取ㄑㄩˇ
qǔ

動 取る、受け取る、招く、採用する

1181
□
□
□
受ㄕㄡˋ
shòu

動 受ける、受け取る
被る、〜される

1182
□
□
□
舉ㄐㄩˇ行ㄒㄧㄥˊ
jǔxíng

★举行

動 行う、挙行する
関連 ▶▶ **舉辦**（1183）

我們公司進口日本貨。
Wǒmen gōngsī jìnkǒu Rìběn huò.

私たちの会社は日本の商品を輸入しています。

聽說鴻海公司投資日商夏普。
Tīngshuō Hónghǎi gōngsī tóuzī rìshāng Xiàpǔ.

フォックスコンは日系企業のシャープに投資をしているそうです。

受到疫情影響這家店倒了。
Shòudào yìqíng yǐngxiǎng zhè jiā diàn dǎo le.

疫病の流行の影響を受けてこの店は閉店しました。

隔壁的雜貨店關門了。
Gébì de záhuòdiàn guānmén le.

隣の雑貨店が閉店しました。

不要破壞這美麗的風景。
Búyào pòhuài zhè měilì de fēngjǐng.

この美しい景色を破壊してはなりません。

我去銀行領錢。
Wǒ qù yínháng lǐng qián.

銀行に行ってお金を受け取ってきます。

今年新員工要取多少人？
Jīnnián xīn yuángōng yào qǔ duōshǎo rén?

今年は新しい社員を何人採用しますか？

她考律師是受父母兄弟的影響。
Tā kǎo lùshī shì shòu fùmǔ xiōngdì de yǐngxiǎng.

彼女が弁護士の試験を受けるのは両親や兄弟の影響を受けています。

下星期就要舉行開學典禮了。
Xià xīngqí jiùyào jǔxíng kāixué diǎnlǐ le.

来週にはもう始業式が行われます。

1183 ☐☐☐	舉辦 jǔbàn ★举办	動 行う 関連 ▶▶ 舉行（1182）
1184 ☐☐☐	發出 fāchū ★发出	動 出す、発する
1185 ☐☐☐	發表 fābiǎo ★发表	動 発表する、表明する、掲載する
1186 ☐☐☐	宣布 xuānbù	動 宣言する、表明する 宣佈とも書く。
1187 ☐☐☐	代表 dàibiǎo	動 代表する、表す、意味する 名 代表
1188 ☐☐☐	表示 biǎoshì	動 示す、表す
1189 ☐☐☐	證明 zhèngmíng ★证明	動 証明する 名 証明
1190 ☐☐☐	開放 kāifàng ★开放	動 開放する、公開する、（花が）咲く
1191 ☐☐☐	公開 gōngkāi ★公开	動 公にする 形 公然の、公開の

十́月̀ 十́ 日̀ 在̀ 圓́山̄ 大̀飯̀店̀ 舉̀辦̀ 慶̀祝̀會̀。

Shíyuè shí rì zài Yuánshān Dàfàndiàn jǔbàn qìngzhùhuì.

10月10日に圓山大飯店で祝賀会を行います。

大̀雄́ 發̄出̄ 奇́怪̀的̀ 聲̄音̄。

Dàxióng fāchū qíguài de shēngyīn.

大雄は奇妙な声を発しました。

她̄ 不̀想̀ 發̄表̀意̀見̀。

Tā bùxiǎng fābiǎo yìjiàn.

彼女は意見を表明したがりません。

這̀個̀ 歌̄手̀ 宣̄布̀ 自̀己̀已̀經̄ 結̀婚̄。

Zhège gēshǒu xuānbù zìjǐ yǐjīng jiéhūn.

その歌手は自分が結婚したことを公表しました。

這̀花̄束̀ 代̀表̀我̀的̀ 感̀謝̀。

Zhè huāshù dàibiǎo wǒ de gǎnxiè.

この花束は私の感謝の気持ちを表しています。

手̀機̄ 畫̀面̀ 表̀示̀ 電̀力̀不̀足̀。

Shǒujī huàmiàn biǎoshì diànlì bùzú.

携帯電話の画面は電力不足を示しています。

你̀ 可̀以̀ 證̀明́ 自̀己̀的̀ 價̀值̀。

Nǐ kěyǐ zhèngmíng zìjǐ de jiàzhí.

あなたは自分の価値を証明することができます。

今̄天̄ 市̀立̀ 游́泳̀池̄ 不̀ 開̄放̀。

Jīntiān shìlì yóuyǒngchí bù kāifàng.

今日市立プールは開放されません。

政̀策̀ 公̄開̄ 是̀ 民́主̀ 政̀治̀的̀ 目̀標̄。

Zhèngcè gōngkāi shì mínzhǔ zhèngzhì de mùbiāo.

政策の公開は民主主義の目標です。

1192 □□□	**實現** シ´ゲン shíxiàn ★実现	動 実現する
1193 □□□	**挑戰** ㄊㄧㄠˇㄓㄢˋ tiǎozhàn ★挑战	動 挑戦する 名 挑戦
1194 □□□	**嘗試** ㄔㄤˊㄕˋ chángshì ★尝试	動 試みる、試す
1195 □□□	**達到** ㄉㄚˊㄉㄠˋ dádào ★达到	動 達する、到達する
1196 □□□	**搶** ㄑㄧㄤˇ qiǎng ★抢	動 奪う、先を争う、急いで~する
1197 □□□	**爭** ㄓㄥ zhēng ★争	動 競う、争う
1198 □□□	**賽跑** ㄙㄞˋㄆㄠˇ sàipǎo ★赛跑	動 競走する
1199 □□□	**贏** ㄧㄥˊ yíng ★赢	動 勝つ ⟷ **輸**
1200 □□□	**輸** ㄕㄨ shū ★输	動 負ける、輸送する、入力する ⟷ **贏**

你ⁿ的ⁿ夢ⁿ想ⁿ實ⁿ現ⁿ了ⁿ嗎ⁿ？

Nǐ de mèngxiǎng shíxiàn le ma?

あなたの夢は実現しましたか？

這ⁿ兩ⁿ個ⁿ人ⁿ想ⁿ挑ⁿ戰ⁿ最ⁿ高ⁿ紀ⁿ錄ⁿ。

Zhè liǎng ge rén xiǎng tiǎozhàn zuì gāo jìlù.

この2人は最高記録に挑戦したいと思っています。

她ⁿ嘗ⁿ試ⁿ不ⁿ一ⁿ樣ⁿ的ⁿ計ⁿ算ⁿ法ⁿ來ⁿ解ⁿ決ⁿ問ⁿ題ⁿ。

Tā chángshì bùyíyàng de jìsuànfǎ lái jiějué wèntí.

彼女は異なる計算方法から問題の解決を試みました。

他ⁿ已ⁿ經ⁿ達ⁿ到ⁿ目ⁿ標ⁿ。

Tā yǐjīng dádào mùbiāo.

彼はすでに目標を達成しました。

他ⁿ在ⁿ旅ⁿ行ⁿ的ⁿ時ⁿ候ⁿ被ⁿ搶ⁿ了ⁿ。

Tā zài lǚxíng de shíhòu bèi qiǎng le.

彼は旅行しているとき強盗に遭いました。

他ⁿ們ⁿ倆ⁿ在ⁿ班ⁿ上ⁿ常ⁿ爭ⁿ第ⁿ一ⁿ第ⁿ二ⁿ名ⁿ。

Tāmen liǎ zài bānshàng cháng zhēng dì yī dì èr míng.

彼ら2人はよくクラスで1位と2位を争っています。

老ⁿ鼠ⁿ跟ⁿ兔ⁿ子ⁿ賽ⁿ跑ⁿ。

Lǎoshǔ gēn tùzi sàipǎo.

ネズミはウサギと競走します。

父ⁿ母ⁿ總ⁿ想ⁿ讓ⁿ孩ⁿ子ⁿ贏ⁿ在ⁿ起ⁿ跑ⁿ點ⁿ上ⁿ。

Fùmǔ zǒng xiǎng ràng háizi yíngzài qǐpǎodiǎnshàng.

両親はスタート地点で子供を勝たせたいといつも思っています。

輸ⁿ的ⁿ時ⁿ候ⁿ不ⁿ要ⁿ罵ⁿ人ⁿ。

Shū de shíhòu búyào mà rén.

負けたとき人をののしってはいけません。

1201
□
□
□
訓[ㄒㄩㄣ]練[ㄌㄧㄢˋ]
xùnliàn

★训练

動 訓練する、トレーニングする

1202
□
□
□
練[ㄌㄧㄢˋ]
liàn

★练

動 練習する、訓練する

1203
□
□
□
解[ㄐㄧㄝˇ]決[ㄐㄩㄝˊ]
jiějué

★解决

動 解決する

1204
□
□
□
處[ㄔㄨˇ]理[ㄌㄧˇ]
chǔlǐ

★处理

動 処理する、解決する

1205
□
□
□
對[ㄉㄨㄟˋ]待[ㄉㄞˋ]
duìdài

★对待

動 対応する、対処する

1206
□
□
□
面[ㄇㄧㄢˋ]對[ㄉㄨㄟˋ]
miànduì

★面对

動 直面する、向かい合う

1207
□
□
□
適[ㄕˋ]應[ㄧㄥˋ]
shìyìng

★适应

動 適応する、順応する

1208
□
□
□
發[ㄈㄚ]展[ㄓㄢˇ]
fāzhǎn

★发展

動 発展する、発展させる

1209
□
□
□
發[ㄈㄚ]明[ㄇㄧㄥˊ]
fāmíng

★发明

動 発明する
名 発明

體能訓練很重要。
Tǐnéng xùnliàn hěn zhòngyào.

身体能力の訓練は重要です。

今天樂團從九點到十二點要練唱。
Jīntiān yuètuán cóng jiǔ diǎn dào shí'èr diǎn yào liànchàng.

今日、楽団は9時から12時まで歌の練習をします。

要解決問題，不是製造問題。
Yào jiějué wèntí, búshì zhìzào wèntí.

問題を引き起こすのではなく、問題を解決しなければなりません。

你要怎麼處理這個問題？
Nǐ yào zěnme chǔlǐ zhège wèntí?

あなたはこの問題にどう対処しますか？

她對待病人就像是對待自己的親人。
Tā duìdài bìngrén jiù xiàng shì duìdài zìjǐ de qīnrén.

彼女はまるで自分の身内のように病人に対応します。

面對強大的對手他一點也不害怕。
Miànduì qiángdà de duìshǒu tā yìdiǎn yě bú hàipà.

強大なライバルに直面しても彼は少しも怖くありません。

你適應了新的環境了嗎？
Nǐ shìyìngle xīn de huánjìng le ma?

新しい環境にはもう慣れましたか？

這一帶想發展風力發電。
Zhè yídài xiǎng fāzhǎn fēnglì fādiàn.

この一帯は風力発電を発展させたいと思っています。

萊特兄弟發明了飛機。
Láitè xiōngdì fāmíngle fēijī.

ライト兄弟は飛行機を発明しました。

1210
創造 ㄘㄨㄤ ㄗㄠ
chuàngzào

★创造

動 創造する、新しく作り出す

1211
創新 ㄔㄨㄤ ㄒㄧㄣ
chuàngxīn

★创新

動 新しいものを生み出す、創造する

1212
出產 ㄔㄨ ㄔㄢ
chūchǎn

★出产

動 産出する、生産する

1213
升級 ㄕㄥ ㄐㄧ
shēngjí

★升级

動[離] 進級する、エスカレートする、
バージョンアップする

1214
推動 ㄊㄨㄟ ㄉㄨㄥ
tuīdòng

★推动

動 推進する、促進する

1215
提供 ㄊㄧ ㄍㄨㄥ
tígōng

動 提供する、供給する

1216
保證 ㄅㄠ ㄓㄥ
bǎozhèng

★保证

動 保証する、約束する
名 保証、根拠

1217
規定 ㄍㄨㄟ ㄉㄧㄥ
guīdìng

★规定

動 定める、規定する
名 規定、決まり

1218
求 ㄑㄧㄡ
qiú

動 頼む、求める、追求する

創造美好的未來需要好好認識自己。
Chuàngzào měihǎo de wèilái xūyào hǎohǎo rènshì zìjǐ.

美しい未来の創造には自分をよく知ることが必要です。

公司的產品得不斷創新。
Gōngsī de chǎnpǐn děi búduàn chuàngxīn.

会社の製品は常に新しいものを生み出さなければなりません。

新竹出產米粉、貢丸。
Xīnzhú chūchǎn mǐfěn、gòngwán.

新竹はビーフンとミートボールを生産しています。

馬利歐快要升級了，再給我十分鐘。
Mǎlìōu kuài yào shēngjí le, zài gěi wǒ shí fēnzhōng.

もうすぐマリオがレベルアップするからあと10分ちょうだい。

學校積極地推動環保教育。
Xuéxiào jījíde tuīdòng huánbǎo jiàoyù.

学校は積極的に環境保護教育を推し進めます。

這家店提供399吃到飽。
Zhè jiā diàn tígōng sānjiǔjiǔ chīdàobǎo.

この店は399元で食べ放題を提供しています。

他向我保證不再犯同樣的錯誤。
Tā xiàng wǒ bǎozhèng bú zài fàn tóngyàng de cuòwù.

彼は私に二度と同じ過ちは犯さないと約束しました。

爸媽規定我九點以前回家。
Bà mā guīdìng wǒ jiǔ diǎn yǐqián huíjiā.

両親は私が9時前に帰宅するよう決めました。

她求媽祖讓她美夢成真。
Tā qiú māzǔ ràng tā měimèng chéngzhēn.

彼女は媽祖に美しい夢が現実となるよう頼みました。

1219
追 ㄓㄨㄟ
zhuī

動 追う、追及する

1220
追求 ㄓㄨㄟ ㄑㄧㄡˊ
zhuīqiú

動 追求する

1221
退 ㄊㄨㄟˋ
tuì

動 退く、返却する、取り消す

1222
避免 ㄅㄧˋ ㄇㄧㄢˇ
bìmiǎn

動 避ける、防止する

1223
参考 ㄘㄢ ㄎㄠˇ
cānkǎo

★参考

動 参考にする

1224
假装 ㄐㄧㄚˇ ㄓㄨㄤ
jiǎzhuāng

★假装

動 装う、～のふりをする

1225
等待 ㄉㄥˇ ㄉㄞˋ
děngdài

動 待つ、待ち望む

1226
挑 ㄊㄧㄠ
tiāo

動 選ぶ、探し出す

1227
代 ㄉㄞˋ
dài

動 代える、代わる

請告訴我怎麼追女朋友，好不好？

Qǐng gàosù wǒ zěnme zhuī nǚpéngyǒu, hǎobùhǎo?

どうやって彼女をつくるか教えてくれませんか？

他永遠都在追求更高的理想。

Tā yǒngyuǎn dōu zài zhuīqiú gèng gāo de lǐxiǎng.

彼はいつまでもより高い理想を追い求めています。

退一步想，就不那麼難過了。

Tuì yí bù xiǎng, jiù bú nàme nánguò le.

一歩引いて考えてみるとそれほど辛くなくなりました。

請關上手機，避免發生危險。

Qǐng guānshàng shǒujī, bìmiǎn fāshēng wéixiǎn.

危険の発生を防ぐために携帯電話の電源をお切りください。

請參考附件的報價。

Qǐng cānkǎo fùjiàn de bàojià.

添付の見積をご参照ください。

孩子假裝自己是外星人。

Háizi jiǎzhuāng zìjǐ shì wàixīngrén.

子供は自分が宇宙人であるふりをしました。

織女在等待誰呢？

Zhīnǚ zài děngdài shéi ne?

織姫は誰を待っているの？

請你挑出最喜歡的顏色。

Qǐng nǐ tiāochū zuì xǐhuān de yánsè.

一番好きな色を選んでください。

我明天家裡有事，可以幫我代班嗎？

Wǒ míngtiān jiālǐ yǒu shì, kě yǐ bāng wǒ dài bān ma?

私は明日家の用事があるからシフトを代わってくれませんか？

291

138

1228
集中 ㄐㄧˊ ㄓㄨㄥ
jízhōng

動 集中する
　集める、集める ←→ 分開 (1056)
形 集中している

1229
收集 ㄕㄡ ㄐㄧˊ
shōují

動 収集する、集める

1230
回收 ㄏㄨㄟˊ ㄕㄡ
huíshōu

動 回収する

1231
吸 ㄒㄧ
xī
★吸

動 吸う、吸い込む、引きつける

1232
吸收 ㄒㄧ ㄕㄡ
xīshōu
★吸收

動 吸収する、取り込む、受け入れる

1233
壓 ㄧㄚ
yā
★压

動 (上から) 重みを加える、押さえつける、
　落ち着かせる

1234
載 ㄗㄞˋ
zài
★载

動 積む、運搬する

1235
起飛 ㄑㄧˇ ㄈㄟ
qǐfēi
★起飞

動 飛び立つ、離陸する、急速に発展する

1236
固定 ㄍㄨˋ ㄉㄧㄥˋ
gùdìng

動 固定させる、固定している
形 固定している、定着している、動かない

天氣太熱沒辦法集中精神。

Tiānqì tài rè méi bànfǎ jízhōng jīngshén.

暑すぎて気持ちを集中
させようがありません。

他喜歡收集石頭。

Tā xǐhuān shōují shítou.

彼は石を集めるのが好
きです。

資源回收是很重要的環保方法。

Zīyuán huíshōu shì hěn zhòngyào de huánbǎo fāngfǎ.

資源リサイクルは環境
保護の重要な手段です。

我被這幅畫的色彩表現吸了進去。

Wǒ bèi zhè fú huà de sècǎi biǎoxiàn xī le jìnqù.

私はこの絵の色彩表現
に引き込まれました。

你太瘦了，要多吸收營養。

Nǐ tài shòu le, yào duō xīshōu yíngyǎng.

あなたはやせすぎです、
もっとたくさん栄養を
取らなければなりませ
ん。

來，吃一碗豬腳麵線壓壓驚。

Lái, chī yì wǎn zhūjiǎo miànxiàn yāyājīng.

ほら、豚足麺線を食べ
て落ち着きましょう。

車上載了一箱一箱的西瓜。

Chēshàng zàile yì xiāng yì xiāng de xīguā.

車には箱詰めのスイカ
がびっしり積んであり
ます。

飛機起飛了。

Fēijī qǐfēi le.

飛行機が離陸しました。

這是固定假牙的東西。

Zhè shì gùdìng jiǎyá de dōngxi.

これは入れ歯を支える
ものです。

1237 保ㄅㄠˇ持ㄔˊ
bǎochí

動 保つ、維持する、保持する
⟷ 改變 (1248)

1238 持ㄔˊ續ㄒㄩˋ
chíxù
★持续

動 持続する、続く

1239 繼ㄐㄧˋ續ㄒㄩˋ
jìxù
★继续

動 続ける、続く

1240 包ㄅㄠ含ㄏㄢˊ
bāohán

動 含む

1241 相ㄒㄧㄤ關ㄍㄨㄢ
xiāngguān
★相关

動 関連する、関係がある

1242 停ㄊㄧㄥˊ止ㄓˇ
tíngzhǐ

動 停止する、やむ、やめる

1243 結ㄐㄧㄝˊ合ㄏㄜˊ
jiéhé
★结合

動 結びつける、夫婦になる

1244 誤ㄨˋ點ㄉㄧㄢˇ
wùdiǎn
★误点

動 遅れる、定時に遅れる
⟷ 準時

1245 充ㄔㄨㄥ滿ㄇㄢˇ
chōngmǎn
★充满

動 満ちる、あふれる、みなぎる

比²賽ㄞ的ㄉ時ㄕ候ㄏ保ㄅ持ㄔ平ㄆ常ㄔ心ㄒ
就ㄐ好ㄏ。

Bǐsài de shíhòu bǎochí píngchángxīn jiù hǎo.

試合のときは平常心を
保てばよいです。

持ㄔ續ㄒ的ㄉ練ㄌ習ㄒ讓ㄖ他ㄊ拿ㄋ到ㄉ第ㄉ
一ㄧ名ㄇ。

Chíxù de liànxí ràng tā nádào dì yī míng.

持続的な練習によって
彼は1位を取りました。

我ㄨ們ㄇ休ㄒ息ㄒ十ㄕ分ㄈ鐘ㄓ再ㄗ繼ㄐ續ㄒ
討ㄊ論ㄌ。

Wǒmen xiūxí shí fēnzhōng zài jìxù tǎolùn.

私たちは10分休んで
からまた討論を続けま
しょう。

這ㄓ次ㄘ調ㄉ查ㄔ包ㄅ含ㄏ了ㄌ青ㄑ少ㄕ年ㄋ。

Zhècì diàochá bāohánle qīngshàonián.

今回の調査には青少年
が含まれています。

這ㄓ個ㄍ圖ㄊ書ㄕ館ㄍ有ㄧㄡ很ㄏ多ㄉ相ㄒ關ㄍ
資ㄗ料ㄌ。

Zhège túshūguǎn yǒu hěn duō xiāngguān zīliào.

この図書館には多くの
関連資料があります。

停ㄊ止ㄓ怪ㄍ自ㄗ己ㄐ，想ㄒ一ㄧ點ㄉ開ㄎ
心ㄒ的ㄉ事ㄕ吧ㄅ。

Tíngzhǐ guài zìjǐ, xiǎng yìdiǎn kāixīn de shì ba.

自分を責めるのはやめ
て、楽しいことを考え
よう。

結ㄐ合ㄏ這ㄓ個ㄍ想ㄒ法ㄈ可ㄎ以ㄧ說ㄕ明ㄇ
那ㄋ個ㄍ現ㄒ象ㄒ。

Jiéhé zhège xiǎngfǎ kěyǐ shuōmíng nàge xiànxiàng.

このアイデアを結びつ
けるとその現象を説明
することができます。

電ㄉ車ㄔ誤ㄨ點ㄉ，你ㄋ還ㄏ要ㄠ等ㄉ下ㄒ
去ㄑ嗎ㄇ？

Diànchē wùdiǎn, nǐ hái yào děngxiàqù ma?

電車が遅れているけど、
まだ待ち続けますか？

抱ㄅ著ㄓ嬰ㄧ兒ㄦ的ㄉ母ㄇ親ㄑ，充ㄔ滿ㄇ
了ㄌ愛ㄞ。

Bàozhe yīng'ér de mǔqīn, chōngmǎnle ài.

赤ん坊を抱いた母親は
愛に満ちています。

140

1246	成 ㄔㄥˊ chéng	動 ～になる、～にする、完成する

| 1247 | 完成 ㄨㄢˊㄔㄥˊ
wánchéng | 動[離] 完成する、やり遂げる |

| 1248 | 改變 ㄍㄞˇㄅㄧㄢˋ
gǎibiàn
★改变 | 動 変わる、変化する、変える
⟷ 保持（1237） |

| 1249 | 改善 ㄍㄞˇㄕㄢˋ
gǎishàn
★改善 | 動 改善する |

| 1250 | 剩 ㄕㄥˋ
shèng | 動 残す、余る |

| 1251 | 剩下 ㄕㄥˋㄒㄧㄚˋ
shèngxià | 動 残す、余る |

| 1252 | 傷害 ㄕㄤㄏㄞˋ
shānghài
★伤害 | 動 傷つける、害する、損なう |

| 1253 | 加強 ㄐㄧㄚㄑㄧㄤˊ
jiāqiáng
★加强 | 動 強化する、強める |

| 1254 | 統一 ㄊㄨㄥˇㄧ
tǒngyī
★统一 | 動 統一する、一致する
形 ひとつにまとまっている、一致している |

這碗麵最後加上蔥花就成了。

Zhè wǎn miàn zuìhòu jiāshàng cōnghuā jiù chéng le.

この麺は最後にネギのみじん切りを加えれば完成です。

他花了三年才完成這個作品。

Tā huāle sān nián cái wánchéng zhège zuòpǐn.

彼は3年かけてようやくこの作品を完成させました。

這地方需要做一些改變。

Zhè dìfāng xūyào zuò yìxiē gǎibiàn.

この部分は少し変更する必要があります。

春明的病情已經改善不少。

Chūnmíng de bìngqíng yǐjīng gǎishàn bù shǎo.

春明の病状はもうかなり改善しました。

你還剩多少天就要去參加面試?

Nǐ hái shèng duōshǎo tiān jiù yào qù cānjiā miànshì?

残りあと何日で面接に臨まなければならないですか?

剩下的東西我們要怎麼處理呢?

Shèngxià de dōngxi wǒmen yào zěnme chǔlǐ ne?

残ったものを私たちはどうやって処理しますか?

再不高興也不要傷害對方。

Zài bù gāoxìng yě búyào shānghài duìfāng.

どんなに不愉快でも相手を傷つけてはいけません。

跟著我照做,你的聽力就能加強。

Gēnzhe wǒ zhào zuò, nǐ de tīnglì jiù néng jiāqiáng.

私のやるとおりにすれば、あなたのリスニング力を強化することができます。

你可能要統一前後的說法。

Nǐ kěnéng yào tǒngyī qiánhòu de shuōfǎ.

前後の話し方を統一した方がいいかもしれません。

1255 ☐☐☐	超^{ㄔㄠ}過^{ㄍㄨㄛ} chāoguò ★超过	動 超える、上回る、追い越す
1256 ☐☐☐	足^{ㄗㄨ}夠^{ㄍㄡ} zúgòu ★足够	動 十分である、足りている
1257 ☐☐☐	提^{ㄊㄧ}高^{ㄍㄠ} tígāo	動 向上させる、高める ⟷ 降低
1258 ☐☐☐	降^{ㄐㄧㄤ}低^{ㄉㄧ} jiàngdī ★降低	動 下がる、下げる ⟷ 提高
1259 ☐☐☐	增^{ㄗㄥ}加^{ㄐㄧㄚ} zēngjiā	動 増える、増やす ⟷ 減少
1260 ☐☐☐	減^{ㄐㄧㄢ}少^{ㄕㄠ} jiǎnshǎo ★减少	動 減らす、減る ⟷ 增加
1261 ☐☐☐	將^{ㄐㄧㄤ}近^{ㄐㄧㄣ} jiāngjìn ★将近	動 〜に近づく、ほぼ〜である
1262 ☐☐☐	出^{ㄔㄨ}現^{ㄒㄧㄢ} chūxiàn ★出现	動 現れる、出現する ⟷ 消失
1263 ☐☐☐	消^{ㄒㄧㄠ}失^ㄕ xiāoshī	動 消える、なくなる ⟷ 出現

已一經是超是過是十一二心點量了意，還是
不之睡是覺量？

Yǐjīng chāoguò shí'èr diǎn le, hái bú shuìjiào?

もう 12 時を過ぎたの
にまだ寝ないの？

你三有文足文夠文的意錢文買文車是嗎文？

Nǐ yǒu zúgòu de qián mǎi chē ma?

車を買うのに十分なお
金はありますか？

大文家是又文在文討委論之提生高美薪言水長
的意事事。

Dàjiā yòu zài tǎolùn tígāo xīnshuǐ de shì.

みんなはまた給料引き
上げの件について討論
しています。

怎是麼自樣是才是能之降是低之死心亡之人是
口文？

Zěnmeyàng cái néng jiàngdī sǐwáng rénkǒu?

どうしたら死亡者を減
らすことができるので
しょうか？

不文要文再文吃食了意，這是樣式更是增色
加量你三的意煩量惱是。

Búyào zài chī le, zhèyàng gèng zēngjiā nǐ de fánnǎo.

これ以上食べないで。
そうしたらあなたの悩
みがもっと増すよ。

你三得意減量少量抽象菸言的意費文用是。

Nǐ děi jiǎnshǎo chōuyān de fèiyòng.

たばこ代を減らさなけ
ればなりません。

將是近量十一年量他を都文在文收文集量老量
東之西工。

Jiāngjìn shí nián tā dōu zài shōují lǎo dōngxi.

10 年近く、彼はずっ
と古いものを集めてい
ます。

她を的意出意現量，為文他を的意人量生是
帶來來來新言希工望文。

Tā de chūxiàn, wèi tā de rénshēng dàilái xīn xīwàng.

彼女の出現は彼の人生
に新しい希望をもたら
しました。

小工船意消工失事在文遠量方意。

Xiǎochuán xiāoshīzài yuǎnfāng.

小舟が遠くに消えまし
た。

142

1264
☐
☐
☐
產生 ㄔㄢˇ ㄕㄥ
chǎnshēng
★产生

動 生じる、発生する、現れる

1265
☐
☐
☐
害 ㄏㄞˋ
hài
★害

動 害する、損害を与える、損なう
名 害、災い

1266
☐
☐
☐
刺激 ㄘˋ ㄐ一
cìjī

動 刺激する

1267
☐
☐
☐
吹 ㄔㄨㄟ
chuī

動 吹く、吹きつける、ほらを吹く、
だめになる

1268
☐
☐
☐
颳 ㄍㄨㄚ
guā
★刮

動 (風が)吹く

1269
☐
☐
☐
響 ㄒ一ㄤˇ
xiǎng
★响

動 音がする、声を出す、鳴らす

1270
☐
☐
☐
縮水 ㄙㄨㄛ ㄕㄨㄟˇ
suōshuǐ
★缩水

動 水にぬれて縮む

1271
☐
☐
☐
開花 ㄎㄞ ㄏㄨㄚ
kāihuā
★开花

動[離] 花が咲く、ほころびる

1272
☐
☐
☐
日出 ㄖˋ ㄔㄨ
rìchū

動 日が出る
名 日の出

不ゥ溝ゥ通ゥ就ゥ容ゥ易ー産ゥ生ゥ問ゥ題ゥ。
Bù gōutōng jiù róngyì chǎnshēng wèntí.

コミュニケーションを
しないと問題は起きや
すいです。

都ゥ是ゥ他ゥ害ゥ我ゥ上ゥ課ゥ遲ゥ到ゥ。
Dōu shì tā hài wǒ shàngkè chídào.

彼のせいで私は授業に
遅刻しました。

他ゥ已ー經ゥ失ゥ戀ゥ了ゥ, 不ゥ要ゥ再ゥ
刺ゥ激ゥ他ゥ了ゥ。
Tā yǐjīng shīliàn le, búyào zài cìjī tā le.

彼は失恋したのだから、
これ以上刺激しないで。

春ゥ風ゥ輕ゥ輕ゥ吹ゥ。
Chūnfēng qīngqīng chuī.

春の風がそよそよと吹
いています。

外ゥ面ゥ在ゥ颳ゥ大ゥ風ゥ呢ゥ。
Wàimiàn zài guā dàfēng ne.

外では強い風が吹いて
いますよ。

電ゥ話ゥ響ゥ了ゥ。
Diànhuà xiǎng le.

電話が鳴っています。

沒ゥ想ゥ到ゥ這ゥ件ゥ衣ー服ゥ會ゥ縮ゥ水ゥ。
Méi xiǎngdào zhè jiàn yīfú huì suōshuǐ.

この服が水にぬれて縮
むとは思いもよりませ
んでした。

植ゥ物ゥ園ゥ的ゥ梅ゥ花ゥ開ゥ花ゥ了ゥ。
Zhíwùyuán de méihuā kāihuā le.

植物園の梅が開花しま
した。

要ゥ不ゥ要ゥ去ゥ太ゥ平ゥ山ゥ看ゥ日ゥ出ゥ?
Yàobúyào qù Tàipíngshān kàn rìchū?

太平山へ日の出を見に
行きませんか?

1273
□
□
□
應當 ㄉ ㄤ
yīngdāng
★应当

助動 ～すべきである

1274
□
□
肯 ㄎ ㄣ
kěn

助動 喜んで～する、進んで～する

1275
□
□
□
該 ㄍ ㄞ
gāi
★该

助動 ～すべきである、～のはずである、
　　～にちがいない

1276
□
□
□
可 ㄎ ㄜ
kě

助動 ～できる
副 じつに

誰說女人應當在家煮飯的？

Shéi shuō nǚrén yīngdāng zài jiā zhǔfàn de?

女性は家で料理をすべきだと誰が言ったの？

如果你肯聽我的話，就不會這樣了。

Rúguǒ nǐ kěn tīng wǒ de huà, jiù búhuì zhèyàng le.

あなたが進んで私の話を聞いていればこんなことにはならなかったのに。

太晚了，你該去睡覺了。

Tài wǎn le, nǐ gāi qù shuìjiào le.

もう遅いから寝なければなりませんよ。

這家拉麵店可坐十幾個人。

Zhè jiā lāmiàndiàn kě zuò shí jǐ ge rén.

このラーメン店には十数人が座ることができます。

台湾の国立公園

　現在、台湾には合計９つの国立公園があります。台湾では「國家公園」と呼ばれ、園内の自然や生物、歴史の記録を保全するために設立されました。公園ごとにさまざまな特徴があるので、目的に合わせて行き先を考えてみましょう。

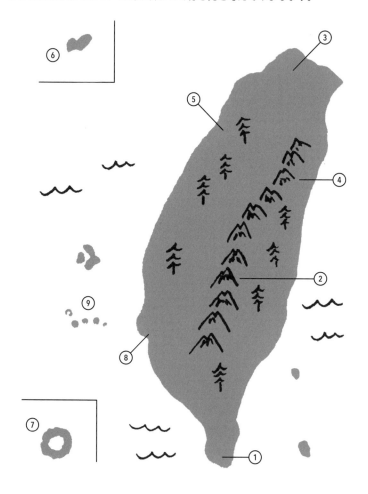

① 墾丁（ケンディン）　Kěndīng

1984年1月1日に指定された、台湾で最初の国立公園。その面積は広く、陸だけでなく海にも範囲が及びます。海を満喫したい方におすすめです。

② 玉山（ユーシャン）　Yùshān

標高3,952mと、台湾で最も高い玉山を中心とした国立公園。園内には台湾100名山のうち30の山があり、登山家に人気のエリアです。

③ 陽明山（ヤンミンシャン）　Yángmíngshān

台北駅から約1時間という位置にありながら火山や湖など、自然を満喫できるエリア。台北の夜景を見るのにも絶好のスポットです。

④ 太魯閣（タイルーグー）　Tàilǔgé

公園内の太魯閣渓谷は台湾八景のひとつでもあり、渓谷や断崖が美しい人気の観光地。ぜひ、のんびりと遊歩道を散策してみてください。

⑤ 雪霸（シュエバー）　Xuěbà

雪山山脈を中心とする高山型の国立公園。なかでも「観霧」は名前の通り1年中霧に包まれており、幻想的な風景を楽しむことができます。

⑥ 金門（ジンメン）　Jīnmén

戦争記録や歴史的建造物などの保全を目的に指定。280種以上の鳥類が生息し、他の地域には見られない鳥も確認されています。

⑦ 東沙環礁（ドンシャーフアンジャオ）　Dōngshā Huánjiāo

東沙環礁のサンゴ礁の保護を主な目的とした海洋型国立公園。環境資源や生態系の保全のため、現時点で一般公開はされていません。

⑧ 台江（タイジャン）　Táijiāng

敷地内を流れる4本の渓流からなる湿地が特徴。世界的にも希少なクロツラヘラサギの保護区もあり、秋や冬にはその姿を観察できます。

⑨ 澎湖南方四島（ポンフーナンファンスーダオ）　Pénghú Nánfāng Sìdǎo

澎湖諸島の南側にある4つの島とその周辺の諸島や海域が対象。サンゴ礁や独特な地形、澎湖ならではの伝統建築に触れられます。喧騒から離れて、自然あふれる離島で穏やかな時間を過ごすことができるエリアです。

台湾映画を見てみよう

　いい映画や面白い映画を見ると、刺激を受けたり気分が盛り上がったりしますよね。外国映画を見ることは現地で使われている言葉の学習に役立つだけでなく、その土地の文化や人々の暮らしを知るよい機会にもなります。

　まずは世界の主要な映画祭での受賞歴がある作品を通して台湾映画をチェックしてみましょう。侯孝賢監督の『悲情城市』（1989 年）は激動の時代を生きる台湾人家族の姿を描き、ベネチア国際映画祭で金獅子賞を受賞しました。また、侯孝賢監督と並んで台湾ニューシネマをリードした楊德昌監督が 2000 年に製作した『ヤンヤン 夏の想い出』はカンヌ国際映画祭で監督賞を受賞しています。他にも李安監督の『ウェディング・バンケット』（1993 年）や蔡明亮監督の『愛情萬歳』（1994 年）など、世界から評価される作品が数多くあります。

　台湾内での評価に目を向けると、歴代興行収入ランキングは以下のようになっています。ほとんどの作品が日本でも公開され、大きな話題となりました。

　1 位『海角七号 君想う、国境の南』（2008 年）

　2 位『セデック・バレ 第一部 太陽旗』（2011 年）

　3 位『大尾鱸鰻』（2013 年）※『大尾鱸鰻』は原題

　4 位『あの頃、君を追いかけた』（2011 年）

　5 位『私の少女時代 -Our Times-』（2015 年）

　また、1962 年には台湾の映画産業の発展を目的とした「金馬奨」が創設され、「台湾版アカデミー賞」ともいわれています。2020 年には『1 秒先の彼女』が、2019 年には『ひとつの太陽』が最優秀作品賞を受賞しました。

　昨今は台湾の歴史的背景や文化、台湾に暮らす人々のアイデンティティーに目を向けた作品が受け入れられる傾向があります。映画内での台湾語の使用もその特徴のひとつです。なかでもおすすめなのが『幸福路のチー』（2017 年）というアニメーション映画です。祖母の死をきっかけに故郷に戻った女性が自分の人生を見つめ直す過程が描かれており、台湾の現代史を背景に空想と現実、現在と過去が入り混じりながらストーリーが展開されます。

　最近は配信サービスも普及し、台湾映画を鑑賞できる機会も増えてきました。華語の勉強に疲れたら、映画を見てちょっと気分転換してみてはいかがですか？

Step 4

最後は副詞や接続詞、前置詞
など、その他の品詞を学びま
す。全部で143語、いよいよ
ラストスパートです！

144

1277 公分 ㄍㄨㄥ ㄈㄣ
☐☐☐
gōngfēn
★厘米 límǐ

量 〜cm

1278 公尺 ㄍㄨㄥ ㄔˇ
☐☐☐
gōngchǐ
★米 mǐ

量 〜m

1279 公里 ㄍㄨㄥ ㄌˇ
☐☐☐
gōnglǐ

量 〜km

1280 斤 ㄐㄧㄣ
☐☐☐
jīn

量 600g

中国大陸では「500g」を表す。

1281 公斤 ㄍㄨㄥ ㄐㄧㄣ
☐☐☐
gōngjīn

量 〜kg

1282 秒 ㄇㄧㄠˇ
☐☐☐
miǎo

量 〜秒

1283 秒鐘 ㄇㄧㄠˇ ㄓㄨㄥ
☐☐☐
miǎozhōng
★秒钟

量 〜秒間

1284 匹 ㄆㄧ
☐☐☐
pī
★ pǐ

量 〜匹（馬やロバなどを数える）

1285 群 ㄑㄩㄣˊ
☐☐☐
qún

量 かたまり、群（群れをなしているものを数える）

羣とも書く。

他才中一就已經有一百八十公分高了。

Tā cái zhōng yī jiù yǐjīng yǒu yìbǎi bāshí gōngfēn gāo le.

彼はまだ中学1年生なのにもう180cmもあります。

一公尺就是一百公分。

Yì gōngchǐ jiùshì yìbǎi gōngfēn.

1mは100cmです。

這輛跑車最快一小時跑三百公里。

Zhè liàng pǎochē zuì kuài yì xiǎoshí pǎo sānbǎi gōnglǐ.

このスポーツカーは最高時速300kmで走ります。

香蕉一斤多少錢？

Xiāngjiāo yì jīn duōshǎo qián?

バナナは600gいくらですか？

他的吉娃娃有八公斤這麼重。

Tā de jíwáwa yǒu bā gōngjīn zhème zhòng.

彼のチワワは8kgもの体重があります。

你十秒內趕快把電腦遊戲關掉。

Nǐ shí miǎo nèi gǎnkuài bǎ diànnǎo yóuxì guāndiào.

10秒以内に急いでPCゲームをシャットダウンしなさい。

不到五秒鐘他就想出答案了。

Búdào wǔ miǎozhōng tā jiù xiǎngchū dá'àn le.

5秒もたたずに彼は答えを思いつきました。

關羽有一匹好馬叫赤兔馬。

Guān Yǔ yǒu yì pī hǎo mǎ jiào Chìtùmǎ.

関羽は赤兎馬というすばらしい馬を持っていました。

那一群鳥要飛到哪兒？

Nà yì qún niǎo yào fēidào nǎr?

あの鳥の群れはどこに飛んでいくんだろう？

Step 4

❋ 量詞

1286 □ □ □ **堆** ㄉㄨㄟ duī	量（うず高く積まれたものや群れをなした人を数える）
1287 □ □ □ **團** ㄊㄨㄢˊ tuán ★团	量〜玉、〜かたまり（ひとかたまりになっているものを数える）、（ある種の状態・状況を示す）
1288 □ □ □ **隊** ㄉㄨㄟˋ duì ★队	量〜隊、〜列（群れを数える） 名チーム、隊
1289 □ □ □ **根** ㄍㄣ gēn	量〜本（細長いものを数える）
1290 □ □ □ **棵** ㄎㄜ kē	量〜本、〜株（植物を数える）
1291 □ □ □ **幅** ㄈㄨˊ fú	量〜枚（絵画や布などを数える）
1292 □ □ □ **面** ㄇㄧㄢˋ miàn	量〜枚（平たいものを数える）、〜ページ、〜面（紙のページ、立体の面などを数える）
1293 □ □ □ **頁** ㄧㄝˋ yè ★页	量〜ページ
1294 □ □ □ **架** ㄐㄧㄚˋ jià	量〜台（飛行機、機械などを数える）

颱風後就會有一堆大型垃圾出現。

Táifēng hòu jiù huì yǒu yì duī dàxíng lèsè chūxiàn.

台風の後には大型のごみが山ほど出てきます。

小貓在玩這一團毛線。

Xiǎomāo zài wán zhè yì tuán máoxiàn.

子猫はこの毛糸のかたまりで遊んでいます。

中華職棒你支持哪一隊？

Zhōnghuá zhíbàng nǐ zhīchí nǎ yí duì?

台湾プロ野球でどのチームを応援していますか？

他抽起一根菸。

Tā chōuqǐ yì gēn yān.

彼はたばこを1本吸い始めました。

這棵是台灣火刺木。

Zhè kē shì Táiwān huǒcìmù.

これは台湾のサンザシです。

這一幅畫很有意思。

Zhè yì fú huà hěn yǒuyìsi.

この絵はおもしろいです。

我們翻開下一面。

Wǒmen fānkāi xià yí miàn.

次のページを開きましょう。

請看一下二十三頁。

Qǐng kàn yíxià èrshísān yè.

23ページを見てください。

有一架美國飛機停在這裡。

Yǒu yí jià Měiguó fēijī tíngzài zhèlǐ.

アメリカの飛行機がここに停止しています。

1295 □□□	棟 ㄉㄨㄥˋ dòng ★栋	量 ~棟（家屋を数える）
1296 □□□	段 ㄉㄨㄢˋ duàn	量 （長いものの区切りを数える）、（一定の距離や時間を数える）（段落や段階を数える）
1297 □□□	章 ㄓㄤ zhāng	量 （歌や文章などの段落を数える）
1298 □□□	篇 ㄆㄧㄢ piān	量 ~編（文章や詩を数える）
1299 □□□	首 ㄕㄡˇ shǒu	量 ~曲、~首（詞や歌、曲の数を数える）名 頭、最初の
1300 □□□	節 ㄐㄧㄝˊ jié ★节	量 （授業のコマや車両など区切られるものを数える）
1301 □□□	級 ㄐㄧˊ jí ★级	量 ~級（等級やランクを数える）、~段（階段や階層の数を数える）
1302 □□□	組 ㄗㄨˇ zǔ ★组	量 ~セット、~組動 組み合わせる、組織する
1303 □□□	頓 ㄉㄨㄣˋ dùn ★顿	量 ~回、~度（食事や叱責の数などを数える）

這ㄓㄜˋ 棟ㄉㄨㄥˋ 房ㄈㄤˊ 子ㄗ˙ 是ㄕˋ 日ㄖˋ 治ㄓˋ 時ㄕˊ 代ㄉㄞˋ 的ㄉㄜ˙ 日ㄖˋ 本ㄅㄣˇ 宿ㄙㄨˋ 舍ㄕㄜˋ 。

Zhè dòng fángzi shì rìzhì shídài de Rìběn sùshè.

この家屋は日本統治時代の日本の宿舎です。

謝ㄒㄧㄝˋ 謝ㄒㄧㄝˋ 你ㄋㄧˇ 陪ㄆㄟˊ 我ㄨㄛˇ 走ㄗㄡˇ 這ㄓㄜˋ 麼ㄇㄜ˙ 一ㄧˋ 段ㄉㄨㄢˋ 路ㄌㄨˋ 。

Xièxie nǐ péi wǒ zǒu zhème yí duàn lù.

私と一緒にこのような道を歩いてくれてありがとう。

你ㄋㄧˇ 先ㄒㄧㄢ 看ㄎㄢˋ 這ㄓㄜˋ 本ㄅㄣˇ 書ㄕㄨ 的ㄉㄜ˙ 第ㄉㄧˋ 一ㄧ 章ㄓㄤ 。

Nǐ xiān kàn zhè běn shū de dì yī zhāng.

まずはこの本を第1章を読んでください。

這ㄓㄜˋ 一ㄧ 篇ㄆㄧㄢ 作ㄗㄨㄛˋ 文ㄨㄣˊ 比ㄅㄧˇ 上ㄕㄤˋ 一ㄧ 篇ㄆㄧㄢ 好ㄏㄠˇ 得ㄉㄜ˙ 多ㄉㄨㄛ 。

Zhè yì piān zuòwén bǐ shàng yì piān hǎode duō.

この作文は前よりずっとよいです。

這ㄓㄜˋ 張ㄓㄤ 民ㄇㄧㄣˊ 歌ㄍㄜ 精ㄐㄧㄥ 選ㄒㄩㄢˇ CD 有ㄧㄡˇ 十ㄕˊ 五ㄨˇ 首ㄕㄡˇ 歌ㄍㄜ 。

Zhè zhāng míngē jīngxuǎn CD yǒu shíwǔ shǒu gē.

このフォークソングベストの CD には 15 曲の歌が収録されています。

你ㄋㄧˇ 一ㄧ 天ㄊㄧㄢ 有ㄧㄡˇ 幾ㄐㄧˇ 節ㄐㄧㄝˊ 課ㄎㄜˋ ？

Nǐ yì tiān yǒu jǐ jié kè?

1日何コマ授業がありますか？

這ㄓㄜˋ 一ㄧ 次ㄘˋ 你ㄋㄧˇ 要ㄧㄠˋ 考ㄎㄠˇ 華ㄏㄨㄚˊ 測ㄘㄜˋ 第ㄉㄧˋ 幾ㄐㄧˇ 級ㄐㄧˊ ？

Zhè yí cì nǐ yào kǎo Huácè dì jǐ jí?

あなたは今回 TOCFL の何級を受けますか？

這ㄓㄜˋ 一ㄧ 組ㄗㄨˇ 郵ㄧㄡˊ 票ㄆㄧㄠˋ 是ㄕˋ 紀ㄐㄧˋ 念ㄋㄧㄢˋ 奧ㄠˋ 運ㄩㄣˋ 的ㄉㄜ˙ 。

Zhè yì zǔ yóupiào shì jìniàn Àoyùn de.

この郵便切手セットはオリンピックを記念したものです。

弟ㄉㄧˋ 弟ㄉㄧ˙ 沒ㄇㄟˊ 寫ㄒㄧㄝˇ 功ㄍㄨㄥ 課ㄎㄜˋ 被ㄅㄟˋ 媽ㄇㄚ 媽ㄇㄚ˙ 罵ㄇㄚˋ 了ㄌㄜ˙ 一ㄧˊ 頓ㄉㄨㄣˋ 。

Dìdi méi xiě gōngkè bèi māma màle yí dùn.

弟は宿題をやらず、母に怒られました。

| 1304 | 趟 _{たん}
tàng | 量 ～度（往復する回数を数える）、
～便（バスや鉄道の便数を数える） |

| 1305 | 陣 _{ぢん}
zhèn
★阵 | 量 ひとしきり（ある時間続く現象や動作を
数える） |

| 1306 | 一再 _{アダ}
yízài | 副 何度も |

| 1307 | 再三 _{サム}
zàisān | 副 再三、繰り返し、何度も |

| 1308 | 重 _{イメム}
chóng | 副 もう一度、再び
動 重複する |

| 1309 | 連續 _{カゼ} _{ティ}
liánxù
★连续 | 副 続けて、連続して
動 連続する |

| 1310 | 通常 _{たメム} _{イだ}
tōngcháng | 副 通常、普通
形 通常の、普通の |

| 1311 | 時常 _シ _{イだ}
shícháng
★时常 | 副 よく、しばしば
⟷ 偶爾
関連 ▶▶ 經常、常常 |

| 1312 | 往往 _{メだ} _{メだ}
wǎngwǎng | 副 往々にして、しばしば |

去一趟花東一日遊要多少錢？

Qù yí tàng Huādōng yí rì yóu yào duōshǎo qián?

花東へ1回日帰り旅行
に行くのにいくらかか
りますか？

一陣風吹走他的帽子。

Yí zhèn fēng chuīzǒu tā de màozi.

突風が彼の帽子を吹き
飛ばしました。

媽媽一再提醒阿霞明天要早起。

Māma yízài tíxǐng Ā Xiá míngtiān yào zǎoqǐ.

母親は何度も阿霞に明
日早起きするよう注意
しました。

老闆再三告訴員工不要遲到。

Lǎobǎn zàisān gàosù yuángōng búyào chídào.

社長は何度も従業員に
遅刻しないよう言いま
した。

彈錯了就再重彈一次。

Táncuò le jiù zài chóng tán yí cì.

間違えたらもう一度弾
きましょう。

他連續兩年拿到全校第一名。

Tā liánxù liǎng nián nádào quánxiào dì yī míng.

彼は2年続けて校内1
位を取りました。

通常他不會這麼做。

Tōngcháng tā búhuì zhème zuò.

いつもの彼ならきっと
そうしません。

他時常想念故鄉的妻子。

Tā shícháng xiǎngniàn gùxiāng de qīzi.

彼はしょっちゅう故郷
の妻が恋しくなります。

沒辦法得到的往往最美麗。

Méi bànfǎ dédào de wǎngwǎng zuì měilì.

手に入れられないもの
は往々にして最も美し
いです。

148

1313
不_{ㄅㄨˋ}斷_{ㄉㄨㄢˋ}
búduàn

★不断

副 たえず、ひっきりなしに
関連 ▶▶ 一直

1314
老_{ㄌㄠˇ}是_{ㄕˋ}
lǎoshì

副 いつも～である、
　　～（して）ばかりである

1315
一_{ㄧˊ}向_{ㄒㄧㄤˋ}
yíxiàng

副 いつも、今までずっと

1316
永_{ㄩㄥˇ}遠_{ㄩㄢˇ}
yǒngyuǎn

★永远

副 いつまでも、永久に
⟷ 暫時

1317
隨_{ㄙㄨㄟˊ}時_{ㄕˊ}
suíshí

★随时

副 随時、いつでも、常に

1318
一_{ㄧˊ}同_{ㄊㄨㄥˊ}
yìtóng

副 いっせいに、一緒に
関連 ▶▶ 一起

1319
偶_{ㄡˇ}爾_{ㄦˇ}
ǒu'ěr

★偶尔

副 ときどき、たまに
⟷ 時常

偶而とも書く。

1320
暫_{ㄓㄢˋ}時_{ㄕˊ}
zhànshí

★暂时 zànshí

副 しばらく、一時
形 一時的な、臨時の
⟷ 永遠

1321
待_{ㄉㄞ}會_{ㄏㄨㄟˋ}兒_ㄦ
dāihuǐr

★待会儿 dāihuìr

副 しばらくして、後で

不斷地嘗試才有創新的產品。

Búduànde chángshì cái yǒu chuàngxīn de chǎnpǐn.

たえず挑戦してはじめて新しい製品が生まれます。

茉莉大姐老是掉東西。

Mòlì dàjiě lǎoshì diào dōngxi.

茉莉さんはしょっちゅうものをなくします。

甘地一向平靜地面對困難。

Gāndì yíxiàng píngjìngde miànduì kùnnán.

ガンジーはいつも冷静に困難と向き合ってきました。

他永遠在我們心裡。

Tā yǒngyuǎn zài wǒmen xīnlǐ.

彼はいつまでも私たちの心の中にいます。

有問題請隨時跟我們聯絡。

Yǒu wèntí qǐng suíshí gēn wǒmen liánluò.

何か問題があればいつでも私たちに連絡してください。

他們兄妹一同拿到了奧運第一名。

Tāmen xiōngmèi yìtóng nádàole Àoyùn dì yī míng.

彼ら兄妹は一緒にオリンピックチャンピオンになりました。

他偶而來市場幫忙阿姨賣菜。

Tā ǒu'ěr lái shìchǎng bāngmáng āyí mài cài.

彼はときどき市場に来ておばが野菜を売るのを手伝います。

這件事我們暫時不要告訴他。

Zhè jiàn shì wǒmen zhànshí búyào gàosù tā.

このことはしばらく彼に伝えないようにしよう。

我們待會兒去貓空喝茶。

Wǒmen dāihuǐr qù Māokōng hē chá.

しばらくしたら猫空にお茶を飲みに行きましょう。

149

1322
改天
gǎitiān

副 日を改めて、いずれ、近いうちに

1323
從此
cóngcǐ
★从此

副 そのときから、これから

1324
從小
cóngxiǎo
★从小

副 幼いころから

1325
曾（經）
céng(jīng)
★曾（经）

副 かつて

1326
忽然
hūrán

副 突然、にわかに
⟷ 漸漸
関連 ▶▶ 突然

1327
突然
túrán
★ tūrán

副 突然、いきなり
関連 ▶▶ 忽然
形 突然である

1328
漸漸
jiànjiàn
★渐渐

副 だんだん、しだいに
⟷ 忽然

1329
仍（然）
réng(rán)

副 依然として、あいかわらず、
以前と同じように

1330
簡直
jiǎnzhí
★简直

副 まるっきり、まるで

318

改天我們多聊一聊。
Gǎitiān wǒmen duō liáoyìliáo.

日を改めてもっとお話ししましょう。

從此我不知她去哪裡。
Cóngcǐ wǒ bù zhī tā qù nǎlǐ.

それから彼女がどこに行ったか私は知りません。

我老公從小就想開蛋糕店。
Wǒ lǎogōng cóngxiǎo jiù xiǎng kāi dàngāodiàn.

私の夫は小さいころからケーキ屋さんを開きたいと思っています。

她曾經很愛彈吉他。
Tā céngjīng hěn ài tán jítā.

彼女はかつてギターを弾くのが大好きでした。

外面忽然開始下雨。
Wàimiàn hūrán kāishǐ xiàyǔ.

外は突然雨が降りだしました。

所以啦，說好了就不要突然改變主意。
Suǒyǐ la, shuōhǎo le jiù búyào túrán gǎibiàn zhǔyì.

だからさぁ、一度決めたら突然考えを変えないで。

天氣漸漸冷了。
Tiānqì jiànjiàn lěng le.

だんだん寒くなってきました。

怎麼說呢？ 他仍然不了解我的心。
Zěnme shuō ne? Tā réngrán bù liǎojiě wǒ de xīn.

何というか、彼はあいかわらず私の気持ちをわかっていません。

這簡直是不可能的目標。
Zhè jiǎnzhí shì bù kěnéng de mùbiāo.

これはまったくもって不可能な目標です。

1331	不ㄅㄨˋ得ㄉㄜˊ不ㄅㄨˋ bùdébù	フ やむをえず、〜せざるをえない

1332	故ㄍㄨˋ意ㄧˋ gùyì	副 わざと、意図的に

1333	專ㄓㄨㄢ門ㄇㄣˊ zhuānmén ★专门	副 わざわざ 形 専門の

1334	甚ㄕㄣˋ至ㄓˋ shènzhì	副 〜さえ、〜すら 接 ひいては、〜ばかりでなく〜さえ

1335	絕ㄐㄩㄝˊ對ㄉㄨㄟˋ juéduì ★绝对	副 必ず、絶対に

1336	千ㄑㄧㄢ萬ㄨㄢˋ qiānwàn ★千万	副 けっして、絶対に

1337	恐ㄎㄨㄥˇ怕ㄆㄚˋ kǒngpà ★恐怕	副 おそらく、たぶん

1338	多ㄉㄨㄛ半ㄅㄢˋ duōbàn	副 おおかた、たぶん 名 大半、大多数

1339	或ㄏㄨㄛˋ許ㄒㄩˇ huòxǔ ★或许	副 あるいは、もしかすると

這ㄓㄜˋ場ㄔㄤˇ病ㄅㄧㄥˋ讓ㄖㄤˋ他ㄊㄚ不ㄅㄨˋ得ㄉㄜˊ不ㄅㄨˋ改ㄍㄞˇ變ㄅㄧㄢˋ生ㄕㄥ活ㄏㄨㄛˊ方ㄈㄤ式ㄕˋ。

Zhè chǎng bìng ràng tā bùdébù gǎibiàn shēnghuó fāngshì.

今回の病気によって彼はライフスタイルを変えざるをえなくなりました。

她ㄊㄚ故ㄍㄨˋ意ㄧˋ沒ㄇㄟˊ聽ㄊㄧㄥ到ㄉㄠˋ。

Tā gùyì méi tīngdào.

彼女はわざと聞こえていないふりをしました。

他ㄊㄚ專ㄓㄨㄢ門ㄇㄣˊ從ㄘㄨㄥˊ台ㄊㄞˊ灣ㄨㄢˇ跑ㄆㄠˇ到ㄉㄠˋ日ㄖˋ本ㄅㄣˇ來ㄌㄞˊ看ㄎㄢˋ我ㄨㄛˇ。

Tā zhuānmén cóng Táiwān pǎodào Rìběn lái kàn wǒ.

彼は私に会いにわざわざ台湾から日本へ駆けつけてくれました。

這ㄓㄜˋ家ㄐㄧㄚ店ㄉㄧㄢˋ除ㄔㄨˊ了ㄌㄜ打ㄉㄚˇ折ㄓㄜˊ甚ㄕㄣˋ至ㄓˋ還ㄏㄞˊ送ㄙㄨㄥˋ贈ㄗㄥˋ品ㄆㄧㄣˇ。

Zhè jiā diàn chúle dǎzhé shènzhì hái sòng zèngpǐn.

この店は割引をする他にさらにプレゼントまでくれます。

我ㄨㄛˇ絕ㄐㄩㄝˊ對ㄉㄨㄟˋ要ㄧㄠˋ去ㄑㄩˋ吃ㄔ那ㄋㄚˋ一ㄧ家ㄐㄧㄚ的ㄉㄜ台ㄊㄞˊ灣ㄨㄢ菜ㄘㄞˋ。

Wǒ juéduì yào qù chī nà yì jiā de Táiwāncài.

私は絶対にあの店の台湾料理を食べに行きます。

你ㄋㄧˇ千ㄑㄧㄢ萬ㄨㄢˋ不ㄅㄨˊ要ㄧㄠˋ在ㄗㄞˋ他ㄊㄚ面ㄇㄧㄢˋ前ㄑㄧㄢˊ提ㄊㄧˊ起ㄑㄧˇ小ㄒㄧㄠˇ愛ㄞˋ。

Nǐ qiānwàn búyào zài tā miànqián tíqǐ Xiǎo Ài.

絶対に彼の前で小愛のことを持ち出さないで。

不ㄅㄨˋ交ㄐㄧㄠ作ㄗㄨㄛˋ業ㄧㄝˋ，恐ㄎㄨㄥˇ怕ㄆㄚˋ會ㄏㄨㄟˋ被ㄅㄟˋ記ㄐㄧˋ過ㄍㄨㄛˋ。

Bù jiāo zuòyè, kǒngpà huì bèi jìguò.

宿題を出さなかったらおそらく記録に残されてしまうでしょう。

小ㄒㄧㄠˇ孩ㄏㄞˊ多ㄉㄨㄛ半ㄅㄢˋ都ㄉㄡ喜ㄒㄧˇ歡ㄏㄨㄢ棒ㄅㄤˋ棒ㄅㄤˋ糖ㄊㄤˊ。

Xiǎohái duōbàn dōu xǐhuān bàngbàngtáng.

子供はたいていみんなペロペロキャンディーが好きです。

或ㄏㄨㄛˋ許ㄒㄩˇ你ㄋㄧˇ應ㄧㄥ該ㄍㄞ問ㄨㄣˋ更ㄍㄥˋ多ㄉㄨㄛ人ㄖㄣˊ的ㄉㄜ意ㄧˋ見ㄐㄧㄢˋ。

Huòxǔ nǐ yīnggāi wèn gèng duō rén de yìjiàn.

もしかするともっと多くの人に意見を聞くべきかもしれません。

1340
肯定 ㄎㄣˇ ㄉㄧㄥˋ
kěndìng

副 間違いなく、必ず
関連 ▶▶ 一定
形 はっきりしている

1341
說不定 ㄕㄨㄛ ㄅㄨˊ ㄉㄧㄥˋ
shuōbúdìng
★说不定

副 ～かもしれない
動 はっきりと言えない、わからない

1342
不見得 ㄅㄨˊ ㄐㄧㄢˋ ㄉㄜ
bújiànde
★不见得

副 ～とはかぎらない、～とは思えない

1343
難怪 ㄋㄢˊ ㄍㄨㄞˋ
nánguài
★难怪

副 どうりで
関連 ▶▶ 怪不得

1344
怪不得 ㄍㄨㄞˋ ㄅㄨˋ ㄉㄜ
guàibùde

副 どうりで、～するのも無理はない
関連 ▶▶ 難怪

1345
果然 ㄍㄨㄛˇ ㄖㄢˊ
guǒrán

副 案の定、思ったとおり
⟷ 竟然、居然

1346
竟(然) ㄐㄧㄥˋ ㄖㄢˊ
jìng(rán)

副 意外にも、なんと
⟷ 果然
関連 ▶▶ 居然

1347
居然 ㄐㄩ ㄖㄢˊ
jūrán

副 意外にも、思いがけず
⟷ 果然
関連 ▶▶ 竟然

1348
難道 ㄋㄢˊ ㄉㄠˋ
nándào
★难道

副 まさか～ではあるまい

他這麼生氣，肯定不會來了。

Tā zhème shēngqì, kěndìng búhuì lái le.

彼はこんなに腹を立て
て、間違いなく来ない
でしょう。

說不定他喜歡你。

Shuōbúdìng tā xǐhuān nǐ.

もしかすると彼はあな
たが好きなのかもしれ
ません。

她不見得想交男朋友。

Tā bújiànde xiǎng jiāo nánpéngyǒu.

彼女が彼氏を作りたい
と思っているとはかぎ
りません。

你從外國來，難怪不知
道他。

Nǐ cóng wàiguó lái, nánguài bù zhīdào tā.

あなたは外国から来た
のですね、どうりで彼
を知らないわけです。

她手機沒電，怪不得打
不通。

Tā shǒujī méi diàn, guàibùde dǎbùtōng.

彼女の携帯電話は電池
切れです。どうりで電
話が通じないわけです。

他果然知道答案。

Tā guǒrán zhīdào dá'àn.

彼は案の定答えを知っ
ていました。

你竟然不知道珍珠奶茶？

Nǐ jìngrán bù zhīdào zhēnzhū nǎichá?

なんとタピオカミルク
ティーを知らないの？

她居然在五十歲的時候
去台南留學。

Tā jūrán zài wǔshí suì de shíhòu qù Táinán liúxué.

彼女はなんと50歳の
ときに台南へ留学しま
した。

難道你不知道他不喝酒？

Nándào nǐ bù zhīdào tā bù hējiǔ?

まさか彼がお酒を飲ま
ないことを知らないの
ですか？

152

1349	的確 ㄉㄧˊ ㄑㄩㄝˋ díquè ★的确	副 たしかに、確実に、疑いなく

| 1350 | 看來 ㄎㄢˋ ㄌㄞˊ
kànlái
★看来 | 副 見たところ〜のようだ |

| 1351 | 到底 ㄉㄠˋ ㄉㄧˇ
dàodǐ | 副 そもそも、いったい、とうとう、ついに
動 最後までやり抜く |

| 1352 | 終於 ㄓㄨㄥ ㄩˊ
zhōngyú
★终于 | 副 ついに、とうとう |

| 1353 | 只是 ㄓˇ ㄕˋ
zhǐshì | 副 〜にすぎない、ただ〜だけである
接 ただし、だが |

| 1354 | 卻 ㄑㄩㄝˋ
què
★却 | 副 むしろ、かえって、ところが |

| 1355 | 倒是 ㄉㄠˋ ㄕˋ
dàoshì | 副 かえって、〜なのに |

| 1356 | 反正 ㄈㄢˇ ㄓㄥˋ
fǎnzhèng | 副 どのみち、いずれにせよ、どうせ |

| 1357 | 寧可 ㄋㄧㄥˊ ㄎㄜˇ
níngkě
★宁可 nìngkě | 副 むしろ（〜した方がよい）
関連 ▶▶ 寧願（1358） |

這的確是一個新發明。 Zhè díquè shì yí ge xīn fāmíng.	これはたしかに新発明です。
看來，你需要更關心他的健康了。 Kànlái, nǐ xūyào gèng guānxīn tā de jiànkāng le.	どうやらあなたはもっと彼の健康を気にかけないといけないようです。
你到底有沒有看過李安導演的電影？ Nǐ dàodǐ yǒuméiyǒu kànguò Lǐ Ān dǎoyǎn de diànyǐng?	そもそもアン・リー監督の映画を見たことがあるのですか？
終於見到妳了。 Zhōngyú jiàndào nǐ le.	ついにあなたに会えました。
他只是隨便說說，別理他。 Tā zhǐshì suíbiàn shuōshuō, bié lǐ tā.	彼はただ適当に言っているだけだから放っておいて。
你想考試考高分卻不肯花功夫努力。 Nǐ xiǎng kǎoshì kǎo gāofēn què bùkěn huā gōngfu nǔlì.	あなたは試験で高い点数を取りたいのに苦労や努力をしようとしません。
雖然他常抱怨，做事倒是很仔細。 Suīrán tā cháng bàoyuàn, zuòshì dàoshì hěn zǐxì.	彼はしょちゅう愚痴を言うのに、仕事はかえってこまやかです。
反正我沒錢沒背景，是個魯蛇。 Fǎnzhèng wǒ méi qián méi bèijǐng, shì ge lǔshé.	どうせ私はお金も後ろ盾もない、負け組です。 ※魯蛇：「looser」の音訳語で、意味は「負け組」
他寧可不吃飯，也要做工作。 Tā nìngkě bù chīfàn, yě yào zuò gōngzuò.	彼は食事を抜いてでも仕事をします。

1358 寧願 níngyuàn
★宁愿 nìngyuàn

副 ～するよりもむしろ～したい、～してでも（～する）
関連 ▶▶ 寧可（1357）

1359 原本 yuánběn

副 もともと、本来
名 原本、原書

1360 根本 gēnběn

副 まったく、はじめから、完全に
名 根本、根源

1361 幸好 xìnghǎo

副 運よく、都合よく
関連 ▶▶ 幸虧

1362 幸虧 xìngkuī
★幸亏

副 幸いにも
関連 ▶▶ 幸好

1363 順便 shùnbiàn
★顺便

副 ついでに

1364 一邊（兒） yìbiān(r)
★一边（儿）

副 ～しながら（～する）

1365 主要 zhǔyào

副 主に、主として
形 主要な、大切な

1366 分別 fēnbié
★分别

副 それぞれ、別々に
名 区別、違い
関連 ▶▶ 區別
動 区別する、見分ける

326

他ㄊㄚ寧ㄋㄧㄥ願ㄩㄢ少ㄕㄠ賺ㄓㄨㄢ錢ㄑㄧㄢ也ㄧㄝ要ㄧㄠ彈ㄊㄢ鋼ㄍㄤ琴ㄑㄧㄣ。

Tā níngyuàn shǎo zhuànqián yě yào tán gāngqín.

彼はかせぎが少なくてもピアノを弾きたいです。

阿ㄚ雅ㄧㄚ原ㄩㄢ本ㄅㄣ在ㄗㄞ博ㄅㄛ物ㄨ館ㄍㄨㄢ打ㄉㄚ工ㄍㄨㄥ。

Ā Yǎ yuánběn zài bówùguǎn dǎgōng.

阿雅はもともと博物館でアルバイトをしていました。

你ㄋㄧ根ㄍㄣ本ㄅㄣ沒ㄇㄟ有ㄧㄡ認ㄖㄣ真ㄓㄣ聽ㄊㄧㄥ話ㄏㄨㄚ。

Nǐ gēnběn méiyǒu rènzhēn tīng huà.

あなたはまったく真剣に話を聞いていない。

幸ㄒㄧㄥ好ㄏㄠ我ㄨㄛ帶ㄉㄞ了ㄌㄜ傘ㄙㄢ。

Xìnghǎo wǒ dàile sǎn.

運よく私は傘を持ってきました。

幸ㄒㄧㄥ虧ㄎㄨㄟ妳ㄋㄧ先ㄒㄧㄢ告ㄍㄠ訴ㄙㄨ我ㄨㄛ今ㄐㄧㄣ天ㄊㄧㄢ不ㄅㄨ上ㄕㄤ課ㄎㄜ。

Xìngkuī nǐ xiān gàosù wǒ jīntiān bú shàngkè.

今日は授業がないと先に言ってくれてよかった。

可ㄎㄜ以ㄧ順ㄕㄨㄣ便ㄅㄧㄢ幫ㄅㄤ我ㄨㄛ買ㄇㄞ便ㄅㄧㄢ當ㄉㄤ回ㄏㄨㄟ來ㄌㄞ嗎ㄇㄚ？

Kěyǐ shùnbiàn bāng wǒ mǎi biàndāng huílái ma?

ついでに私に弁当を買ってきてくれませんか？

一ㄧ邊ㄅㄧㄢ走ㄗㄡ路ㄌㄨ一ㄧ邊ㄅㄧㄢ看ㄎㄢ手ㄕㄡ機ㄐㄧ很ㄏㄣ危ㄨㄟ險ㄒㄧㄢ。

Yìbiān zǒulù yìbiān kàn shǒujī hěn wéixiǎn.

歩きながらスマホを見るのは危険です。

他ㄊㄚ主ㄓㄨ要ㄧㄠ在ㄗㄞ海ㄏㄞ洋ㄧㄤ生ㄕㄥ物ㄨ博ㄅㄛ物ㄨ館ㄍㄨㄢ工ㄍㄨㄥ作ㄗㄨㄛ。

Tā zhǔyào zài hǎiyáng shēngwù bówùguǎn gōngzuò.

彼は主に海洋生物博物館で働いています。

讓ㄖㄤ我ㄨㄛ們ㄇㄣ分ㄈㄣ別ㄅㄧㄝ從ㄘㄨㄥ兩ㄌㄧㄤ方ㄈㄤ面ㄇㄧㄢ調ㄉㄧㄠ查ㄔㄚ。

Ràng wǒmen fēnbié cóng liǎng fāngmiàn diàochá.

私たちに2つの方面から別々に調査させてください。

Step 4

❀ 副詞

副詞

1367 □□□ 真正 ㄓㄣ ㄓㄥˋ zhēnzhèng	副 たしかに、本当に 形 本当の、真の

1368 □□□ 十分 ㄕˊ ㄈㄣ shífēn	副 とても、たいへん、十分に 関連 ▶▶ **非常**

1369 □□□ 大約 ㄉㄚˋ ㄩㄝ dàyuē ★大约	副 およそ、おおかた、おそらく 関連 ▶▶ **大概**

1370 □□□ 差一點 ㄔㄚ ㄧ ㄉㄧㄢˇ chāyìdiǎn ★差一点 chàyìdiǎn / 差点 chàdiǎn	副 もう少しのところで、あやうく **差點**ともいう。

1371 □□□ 幾乎 ㄐㄧ ㄏㄨ jīhū ★几乎	副 ほとんど、もう少しで

1372 □□□ 急忙 ㄐㄧˊ ㄇㄤˊ jímáng ★急忙	副 慌ただしく、急いで

1373 □□□ 趕緊 ㄍㄢˇ ㄐㄧㄣˇ gǎnjǐn ★赶紧	副 急いで、速やかに、さっそく

1374 □□□ 自動 ㄗˋ ㄉㄨㄥˋ zìdòng ★自动	副 自発的に、自然に 形 自動の

1375 □□□ 互相 ㄏㄨˋ ㄒㄧㄤ hùxiāng	副 たがいに、相互に

現在他才真正了解到自由是什麼。

Xiànzài tā cái zhēnzhèng liǎojiědào zìyóu shì shénme.

今になってやっと彼は自由とは何か本当に理解しました。

渡邊一家人都對我十分親切。

Dùbiān yìjiārén dōu duì wǒ shífēn qīnqiè.

渡邊家の人はみんな私にとても親切です。

宏任跟她大約認識快五年了。

Hóngrèn gēn tā dàyuē rènshì kuài wǔ nián le.

宏任が彼女と知り合っておよそ5年になります。

我差一點就趕不上這部電影。

Wǒ chāyìdiǎn jiù gǎnbúshàng zhè bù diànyǐng.

私はもう少しのところでこの映画に間に合わないところでした。

這幾天她幾乎沒有休息，結果累壞了。

Zhè jǐ tiān tā jīhū méiyǒu xiūxí, jiéguǒ lèihuài le.

ここ数日間彼女はほとんど休まず、結局体を壊してしまいました。

她急忙吃完早餐就出門。

Tā jímáng chīwán zǎocān jiù chūmén.

彼女は大急ぎで朝食を食べ終えるとすぐ出かけました。

快遲到了，趕緊出門吧。

Kuài chídào le, gǎnjǐn chūmén ba.

遅刻しそうだ、急いで出発しよう。

不等老師說同學們自動收好書包。

Bù děng lǎoshī shuō tóngxuémen zìdòng shōuhǎo shūbāo.

先生が言う前に生徒たちは自発的にカバンを片付けました。

人與人互相了解是很重要的。

Rén yǔ rén hùxiāng liǎojiě shì hěn zhòngyào de.

人と人がたがいに理解することは重要です。

Step 4

※ 副詞

1376
總共　ㄗㄨㄥˇ ㄍㄨㄥˋ
zǒnggòng

★总共

副 合わせて、全部で
関連 ▶▶ 一共

1377
至少　ㄓˋ ㄕㄠˇ
zhìshǎo

副 少なくとも

1378
進一步　ㄐㄧㄣˋ ㄧ ㄅㄨˋ
jìnyíbù

★进一步

副 さらに、いっそう

1379
四處　ㄙˋ ㄔㄨˋ
sìchù

★四处

副 あちこち、あたり一面
関連 ▶▶ 到處

1380
首先　ㄕㄡˇ ㄒㄧㄢ
shǒuxiān

副 最初に、はじめに
⟷ 最後

1381
接下來　ㄐㄧㄝ ㄒㄧㄚˋ ㄌㄞˊ
jiēxiàlái

★接下来

副 続いて、次に

1382
按照　ㄢˋ ㄓㄠˋ
ànzhào

前 〜に基づいて、〜どおりに

1383
（根）據　（ㄍㄣ）ㄐㄩˋ
(gēn)jù

★（根）据

前 〜に基づいて、〜によれば

1384
通過　ㄊㄨㄥ ㄍㄨㄛˋ
tōngguò

★通过

前 〜を通じて、〜によって
動 通過する、採択する

兩杯大珍奶三片雞排總
共三百元。

Liǎng bēi dà zhēnnǎi sān piàn jīpái zǒnggòng sānbǎi yuán.

タピオカミルクティー
大2杯と鶏排3つで合
計300元です。
※鶏排：大ぶりの鶏肉を揚
げたスパイシーなからあげ

至少我還有你。

Zhìshǎo wǒ hái yǒu nǐ.

少なくとも私にはまだ
あなたがいます。

讓我們進一步來看計算
的結果。

Ràng wǒmen jìnyíbù lái kàn jìsuàn de jiéguǒ.

私たちにさらに計算結
果を見せてください。

她四處發傳單想要找她
的貓咪。

Tā sìchù fā chuándān xiǎng yào zhǎo tā de māomī.

彼女はあちこちにビラ
を配って猫を探そうと
しています。

首先我們請董事長來說
幾句話。

Shǒuxiān wǒmen qǐng dǒngshìzhǎng lái shuō jǐ jù huà.

はじめに理事長にお話
ししていただきます。

接下來請司馬中原老師
說鬼故事。

Jiēxiàlái qǐng Sīmǎ Zhōngyuán lǎoshī shuō guǐ gùshì.

続いて司馬中原先生に
怪談をお話ししていた
だきます。

司機按照媽媽說的開車。

Sījī ànzhào māma shuō de kāichē.

運転手は母の言うとお
りに運転しました。

請你根據事實說話。

Qǐng nǐ gēnjù shìshí shuōhuà.

事実に基づいて話して
ください。

通過她的介紹，我認識
我老婆。

Tōngguò tā de jièshào, wǒ rènshì wǒ lǎopó.

彼女の紹介を通じて、
私は妻と知り合いまし
た。

156

1385 □ □
關於（ㄍㄨㄢ ㄩˊ）
guānyú
★关于

前 ～について、～に関して

1386 □ □
有關（ㄧㄡˇ ㄍㄨㄢ）
yǒuguān
★有关

前 ～に関する
動 関係がある ←→ **無關**

1387 □ □
由於（ㄧㄡˊ ㄩˊ）
yóuyú
★由于

前 ～によって、～による
接 ～なので、～だから
←→ **因為**

1388 □ □
為（ㄨㄟˋ）
wèi
★为

前 ～のために、～するために

1389 □ □
自從（ㄗˋ ㄘㄨㄥˊ）
zìcóng
★自从

前 ～から、～より

1390 □ □
趁（ㄔㄣˋ）
chèn

前 ～のうちに、～に乗じて

1391 □ □
由（ㄧㄡˊ）
yóu

前 ～から、～が、（人）によって

1392 □ □
直到（ㄓˊ ㄉㄠˋ）
zhídào

前 ～になる、～になって（もまだ／やっと）

1393 □ □
比如（說）（ㄅㄧˇ ㄖㄨˊ（ㄕㄨㄛ））
bǐrú (shuō)
★比如（说）

接 たとえば

0　200　400　600　800　1000　1200　1400

關於周休二日大家有什麼意見？

Guānyú zhōuxiū èr rì dàjiā yǒu shénme yìjiàn?

週休2日についてみんな何か意見がありますか？

這是一篇有關海洋生物的報告。

Zhè shì yì piān yǒuguān hǎiyáng shēngwù de bàogào.

これは海洋生物に関するレポートです。

由於颱風的關係，明天不用上課。

Yóuyú táifēng de guānxì, míngtiān búyòng shàngkè.

台風の関係で、明日は授業に出なくてよいです。

為你我可以做任何事。

Wèi nǐ wǒ kěyǐ zuò rènhé shì.

あなたのために私は何でもします。

自從學華語之後我認識更多朋友。

Zìcóng xué Huáyǔ zhīhòu wǒ rènshì gèng duō péngyǒu.

華語を学んでから私はより多くの友達と知り合いました。

這碗四神湯趁熱喝。

Zhè wǎn sìshéntāng chèn rè hē.

この四神湯は熱いうちに食べて。
※四神湯：4種の生薬とモツを煮込んだ台湾の薬膳スープ

希望由你跟他談談。

Xīwàng yóu nǐ gēn tā tántán.

あなたから彼に話をしてみてほしいです。

直到現在他還不肯說他到底愛誰。

Zhídào xiànzài tā hái bùkěn shuō tā dàodǐ ài shéi.

今になってもまだ彼はいったい誰を愛しているのか言いたがりません。

比如說按照顏色來做分類怎麼樣？

Bǐrú shuō ànzhào yánsè lái zuò fēnlèi zěnmeyàng?

たとえば色で分類するのはどうでしょうか？

1394
☐
☐ 一方面 ㄈ ㄤ ㄇ ㄢ
yìfāngmiàn

接 一方では

1395
☐
☐ 假如 ㄐㄧㄚ ㄖㄨ
jiǎrú

接 もし～なら
関連 ▶▶ **如果、若是**

1396
☐
☐ 若是 ㄖㄨㄛ ㄕ
ruòshì

接 もし～なら
関連 ▶▶ **如果、假如**

1397
☐
☐ 要不是 ㄧㄠ ㄅㄨ ㄕ
yàobúshì

接 もし～でなかったら

1398
☐
☐ 就算 ㄐㄧㄡ ㄙㄨㄢ
jiùsuàn

接 たとえ～であっても

1399
☐
☐ 除非 ㄔㄨ ㄈㄟ
chúfēi

接 ～しなければ～しない、～してこそ

1400
☐
☐ 否則 ㄈㄡ ㄗㄜ
fǒuzé

★否则

接 そうでなければ、さもなくば

1401
☐
☐ 要不然 ㄧㄠ ㄅㄨ ㄖㄢ
yàobùrán

接 そうでなければ、さもなければ

1402
☐
☐ 既然 ㄐㄧ ㄖㄢ
jìrán

接 ～するからには、～である以上

除了價格，一方面也得
看顧客反應。

Chúle jiàgé, yìfāngmiàn yě děi kàn gùkè fǎnyìng.

価格以外に、一方では顧客の反応も見なければなりません。

假如沒有明天，你現在
最想做什麼？

Jiǎrú méiyǒu míngtiān, nǐ xiànzài zuì xiǎng zuò shénme?

もし明日がないとしたら、今一番何をしたいですか？

若是下雨只好在家寫功
課。

Ruòshì xiàyǔ zhǐhǎo zài jiā xiě gōngkè.

もし雨が降ったら、家で宿題をするしかありません。

要不是你幫忙，我早就
完了。

Yàobúshì nǐ bāngmáng, wǒ zǎo jiù wán le.

あなたが手伝ってくれなかったら私はとっくにおしまいでした。

就算他很有錢，那又怎
麼樣？

Jiùsuàn tā hěn yǒu qián, nà yòu zěnmeyàng?

彼にたくさんお金があったとしても、それがどうしたの？

除非太陽從西邊出來，
他才會吃香菜。

Chúfēi tàiyáng cóng xībiān chūlái, tā cái huì chī xiāngcài.

太陽が西側から出てこなければ彼はパクチーを食べません。

你快點停下來，否則媽
媽要生氣了。

Nǐ kuài diǎn tíngxiàlái, fǒuzé māma yào shēngqì le.

すぐにやめなさい、そうでないとお母さんは怒るよ。

你不想出門，要不然我
去找你。

Nǐ bùxiǎng chūmén, yàobùrán wǒ qù zhǎo nǐ.

あなたが出かけたくないのなら私があなたのところに行きます。

既然你很忙，就算了。

Jìrán nǐ hěn máng, jiù suàn le.

あなたが忙しい以上、やめにしましょう。

158

1403 □□□ 不_{ㄅㄨˋ}論_{ㄌㄨㄣˋ} búlùn ★不论	接 ～にかかわらず、たとえ～であろうと 関連 ▶▶ 不管、無論
1404 □□□ 無_{ㄨˊ}論_{ㄌㄨㄣˋ} wúlùn ★无论	接 ～にもかかわらず、たとえ～でも 関連 ▶▶ 不管、不論
1405 □□□ 因_{ㄧㄣ}此_{ㄘˇ} yīncǐ ★因此	接 したがって、それで 関連 ▶▶ 所以、於是
1406 □□□ 於_{ㄩˊ}是_{ㄕˋ} yúshì ★于是	接 それで、そこで 関連 ▶▶ 所以、因此
1407 □□□ 與_{ㄩˇ} yǔ ★与	接 ～と～
1408 □□□ 並_{ㄅㄧㄥˋ}且_{ㄑㄧㄝˇ} bìngqiě ★并且	接 そのうえ、かつ、そして 関連 ▶▶ 而且
1409 □□□ 而_{ㄦˊ}已_{ㄧˇ} éryǐ	助 ～にすぎない、～だけである
1410 □□□ 哎_ㄞ呀_{ㄧㄚˊ} āiya	感 （驚いたり意外に思ったりしたときに発する）あれっ、わぁ、おや
1411 □□□ 哦_{ㄛˊ} ó	感 （驚きや半信半疑の気持ちを表すときに発する）おや、へえ

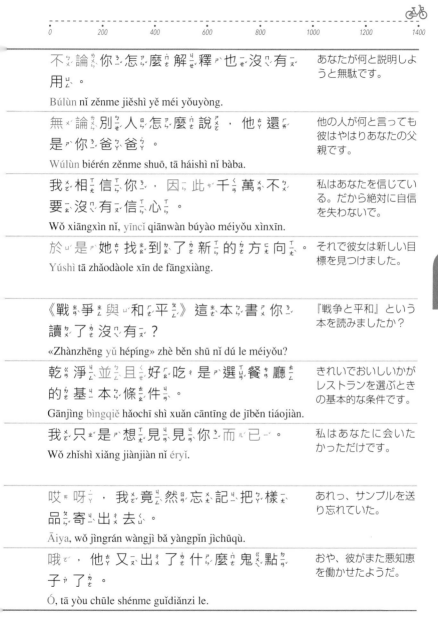

不論你怎麼解釋也沒有用。

Búlùn nǐ zěnme jiěshì yě méi yǒuyòng.

あなたが何と説明しようと無駄です。

無論別人怎麼說，他還是你爸爸。

Wúlùn biérén zěnme shuō, tā háishì nǐ bàba.

他の人が何と言っても彼はやはりあなたの父親です。

我相信你，因此千萬不要沒有信心。

Wǒ xiāngxìn nǐ, yīncǐ qiānwàn búyào méiyǒu xìnxīn.

私はあなたを信じている。だから絶対に自信を失わないで。

於是她找到了新的方向。

Yúshì tā zhǎodàole xīn de fāngxiàng.

それで彼女は新しい目標を見つけました。

《戰爭與和平》這本書你讀了沒有？

«Zhànzhēng yǔ hépíng» zhè běn shū nǐ dú le méiyǒu?

『戦争と平和』という本を読みましたか？

乾淨並且好吃是選餐廳的基本條件。

Gānjìng bìngqiě hǎochī shì xuǎn cāntīng de jīběn tiáojiàn.

きれいでおいしいかがレストランを選ぶときの基本的な条件です。

我只是想見見你而已。

Wǒ zhǐshì xiǎng jiànjiàn nǐ éryǐ.

私はあなたに会いたかっただけです。

哎呀，我竟然忘記把樣品寄出去。

Āiya, wǒ jìngrán wàngjì bǎ yàngpǐn jìchūqù.

あれっ、サンプルを送り忘れていた。

哦，他又出了什麼鬼點子了。

Ó, tā yòu chūle shénme guǐdiǎnzi le.

おや、彼がまた悪知恵を働かせたようだ。

159

1412	唉哟 āiyō	感 （驚いたときや苦しいとき、痛いときに発する）うわっ、いてっ

| 1413 | 唉
āi | 感 （意外や不満を表すときに発する）やれやれ、おや |

| 1414 | 喔
ō | 感 （了解・理解したときの気持ちを表すときに発する）ああ |

| 1415 | 嗨
hāi | 感 （呼びかけの言葉）ハイ、やあ |

| 1416 | 嗯
n | 感 （肯定や承諾を表すときに発する）うん、（意外や驚きを表すときに発する）ええ、うーん |

| 1417 | 哈
hā | 擬 （笑い声を表して）あはは、ははは
動 （口を開けて）息を吐く |

| 1418 | 各式各樣
gèshìgèyàng
★各式各样 | フ さまざまな |

| 1419 | 一天到晚
yìtiāndàowǎn | 成 朝から晩まで、一日中 |

唉唷，你怎麼踢我。

Āiyō, nǐ zěnme tī wǒ.

いてっ、なんで私を蹴るの。

唉，事情怎麼會是這樣。

Āi, shìqíng zěnme huì shì zhèyàng.

やれやれ、なんでこんなことになったんだ。

喔，你又吃太多了嗎？

Ō, nǐ yòu chī tài duō le ma?

ああ、また食べ過ぎたの？

嗨，我是明道，請留言。

Hāi, wǒ shì Míngdào, qǐng liúyán.

やあ、僕は明道です。伝言を残してください。

嗯，她點點頭，表示同意。

N, tā diǎndiǎntóu, biǎoshì tóngyì.

うん、と彼女はうなずいて同意を示しました。

贏了比賽，他開心地哈哈大笑。

Yíngle bǐsài, tā kāixīnde hāhā dàxiào.

試合に勝って、彼は嬉しくてハハハと大笑いしました。

這家素食餐廳提供各式各樣的美味。

Zhè jiā sùshí cāntīng tígōng gèshìgèyàng de měiwèi.

このベジタリアンレストランはさまざまなおいしい料理を提供します。

阿福一天到晚都在打電動。

Ā Fú yìtiāndàowǎn dōu zài dǎ diàndòng.

阿福は朝から晩までずっとゲームをしています。

TOCFL とは？

　「TOCFL（華語文能力測験）」は台湾華語の能力を測定する、中国語を母語としない人を対象とした試験です。台湾華語学習者の日常生活における言語使用能力を測ることを目的とし、台湾の「國家華語測驗推動工作委員會」が開発を行っています。台湾以外に、日本国内でも受験が可能です。

どんなことに役立つ？

　合格者には成績証明が与えられ、下記のような用途に使用することができます。

◉「台湾奨学金」申請時の華語能力の証明
◉ 台湾の大学や専門学校などへの華語能力の証明
◉ 就職活動の際の華語能力の証明

各級のレベルと受験対象者の目安

　試験はレベル順に Band A、Band B、Band C の 3 段階に分かれており、さらに入門者を対象とした準備級の試験があります。それぞれの試験では得点によってさらに 2 つの段階にレベル判定されます。各レベルの受験対象者の目安は右ページの表をご参照ください。

レベル	受験対象者の目安
準備級 準備 1 級 準備 2 級	非華語圏での学習時間が 60 ～ 240 時間 基本文法および 300 語の基礎語彙を備える人
Band A 入門級 基礎級	台湾での学習時間が 120 ～ 360 時間 他の国や地域での学習時間が 240 ～ 720 時間 基礎文法および 500 ～ 1,000 語の基礎語彙を備える人
Band B 進階級 高階級	台湾での学習時間が 360 ～ 960 時間 他の国や地域での学習時間が 720 ～ 1,920 時間 2,500 ～ 5,000 語の語彙を備える人
Band C 流利級 精通級	台湾での学習時間が 960 時間以上 他の国や地域での学習時間が 1,920 時間以上 8,000 語の語彙を備える人

試験の大まかな内容

　すべての Band で聴解問題と読解問題が 50 問ずつ、合計 100 問出題されます。試験時間はそれぞれ 60 分で、合計 120 分です。準備級のみ、25 問ずつ合計 50 問出題され、試験時間は 25 分ずつ合計 50 分となっています。

　台湾の実施委員会が運営している公式サイトでは模擬試験のダウンロードや無料オンライン模試の受験が可能です。受験をお考えの方は「華語文能力測験 官網」(https://tocfl.edu.tw) にアクセスし、ぜひご活用ください。

本ページの掲載内容は 2021 年 11 月時点での情報です。最新の情報は公式ホームページでご確認ください。
参考:「華語文能力測験 官網」
「台湾華語（中国語）能力検定試験 - TOCFL 公式サイト」

ㄅㄚ ba	ㄇㄣ men	ㄊㄚ ta	ㄋㄩㄝ nüe	ㄍㄨㄢ guan
ㄅㄛ bo	ㄇㄤ mang	ㄊㄜ te		ㄍㄨㄣ gun
ㄅㄞ bai	ㄇㄥ meng	ㄊㄞ tai	ㄌㄚ la	ㄍㄨㄤ guang
ㄅㄟ bei	ㄇㄧ mi	ㄊㄠ tao	ㄌㄜ le	ㄍㄨㄥ gong
ㄅㄠ bao	ㄇㄧㄝ mie	ㄊㄡ tou	ㄌㄞ lai	
ㄅㄢ ban	ㄇㄧㄠ miao	ㄊㄢ tan	ㄌㄟ lei	ㄎㄚ ka
ㄅㄣ ben	ㄇㄧㄡ miu	ㄊㄤ tang	ㄌㄠ lao	ㄎㄜ ke
ㄅㄤ bang	ㄇㄧㄢ mian	ㄊㄥ teng	ㄌㄡ lou	ㄎㄞ kai
ㄅㄥ beng	ㄇㄧㄣ min	ㄊㄧ ti	ㄌㄢ lan	ㄎㄠ kao
ㄅㄧ bi	ㄇㄧㄥ ming	ㄊㄧㄝ tie	ㄌㄤ lang	ㄎㄡ kou
ㄅㄧㄝ bie	ㄇㄨ mu	ㄊㄧㄠ tiao	ㄌㄥ leng	ㄎㄢ kan
ㄅㄧㄠ biao		ㄊㄧㄢ tian	ㄌㄧ li	ㄎㄣ ken
ㄅㄧㄢ bian	ㄈㄚ fa	ㄊㄧㄥ ting	ㄌㄧㄚ lia	ㄎㄤ kang
ㄅㄧㄣ bin	ㄈㄛ fo	ㄊㄨ tu	ㄌㄧㄝ lie	ㄎㄥ keng
ㄅㄧㄥ bing	ㄈㄟ fei	ㄊㄨㄛ tuo	ㄌㄧㄠ liao	ㄎㄨ ku
ㄅㄨ bu	ㄈㄡ fou	ㄊㄨㄟ tui	ㄌㄧㄡ liu	ㄎㄨㄚ kua
	ㄈㄢ fan	ㄊㄨㄢ tuan	ㄌㄧㄢ lian	ㄎㄨㄛ kuo
ㄆㄚ pa	ㄈㄣ fen	ㄊㄨㄣ tun	ㄌㄧㄣ lin	ㄎㄨㄞ kuai
ㄆㄛ po	ㄈㄤ fang	ㄊㄨㄥ tong	ㄌㄧㄤ liang	ㄎㄨㄟ kui
ㄆㄞ pai	ㄈㄥ feng		ㄌㄧㄥ ling	ㄎㄨㄢ kuan
ㄆㄟ pei	ㄈㄨ fu	ㄋㄚ na	ㄌㄨ lu	ㄎㄨㄣ kun
ㄆㄠ pao		ㄋㄜ ne	ㄌㄨㄛ luo	ㄎㄨㄤ kuang
ㄆㄡ pou	ㄉㄚ da	ㄋㄞ nai	ㄌㄨㄢ luan	ㄎㄨㄥ kong
ㄆㄢ pan	ㄉㄜ de	ㄋㄟ nei	ㄌㄨㄣ lun	
ㄆㄣ pen	ㄉㄞ dai	ㄋㄠ nao	ㄌㄨㄥ long	ㄏㄚ ha
ㄆㄤ pang	ㄉㄟ dei	ㄋㄡ nou	ㄌㄩ lü	ㄏㄜ he
ㄆㄥ peng	ㄉㄠ dao	ㄋㄢ nan	ㄌㄩㄝ lüe	ㄏㄞ hai
ㄆㄧ pi	ㄉㄡ dou	ㄋㄣ nen		ㄏㄟ hei
ㄆㄧㄝ pie	ㄉㄢ dan	ㄋㄤ nang	ㄍㄚ ga	ㄏㄠ hao
ㄆㄧㄠ piao	ㄉㄤ dang	ㄋㄥ neng	ㄍㄜ ge	ㄏㄡ hou
ㄆㄧㄢ pian	ㄉㄥ deng	ㄋㄧ ni	ㄍㄞ gai	ㄏㄢ han
ㄆㄧㄣ pin	ㄉㄧ di	ㄋㄧㄝ nie	ㄍㄟ gei	ㄏㄣ hen
ㄆㄧㄥ ping	ㄉㄧㄝ die	ㄋㄧㄠ niao	ㄍㄠ gao	ㄏㄤ hang
ㄆㄨ pu	ㄉㄧㄠ diao	ㄋㄧㄡ niu	ㄍㄡ gou	ㄏㄥ heng
	ㄉㄧㄡ diu	ㄋㄧㄢ nian	ㄍㄢ gan	ㄏㄨ hu
ㄇㄚ ma	ㄉㄧㄢ dian	ㄋㄧㄣ nin	ㄍㄣ gen	ㄏㄨㄚ hua
ㄇㄛ mo	ㄉㄧㄥ ding	ㄋㄧㄤ niang	ㄍㄤ gang	ㄏㄨㄛ huo
ㄇㄜ me	ㄉㄨ du	ㄋㄧㄥ ning	ㄍㄥ geng	ㄏㄨㄞ huai
ㄇㄞ mai	ㄉㄨㄛ duo	ㄋㄨ nu	ㄍㄨ gu	ㄏㄨㄟ hui
ㄇㄟ mei	ㄉㄨㄟ dui	ㄋㄨㄛ nuo	ㄍㄨㄚ gua	ㄏㄨㄢ huan
ㄇㄠ mao	ㄉㄨㄢ duan	ㄋㄨㄢ nuan	ㄍㄨㄛ guo	ㄏㄨㄣ hun
ㄇㄡ mou	ㄉㄨㄣ dun	ㄋㄨㄥ nong	ㄍㄨㄞ guai	ㄏㄨㄤ huang
ㄇㄢ man	ㄉㄨㄥ dong	ㄋㄩ nü	ㄍㄨㄟ gui	ㄏㄨㄥ hong

ㄐㄧ ji	ㄒㄩㄥ xiong	ㄕ shi	ㄗㄣ zen	ㄚ a
ㄐㄧㄚ jia		ㄕㄚ sha	ㄗㄤ zang	ㄜ e
ㄐㄧㄝ jie	ㄓ zhi	ㄕㄜ she	ㄗㄥ zeng	ㄞ ai
ㄐㄧㄠ jiao	ㄓㄚ zha	ㄕㄞ shai	ㄗㄨ zu	ㄠ ao
ㄐㄧㄡ jiu	ㄓㄜ zhe	ㄕㄟ shei	ㄗㄨㄛ zuo	ㄡ ou
ㄐㄧㄢ jian	ㄓㄞ zhai	ㄕㄠ shao	ㄗㄨㄟ zui	ㄢ an
ㄐㄧㄣ jin	ㄓㄟ zhei	ㄕㄡ shou	ㄗㄨㄢ zuan	ㄣ en
ㄐㄧㄤ jiang	ㄓㄠ zhao	ㄕㄢ shan	ㄗㄨㄣ zun	ㄤ ang
ㄐㄧㄥ jing	ㄓㄡ zhou	ㄕㄣ shen	ㄗㄨㄥ zong	ㄥ eng
ㄐㄩ ju	ㄓㄢ zhan	ㄕㄤ shang		ㄦ er
ㄐㄩㄝ jue	ㄓㄣ zhen	ㄕㄥ sheng	ㄘ ci	
ㄐㄩㄢ juan	ㄓㄤ zhang	ㄕㄨㄚ shua	ㄘㄚ ca	ㄧ yi
ㄐㄩㄣ jun	ㄓㄥ zheng	ㄕㄨㄛ shuo	ㄘㄜ ce	ㄧㄚ ya
ㄐㄩㄥ jiong	ㄓㄨ zhu	ㄕㄨㄞ shuai	ㄘㄞ cai	ㄧㄛ yo
	ㄓㄨㄚ zhua	ㄕㄨㄟ shui	ㄘㄠ cao	ㄧㄝ ye
ㄑㄧ qi	ㄓㄨㄛ zhuo	ㄕㄨㄢ shuan	ㄘㄡ cou	ㄧㄞ yai
ㄑㄧㄚ qia	ㄓㄨㄞ zhuai	ㄕㄨㄣ shun	ㄘㄢ can	ㄧㄠ yao
ㄑㄧㄝ qie	ㄓㄨㄟ zhui	ㄕㄨㄤ shuang	ㄘㄣ cen	ㄧㄡ you
ㄑㄧㄠ qiao	ㄓㄨㄢ zhuan		ㄘㄤ cang	ㄧㄢ yan
ㄑㄧㄡ qiu	ㄓㄨㄣ zhun	ㄖ ri	ㄘㄥ ceng	ㄧㄣ yin
ㄑㄧㄢ qian	ㄓㄨㄤ zhuang	ㄖㄜ re	ㄘㄨ cu	ㄧㄤ yang
ㄑㄧㄣ qin	ㄓㄨㄥ zhong	ㄖㄠ rao	ㄘㄨㄛ cuo	ㄧㄥ ying
ㄑㄧㄤ qiang		ㄖㄡ rou	ㄘㄨㄟ cui	
ㄑㄧㄥ qing	ㄔ chi	ㄖㄢ ran	ㄘㄨㄢ cuan	ㄨ wu
ㄑㄩ qu	ㄔㄚ cha	ㄖㄣ ren	ㄘㄨㄣ cun	ㄨㄚ wa
ㄑㄩㄝ que	ㄔㄜ che	ㄖㄤ rang	ㄘㄨㄥ cong	ㄨㄛ wo
ㄑㄩㄢ quan	ㄔㄞ chai	ㄖㄥ reng		ㄨㄞ wai
ㄑㄩㄣ qun	ㄔㄠ chao	ㄖㄨ ru	ㄙ si	ㄨㄟ wei
ㄑㄩㄥ qiong	ㄔㄡ chou	ㄖㄨㄛ ruo	ㄙㄚ sa	ㄨㄢ wan
	ㄔㄢ chan	ㄖㄨㄟ rui	ㄙㄜ se	ㄨㄣ wen
ㄒㄧ xi	ㄔㄣ chen	ㄖㄨㄢ ruan	ㄙㄞ sai	ㄨㄤ wang
ㄒㄧㄚ xia	ㄔㄤ chang	ㄖㄨㄣ run	ㄙㄠ sao	ㄨㄥ weng
ㄒㄧㄝ xie	ㄔㄥ cheng	ㄖㄨㄥ rong	ㄙㄡ sou	
ㄒㄧㄠ xiao	ㄔㄨ chu		ㄙㄢ san	ㄩ yu
ㄒㄧㄡ xiu	ㄔㄨㄛ chuo	ㄗ zi	ㄙㄣ sen	ㄩㄝ yue
ㄒㄧㄢ xian	ㄔㄨㄞ chuai	ㄗㄚ za	ㄙㄤ sang	ㄩㄢ yuan
ㄒㄧㄣ xin	ㄔㄨㄟ chui	ㄗㄜ ze	ㄙㄥ seng	ㄩㄣ yun
ㄒㄧㄤ xiang	ㄔㄨㄢ chuan	ㄗㄞ zai	ㄙㄨ su	ㄩㄥ yong
ㄒㄧㄥ xing	ㄔㄨㄣ chun	ㄗㄟ zei	ㄙㄨㄛ suo	
ㄒㄩ xu	ㄔㄨㄤ chuang	ㄗㄠ zao	ㄙㄨㄟ sui	
ㄒㄩㄝ xue	ㄔㄨㄥ chong	ㄗㄡ zou	ㄙㄨㄢ suan	
ㄒㄩㄢ xuan		ㄗㄢ zan	ㄙㄨㄣ sun	
ㄒㄩㄣ xun			ㄙㄨㄥ song	

林 虹瑛（リン コウエイ）

台湾台中県生まれ。台湾東呉大学日本語学科卒業。東京外国語大学大学院博士号取得（言語学）。日本台湾学会、日本中国語学会会員。日本台湾語言文化協会会長。東京外国語大学アジア・アフリカ言語文化研究所、神田外語大学などの講師を経て、現在、映画やドラマなどの台本翻訳、中国語通訳。

協力

日本台湾教育センター

本書および音声ダウンロードに関するお問合せは下記へどうぞ。
本書に関するご意見、ご感想もぜひお寄せください。

アスクユーザーサポートセンター 〒162-8558 東京都新宿区下宮比町 2-6
https://www.ask-books.com/support/

メールでのお問合せ： support@ask-digital.co.jp

公式サイト
お問合せフォーム

ご意見・ご感想フォーム
※ ISBN 下 5 桁「94411」をご入力ください。

台湾華語単語 つぎへの1400

2021 年 11 月 25 日　初版　第 1 刷
2024 年　2 月 26 日　初版　第 2 刷

著者 …………………… **林 虹瑛** ©2021 by Lin Hongying

イラスト …………… **オガワナホ**

デザイン ………… **岡崎 裕樹**

ナレーター ……… **李 多立　林 虹瑛　高野 涼子**

スタジオ収録 …… **アスク出版　映像事業部**

DTP・印刷・製本 … **倉敷印刷株式会社**

発行 …………………… **株式会社アスク**
〒162-8558　東京都新宿区下宮比町2-6
電話 03-3267-6864　FAX 03-3267-6867
URL https://www.ask-books.com/

発行人 ……………… **天谷 修身**